Manuel de droit constitutionnel
Tome 2
La Ve République

DROIT FONDAMENTAL
COLLECTION DIRIGÉE PAR
STÉPHANE RIALS

MANUELS

Manuel de droit constitutionnel

Tome 2
La Ve République

JULIEN BOUDON

PROFESSEUR À L'UNIVERSITÉ DE REIMS
DOYEN DE LA FACULTÉ DE DROIT ET DE SCIENCE POLITIQUE

3e édition mise à jour

puf

DU MÊME AUTEUR

Les Jacobins. Une traduction des principes de Jean-Jacques Rousseau, LGDJ, 2006.
Le Frein et la Balance. Études de droit constitutionnel américain, Mare & Martin, 2010.
La Passion de la modération. D'Aristote à Nicolas Sarkozy, Dalloz, 2011.
Concurrence des contrôles et rivalité des juges (dir.), Mare & Martin, 2012.
Pellegrino Rossi, *Cours de droit constitutionnel*, Dalloz, 2012.
Textes constitutionnels étrangers (avec S. Rials), Puf, « Que sais-je ? », 16e éd. 2017.
Manuel de droit constitutionnel, tome 1, Théorie générale. Histoire. Régimes étrangers, Puf, 2e éd. 2019.

ISBN 978-2-13-082281-3
ISSN 1629-5099

Dépôt légal — 1re édition : 2014, janvier
3e édition : 2020, septembre

Deux amis particulièrement chers ont bien voulu lire
et corriger le manuscrit de cet ouvrage :
mes remerciements les plus chaleureux vont
à Laurent Fonbaustier et à Arnaud Le Pillouer.

Sommaire

Leçon 1

De la IVe à la Ve République

1 Au lendemain de la Seconde Guerre mondiale, par le référendum du 21 octobre 1945, les électeurs ont refusé de restaurer la IIIe République et ont décidé de confier à une Assemblée constituante le soin de rédiger une nouvelle Constitution. Un premier projet est arrêté en avril 1946 mais il est repoussé lors de la consultation référendaire du 5 mai, rendant nécessaire l'élection d'une nouvelle Assemblée constituante. Ses travaux seront couronnés de succès : le projet de Constitution est approuvé par référendum le 13 octobre 1946, la Constitution de la IVe République est promulguée le 27 octobre.

L'intention de cette leçon n'est pas de retracer la vie tumultueuse de la IVe République, plutôt de rappeler les circonstances dans lesquelles le général de Gaulle est revenu au pouvoir en 1958, la genèse de la Constitution du 4 octobre 1958 et l'installation des nouvelles institutions. Les premiers mois de l'année ont illustré la double faiblesse du régime en place depuis 1946 : une faiblesse institutionnelle d'une part, une faiblesse politico-militaire de l'autre. Les deux sont étroitement liées : les gouvernements ne parviennent pas à trancher la question coloniale en Algérie parce qu'ils se succèdent à un rythme soutenu et ils sont instables parce qu'ils sont incapables d'apporter une réponse satisfaisante, soit politique, soit militaire aux « événements », autre nom de la guerre civile qui déchire le pays de l'autre côté de la Méditerranée. En octobre 1957, deux gouvernements, dirigés par Antoine Pinay et Guy Mollet, se succèdent en quelques jours ; désigné en novembre, le cabinet Félix Gaillard chutera en avril 1958 ; il est remplacé en mai par l'éphémère cabinet

Pierre Pflimlin. Une ultime crise en Algérie précipite sa fin, d'autant que le recours au général de Gaulle propose une solution honorable.

Section I
L'appel au général de Gaulle

2 De 1953 à 1958, de Gaulle aura connu sa « traversée du désert » : sans se désintéresser de la vie politique nationale, il consacre son temps à la rédaction de ses *Mémoires*. En janvier 1946, il avait démissionné du Gouvernement provisoire de la République française (GPRF), créé en 1944 et chargé d'opérer la transition entre le régime de Vichy et les institutions républicaines. De Gaulle ne renonce pas à l'activité politique : résolument hostile au premier projet de Constitution, il se réjouit de son échec et précise ses convictions dans le célèbre discours de Bayeux le 16 juin 1946. Mais le succès du second projet de Constitution le marginalise : la République peut se dispenser de lui. En outre, si le gaullisme, en tant que force politique incarnée dans le Rassemblement du peuple français (RPF), connaît d'abord des succès électoraux, il s'étiole au début des années 1950 et le RPF sera sabordé en 1953. Il faudra la décolonisation et la guerre en Algérie, qui s'aggrave à partir de 1954, pour favoriser le retour aux affaires du Général.

I | La marche au pouvoir

3 La situation en mai 1958. — La situation est confuse en mai 1958 : le cabinet Pflimlin est investi au moment même où un comité de salut public se forme à Alger, le 13 du mois. Les partisans de l'Algérie française, notamment les militaires, reprochent sa pusillanimité au pouvoir civil. Le pays semble au bord du chaos. Un sentiment de panique – essentiel pour comprendre la succession des événements – se propage au plus haut sommet de l'État et rend possible l'appel à de Gaulle. Celui-ci n'est pas resté inactif et fait preuve de rouerie : dès le 15 mai, il se déclare « prêt à

assumer les pouvoirs de la République » ; le 19 mai, il donne une conférence de presse au cours de laquelle il se dit « utile » à la France, notamment « à la tête du Gouvernement de la République française » ; le 27 mai, il affirme dans un communiqué de presse : « J'ai entamé hier le processus régulier nécessaire à l'établissement d'un Gouvernement républicain capable d'assurer l'unité et l'indépendance du pays. » L'audace gaullienne est patente : il s'agit de forcer le destin et de rendre la prise du pouvoir inévitable. Mais le Général prend garde de ne pas franchir les bornes : on aura remarqué combien le mot « République » revient tel un *leitmotiv.* De Gaulle veut rassurer : il n'est pas question d'une dictature de salut public, il convient de se couler dans les institutions existantes. D'où *in fine* le respect des formes : après la démission de Pierre Pflimlin le 28 mai, le président de la République, René Coty, adresse le lendemain un message au Parlement, puis s'entretient avec de Gaulle pour lui confier la tâche de constituer un Gouvernement – de Gaulle sera le dernier président du Conseil de la IVe République.

4 LE RÔLE DU PRÉSIDENT COTY. — Coty a mis tout son poids dans la balance. « Dans le péril de la patrie et de la République, je me suis tourné vers le plus illustre des Français, vers celui qui, aux années les plus sombres de notre histoire, fut notre chef pour la reconquête de la liberté et qui, ayant ainsi réalisé autour de lui l'unanimité nationale, refusa la dictature pour rétablir la République. [...] Je demande au général de Gaulle de bien vouloir conférer avec le chef de l'État et d'examiner avec lui ce qui, dans le cadre de la légalité républicaine, est immédiatement nécessaire à un Gouvernement de salut national et ce qui pourra, à échéance plus ou moins proche, être fait ensuite pour une réforme profonde de nos institutions. Je prendrai alors en mon âme et conscience la décision qui m'incombe », à savoir, en cas d'échec, la transmission des fonctions présidentielles au président de l'Assemblée nationale. Le message a été soigneusement rédigé : premièrement, de Gaulle, aujourd'hui comme hier, n'est pas un dictateur, mais un authentique républicain ; deuxièmement, il lui sera confié le soin de former un cabinet et en outre de préparer une Constitution (la « réforme profonde de nos institutions ») ; troisièmement, Coty avertit qu'il

n'hésitera pas à démissionner si le recours au Général n'était pas accepté par les Chambres. Ce faisant, Coty illustre ce que la doctrine juridique des IIIe et IVe Républiques ne cessait de clamer : bien que faible, le président de la République joue encore un rôle capital au moment de la formation du cabinet, surtout s'il n'y a pas de majorité parlementaire homogène – malgré le contreseing ministériel, il jouit d'une marge de liberté lui permettant de faire appel au mieux placé à ses yeux pour devenir président du Conseil. De Gaulle lui en saura gré et c'est sans doute en récompense des services rendus que l'article 56 de la Constitution fera des anciens présidents de la République des membres de droit du Conseil constitutionnel.

II | L'INVESTITURE ET LES MOYENS DE L'ACTION

5 L'INVESTITURE. — Le 29 mai au soir, de Gaulle est donc chargé de former un nouveau Gouvernement. S'il a accepté de demander l'investiture à l'Assemblée nationale (article 45 de la Constitution de 1946), il a aussi posé ses conditions : les pleins pouvoirs s'accompagneraient d'une révision radicale de la Constitution. Le communiqué du 29 mai est confirmé dans le discours prononcé à l'Assemblée nationale le 1er juin : les pleins pouvoirs sont réclamés pour six mois, une « réforme constitutionnelle » sera engagée selon la procédure prévue par la Constitution de 1946 et sur la base de quelques principes républicains jugés fondamentaux. La confiance est accordée par l'Assemblée à la majorité absolue, requise par l'article 45, de 329 voix contre 224. Seuls les communistes ont refusé l'investiture en bloc, les socialistes et les radicaux se sont divisés à parts égales, le Mouvement républicain populaire (MRP), les républicains sociaux et les indépendants-paysans ont apporté leur soutien à de Gaulle.

6 LES TEXTES ADOPTÉS AU DÉBUT DE JUIN. — Trois textes sont adoptés les 2 et 3 juin ; ils sont promulgués le 3 et publiés le 4. Le premier est une loi n° 58-521 renouvelant les « pouvoirs spéciaux » du Gouvernement en Algérie, une prérogative deve-

nue banale depuis 1956 en raison de l'aggravation de la situation. Le second est une loi n° 58-520 confiant les pleins pouvoirs au Gouvernement dirigé par de Gaulle pour une durée de six mois (un laps de temps qui pouvait effrayer : c'était celui de la dictature romaine). Les pleins pouvoirs en cause ne sont rien d'autre que l'habilitation générale donnée au Gouvernement de prendre des décrets – appelés ordonnances – dans le domaine de la loi, avec cette réserve que les textes réglementaires ne pourront affecter ni les libertés publiques consignées dans la Déclaration de 1789 et dans le préambule de la Constitution de 1946, ni le droit pénal et la procédure pénale, ni la législation électorale. La loi ressuscite les décrets-lois d'antan ; elle annonce les ordonnances de l'article 38 de la Constitution de la Ve République. La ratification du Parlement est requise dans tous les cas. Le 2 juin, les deux lois sont votées à la majorité absolue dans les deux Chambres.

Le troisième texte, du 3 juin, est une « loi constitutionnelle » qui précise les principes à respecter et la procédure à suivre pour réviser la Constitution. Dès les 29 mai et 1er juin, il était entendu que la Constitution de 1946 serait modifiée conformément à la clause de révision inscrite à son article 90 et que le projet serait soumis au référendum. La déclaration du 1er juin évoquait trois principes, ajoutant qu'il faudrait en outre régler le sort de l'ancien Empire. La loi constitutionnelle arrêtera cinq principes qui étaient *grosso modo* ceux énoncés la veille (l'autorité judiciaire avait été oubliée). Ils forment, selon les mots du Général le 1er juin, « la base du régime républicain » que le Gouvernement s'engage à respecter.

7 LA TRAME DES ÉVÉNEMENTS. — La trame des événements doit être établie avec la plus grande précision. Un projet est rédigé dès le 31 mai ; modifié après avis du Conseil d'État, il est adopté en Conseil des ministres dans la soirée du 1er juin, immédiatement après l'investiture du président du Conseil, et déposé sur le bureau de l'Assemblée nationale. La journée du 2 juin est cruciale : une lettre rectificative est d'abord adressée par le Gouvernement ; c'est ce projet de loi constitutionnelle ainsi amendé qui sera adopté par l'Assemblée nationale le 2 juin, malgré le contre-projet d'Albert de Bailliencourt, et par le Conseil de la République le 3 juin. La loi

recueille 350 voix contre 161 à l'Assemblée nationale, 256 contre 30 au Conseil de la République. La double majorité des 3/5e exigée par l'article 90 de la Constitution est atteinte, ce qui permet d'éviter la navette et de gagner du temps. Or c'est cet article qui se trouve au cœur de la loi constitutionnelle « portant dérogation transitoire aux dispositions de l'article 90 de la Constitution ». Il était critiqué depuis des années car il instituait une procédure lourde, complexe et obscure. Pour cette raison, il avait fait l'objet d'une résolution de révision votée par l'Assemblée nationale le 24 mai 1955 et par le Conseil de la République le 19 juillet 1955 (l'accord des deux Chambres à la majorité absolue faisait l'économie d'une deuxième lecture de la résolution) : la loi constitutionnelle du 3 juin 1958 complète la résolution et opère une révision de la clause de révision. L'article 90 n'est pas remplacé – telle était pourtant l'intention initiale du Gouvernement, attestée par le projet de loi déposé le 1er juin et par la lettre rectificative du 2 juin –, il y est « dérogé ». La dérogation est présentée comme « transitoire », au sens qu'elle ne profite qu'au Gouvernement investi le 1er juin, mais nul n'est dupe : la Constitution sera bouleversée (nulle ambiguïté dans la question posée lors du référendum du 28 septembre : « Approuvez-vous la Constitution qui vous est proposée par le Gouvernement de la République ? »). Cependant, pour la première fois en France, un régime succédait à un autre en respectant les formes prescrites. La loi du 3 juin dispose que « la loi constitutionnelle portant révision de la Constitution » sera soumise au référendum : en droit, il importe peu que le texte suprême fût partiellement ou entièrement modifié ; il est crucial en revanche que le projet de loi constitutionnelle ait obéi à la procédure de l'article 90. C'est pourquoi une partie de la doctrine (l'école dite « normativiste ») condamne l'expression « Constitution de 1958 » et considère que la Constitution actuelle de la France date de la loi constitutionnelle du 2 novembre 1945, qui a servi de fondement à la Constitution de 1946, elle-même révisée à plusieurs reprises, notamment en 1954 et surtout en 1958.

8 LES CINQ « BASES » DE LA LOI CONSTITUTIONNELLE DU 3 JUIN. — La loi constitutionnelle du 3 juin retient donc cinq principes ou « bases ». Ils sont d'un intérêt capital car ils forment l'ossature de la République à venir ; ils figureront en bonne place parmi les principes fondamentaux énoncés dans le préambule et les premiers articles de la Constitution de 1958 (voir la leçon 2). Le premier principe met l'accent sur le caractère démocratique du régime : « seul le suffrage universel est la source du pouvoir », qu'il soit exercé directement ou par l'intermédiaire des représentants. Cela signifie *a contrario* que le pouvoir n'est pas de droit divin ou de droit historique, mais aussi qu'il n'a pas d'origine charismatique, si on veut emprunter à la célèbre typologie de Max Weber – autrement dit, de Gaulle ne tire pas son autorité de la Résistance et c'est bien pour cela qu'il a réclamé et obtenu l'investiture de l'Assemblée nationale. Le second principe a trait à la séparation des pouvoirs, du moins à celle qui doit régner entre le pouvoir législatif et le pouvoir exécutif. Séparation qui ne signifie pas absence de lien ou de communication : le régime sera parlementaire en ce sens que le Gouvernement sera responsable devant le Parlement (ou devant l'une des Chambres d'un Parlement bicaméral). Jadis, on y voyait une séparation « souple » des pouvoirs, par opposition à la séparation « rigide » prévalant dans le régime présidentiel des États-Unis – de vieilles lunes qui ne devraient plus être enseignées, on tentera d'expliquer pourquoi. La séparation ne serait pas complète sans la mention, dans la quatrième base, de « l'autorité judiciaire » dont l'indépendance est assurée : elle est chargée de protéger les libertés individuelles proclamées en 1789 et en 1946. Enfin, le cinquième principe n'oublie pas l'association de la République avec les peuples qui font partie de l'Union française, que l'on appellera bientôt la Communauté.

Les cinq principes forment autant de garde-fous censés garantir le caractère républicain du nouveau régime. Pour apaiser les craintes suscitées par de Gaulle, ils ont d'ailleurs glissé de l'exposé des motifs le 1er juin à l'article unique de la loi constitutionnelle le 2 juin. Ils s'accompagnent d'une procédure très élaborée qui est loin d'être anodine : c'est tellement vrai qu'elle sera le seul point d'achoppement le 2 juin à l'Assemblée nationale. À l'origine, dans le projet du 1er juin, aucun rôle n'était réservé au Parlement : la rédaction du projet de loi constitutionnelle était de la seule responsabilité du Gouvernement. Après avis du Conseil d'État, il devait être adopté en Conseil des ministres et soumis au référendum. La lettre rectificative du 2 juin répare la bévue et associe les parlementaires à la procédure : un comité « consultatif », composé aux deux tiers de députés et de sénateurs, est chargé de donner un « avis » sur le projet gouvernemental. Cette concession ne suffit pas aux yeux de la commission des lois de l'Assemblée nationale, qui a parfaitement compris que le comité, à l'instar du Conseil d'État, ne serait pas décisionnaire puisqu'il ne serait que « consultatif » et ne rendrait qu'un « avis ». Son rapporteur, A. de Bailliencourt, propose de modifier la procédure ainsi : le projet du Gouvernement serait soumis aux Chambres qui auraient trois mois pour l'examiner ; elles l'adopteraient à la majorité absolue, faute de quoi le référendum serait organisé. De Gaulle prend la parole en personne pour refuser un tel amendement et il obtient gain de cause. Il rappelle que le Parlement ne s'est jamais mis d'accord sur un des nombreux projets de révision soumis à son examen dans les années précédentes et qu'il convient d'aller vite. Il insiste par ailleurs sur le recours au référendum.

9 LA PLACE RÉSERVÉE AU PARLEMENT. — Deux philosophies constituantes sont en lutte : la première veut que le Parlement, transformé en Assemblée constituante, soit au moins associé à l'élaboration de la Constitution, un référendum sanctionnant son œuvre (tel fut le cas en 1793 ou en 1946) ; la seconde exclut le Parlement, ou lui accorde un rôle mineur, le référendum seul servant de caution républicaine.

Cette seconde méthode est souvent décriée : la doctrine la qualifie d'« autoritaire », car elle fut privilégiée par les régimes bonapartistes du XIXe siècle, tandis que le référendum s'apparenterait à un détestable « plébiscite ». Il y aurait beaucoup à dire sur le choix des mots : le Consulat, fruit de la Constitution de l'an VIII, était-il un régime autoritaire à ses débuts ? Le terme « plébiscite » mérite-t-il une nuance péjorative qui le distinguerait résolument du vénérable référendum ? Mais peu importe ici : le droit n'est pas tant en cause, plutôt l'histoire politique de la France. Le souvenir de 1851 et de 1852 hante les esprits : un président de la République élu au suffrage universel direct – Louis-Napoléon Bonaparte – a accompli un coup d'État et remplacé la Constitution républicaine par une Constitution impériale préparée dans le secret des cabinets et approuvée par un « plébiscite », sorte de faux référendum aux accents démagogiques. D'où la condamnation de tout procédé de démocratie semi-directe sous la IIIe République. Le référendum est remis à l'honneur en 1945 et 1946, mais à la condition qu'il ne marginalise pas le Parlement : deux assemblées constituantes sont successivement chargées de préparer un projet de Constitution ensuite soumis au référendum. L'échec du 5 mai sera gommé par le succès du 13 octobre. Le référendum constituant semble entré dans les mœurs ; il figure d'ailleurs à l'article 90 de la Constitution de 1946. En 1958, on va plus loin : le référendum peut se dispenser du Parlement ou presque. L'élaboration du texte le prouve.

Section II
L'élaboration de la Constitution

10 LE RÔLE DU GOUVERNEMENT. — La loi constitutionnelle du 3 juin prévoyait que la rédaction du projet de Constitution serait l'apanage du « Gouvernement ». Il était entendu, eu égard à sa composition décrétée le 1er juin, que les ministres d'État – sans portefeuille – auraient un rôle particulier dans la préparation du texte. Au nombre de quatre, ils représentent les grandes sensibilités politiques du pays, sous réserve des extrêmes : il s'agit de Guy Mollet, Pierre Pfimlin, Félix Houphouët-Boigny et Louis Jacquinot. Mais la cheville-ouvrière de l'entreprise, outre l'inspiration soufflée par de Gaulle, est le garde des Sceaux, ministre de la Justice, Michel Debré. Il participe en effet à toutes les réunions, les plus solennelles comme les plus techniques. L'effort est partagé. L'« orientation générale » appartient au président du Conseil et aux cinq ministres indiqués, auxquels se joint le vice-président du Conseil d'État, René Cassin. Autrement dit, les grands principes sont arrêtés à l'hôtel Matignon où se réunissent les conseils interministériels à partir du 13 juin. Ces principes sont traduits dans des articles constitutionnels par un groupe de travail présidé par M. Debré : ses membres sont presque tous maîtres des requêtes ou auditeurs au Conseil d'État, beaucoup occupent des fonctions de directeur de cabinet ou de conseiller technique dans tel ou tel cabinet ministériel ; ses séances se tiennent à la chancellerie dès le 12 juin. En toute logique, les réunions du conseil interministériel devraient précéder celles du groupe de travail : on s'aperçoit que ce sera l'inverse – le premier délibérera sur les textes préparés par le second. Au final, chaque formation organisera une dizaine de séances.

Un mois sera suffisant pour aboutir à un premier avant-projet le 15 juillet, de la plume de M. Debré et de son cabinet. Discuté et amendé au sein tant du groupe de travail que du conseil interministériel, il sera examiné par le conseil de cabinet (rassemblant les ministres en dehors de la présence du président de la République, René Coty) les 23 et 25 juillet ; cette nouvelle mouture de l'avant-projet, adoptée le 26 juillet, est appelée « le livre rouge » en raison de la couleur de sa couverture ; elle est transmise le 29 au comité consultatif constitutionnel (CCC).

11 LE COMITÉ CONSULTATIF CONSTITUTIONNEL. — On a relevé que ce comité avait été introduit tardivement dans le projet de loi constitutionnelle : il ne figurait pas dans la version initiale du 1er juin et ne fut ajouté le lendemain que pour prévenir la résistance des parlementaires. En effet, le CCC assure la participation des députés et des sénateurs à l'élaboration de la Constitution. Ils y sont majoritaires puisque deux tiers des sièges leur sont réservés, les députés étant cependant avantagés par rapport aux sénateurs : les uns et les autres sont nommés par les commissions compétentes de leurs assemblées respectives, à hauteur d'un tiers « au moins » des membres de ces commissions. La disposition peut sembler énigmatique : elle emporte que les députés seront plus nombreux que les sénateurs. En effet, eu égard à l'effectif total de chacune des Chambres, les commissions de l'Assemblée nationale sont plus peuplées que celles du Conseil de la République. Le bicamérisme inégalitaire de la IVe République se reflète jusque dans la composition du CCC. Par voie de conséquence, le décret n° 58-599 du 16 juillet 1958 décide que les commissions du suffrage universel sont compétentes, celle de l'Assemblée désignant seize noms, celle du

Conseil de la République dix (elles comptent respectivement 44 et 30 membres). Le CCC comprend trente-neuf membres en tout : treize personnalités qualifiées sont nommées par le Gouvernement (décret du 26 juillet), notamment Paul Reynaud qui sera élu président du comité lors de la première réunion du 29 juillet. Député sous la IIIe comme sous la IVe République, président du Conseil au moment de la débâcle, Reynaud était un vieux routier de la vie politique française, estimé de tous bords. Rallié à de Gaulle, c'était un choix parfait.

L'activité du comité est sévèrement encadrée. De Gaulle a consenti à le créer ; il ne s'agirait pas qu'il nuise à l'efficacité du travail ministériel. La première garantie date de la loi constitutionnelle du 3 juin : le comité est exclusivement « consultatif », il ne rend que des « avis », c'est-à-dire que le Gouvernement pourra passer outre s'il le désire (c'est pour cette raison que les députés communistes ont refusé d'y postuler). Les autres garanties résident dans le décret du 16 juillet : les délibérations du comité sont secrètes, elles ne pourront servir de caisse de résonance prenant à témoin l'opinion publique ; la délégation de vote est interdite ; le président du Conseil et les cinq ministres principaux sont représentés par des commissaires du Gouvernement ; surtout, le comité n'a que vingt jours pour se prononcer. On ajoute que sa taille est source de faiblesse : à ses trente-neuf membres s'ajouteront le secrétaire général, un expert et les six commissaires du Gouvernement. Les débats risquaient de virer à la cacophonie. De fait, le comité n'a pas contesté radicalement l'avant-projet de Constitution lors de ses dix-huit séances (il siégera pour la dernière fois le 14 août). Ayant fait preuve de bonne volonté, ses propositions seront en partie acceptées ou prises en compte : outre le deuxième alinéa du préambule et le titre consacré à la Communauté, elles portaient sur l'existence même des partis politiques (le futur article 4), le collège électoral présidentiel qui figurera à l'article 6, les pleins pouvoirs de l'article 16, la liste des matières législatives au sens de l'article 34. Les prétentions resteront inconciliables à un seul égard, l'incompatibilité des fonctions ministérielles et du mandat parlementaire (article 23), pierre d'angle de la rationalisation du parlementarisme voulue par de Gaulle et Debré : ces derniers refuseront toute édulcoration de la disposition.

12 LES ULTIMES ÉTAPES DE LA DISCUSSION. — L'avant-projet amendé par le CCC est examiné par un conseil interministériel le 19 août et par un conseil de cabinet le lendemain. Il est transmis ensuite au Conseil d'État le 21 août ; son avis est délivré le 28 août ; les modifications, nombreuses, ne bouleversent pas l'équilibre du texte ; elles touchent souvent à la rédaction et à l'harmonisation des articles. Cette phase de la procédure est surtout connue par l'allocution prononcée le 27 août par Michel Debré, résumé des intentions du Gouvernement. L'avant-projet est définitivement arrêté lors du conseil interministériel du 1er septembre ; il devient projet lors de sa présentation au Conseil des ministres le 3 septembre (la seule réunion présidée par René Coty). Une cérémonie est organisée le lendemain place de la République : la date – commémorant le 4 septembre 1870 – et le lieu sont choisis puisqu'il s'agit pour de Gaulle de présenter un projet de Constitution résolument *républicain*. Un décret du même jour prévoit que le référendum aura lieu le 28 septembre.

Section III
Le référendum et la promulgation de la Constitution

13 LE RÉFÉRENDUM DU 28 SEPTEMBRE 1958. — D'emblée, il était prévu que le projet de Constitution serait soumis au référendum, comme en 1946. L'adoption du texte par la voie parlementaire était exclue. Au registre des symboles, après la cérémonie de la place de la République le 4 septembre, il eût fallu organiser le référendum le 22 septembre, lointain écho de la proclamation de la Ire République en 1792. Mais le calendrier ne le permettait pas. Le référendum du 28 septembre fut un succès incontestable : la participation a atteint les 80 % des inscrits, le « oui » a recueilli plus de 82 % des suffrages exprimés. L'approbation est massive partout, que ce soit en métropole, en outre-mer, en Algérie ou en Afrique noire. Seule ombre au tableau : la Constitution est repoussée dans la Guinée de Sékou Touré ; celle-ci deviendra indépendante quelques jours plus tard. Au plan politique, l'échec est cuisant pour le parti

communiste et pour la portion de la gauche socialiste ou radicale (F. Mitterrand ou P. Mendès-France) qui ont appelé à voter « non ».

14 LA PROMULGATION DE LA CONSTITUTION. — La loi constitutionnelle du 3 juin 1958 disposait *in fine* une promulgation par le président de la République dans les huit jours de l'adoption : ce sera chose faite le 4 octobre, la publication au *Journal officiel* est datée du 5 octobre.

Section IV
L'installation des nouvelles institutions

15 LES DISPOSITIONS TRANSITOIRES. — La transition d'un régime à un autre est toujours une affaire délicate et cruciale pour l'avenir des institutions nouvelles : d'une part une période de flottement est presque inévitable, de l'autre une sorte de tour est pris dans les premiers mois d'existence – les traits définitifs s'annoncent déjà. La difficulté est bien connue en droit constitutionnel ; c'est pourquoi il est fréquent que la Constitution nouvelle contienne des « dispositions transitoires » (en dehors des dispositions additionnelles, abrogatoires ou finales : la Constitution italienne de 1947, la Loi fondamentale allemande de 1949 et surtout la Constitution espagnole de 1978, peu après la mort de Franco, se terminent par de telles dispositions). La Constitution de 1958 – et la date est ici pleinement justifiée – faisait une place à un titre XV « Dispositions transitoires » qui a été sottement abrogé par la loi constitutionnelle n° 95-880 du 4 août 1995. De même le titre XII « De la Communauté », abrogé au même moment et par le même texte : la Communauté a vécu quelques mois, elle n'est plus, ses effets sont nuls depuis longtemps. Mais la différence est radicale entre les titres XII et XV : les trois articles (90, 91 et 92) qui composaient celui-ci revêtent un intérêt capital pour comprendre la Ve République actuelle. En effet, les actes juridiques pris sur leur fondement sont pour la plupart toujours en vigueur. Or il s'agit le plus souvent de lois organiques qui ont complété la Constitution.

16 LES ARTICLES 90 ET 91 DE LA CONSTITUTION. — Il convient de distinguer entre les défunts articles 90, 91 et 92. Certaines dispositions n'ont plus qu'un intérêt historique, elles se trouvaient dans les articles 90 et 91 : outre celles qui concernaient la Communauté, elles réglaient le sort du président de la République, de l'Assemblée nationale, du Sénat et de la commission temporaire qui précédait le Conseil constitutionnel. Un délai de quatre mois était imparti à compter de la promulgation de la Constitution pour opérer le remplacement des anciennes institutions par les nouvelles : dans l'intervalle, il fallait organiser des élections législatives et présidentielle, les premières devant précéder la seconde puisque les députés faisaient partie du collège électoral chargé de désigner le président de la République. Une exception était faite pour le Sénat : les lois organiques pouvaient attendre le 31 juillet 1959 (en raison des élections municipales en mars). Par ailleurs, une commission était mise en place pour exercer les attributions du Conseil constitutionnel au titre des articles 58 et 59 : composée de trois magistrats – le vice-président du Conseil d'État, le premier président de la Cour de cassation et le premier président de la Cour des comptes – elle se contentait des prérogatives électorales du futur Conseil constitutionnel (qui sera installé le 5 mars 1959). Il était impératif, avant la mise en place du Conseil, qu'une commission électorale au-dessus de tout soupçon se voie confier le contentieux de l'élection présidentielle (article 58) et le contentieux des élections parlementaires (article 59).

17 L'ARTICLE 92 DE LA CONSTITUTION. — L'article 92, de son côté, accordait au Gouvernement une délégation législative très large. Pendant le délai de quatre mois, il était habilité à légiférer par ordonnances « ayant force de loi », après avis du Conseil d'État, dans toute une série de matières : l'installation des institutions bien sûr, le fonctionnement des pouvoirs publics jusqu'à cette installation, le régime électoral des assemblées parlementaires et enfin les mesures « nécessaires à la vie de la nation, à la protection des citoyens ou à la sauvegarde des libertés ». Seule la disposition sur le régime électoral des assemblées avait suscité la résistance du comité consultatif le 13 août ; il n'en sera pas tenu compte. Le terme

« ordonnance » est celui de la loi sur les pleins pouvoirs du 3 juin 1958 ; il figure aussi à l'article 38 de la Constitution. Alors que la session parlementaire est suspendue en vertu de l'article 90, la fonction législative est confiée au Gouvernement : malgré l'énumération des trois alinéas de l'article 92, qui tracera la limite entre ce qui est « nécessaire à la vie de la nation » et ce qui ne l'est pas ? Tout au long de l'automne et au début de l'hiver, des ordonnances seront prises dans les domaines les plus variés, or elles ont force de loi ordinaire comme de loi organique, tandis que nombre d'entre elles sont encore en vigueur de nos jours (les deux sont liés : les ordonnances portant loi organique sont pérennes parce qu'elles complètent la Constitution qu'on veut stable). L'analogie avec l'article 38 de la Constitution trouve ainsi ses limites : d'une part les ordonnances de l'article 92 ne supposent pas une autorisation de la part du Parlement, l'habilitation est donnée par la Constitution elle-même ; d'autre part les ordonnances de l'article 92 ne réclament pas une ratification parlementaire (qui doit être expresse depuis 2008) ; enfin, et surtout, les ordonnances de l'article 92 ont valeur de lois ordinaires tout aussi bien que de lois organiques, alors que le Parlement, dans le cadre de l'article 38, autorise seulement le Gouvernement à empiéter sur le domaine de la loi ordinaire (décision du Conseil constitutionnel n° 81-134 DC du 5 janvier 1982, *Loi d'orientation*, considérant 3). La conséquence en est que les ordonnances portant loi organique adoptées en 1958 et en 1959 ne peuvent être abrogées, modifiées ou remplacées qu'au terme de la procédure spéciale que l'article 46 réserve aux lois organiques. Pour toutes ces raisons, on regrette que le titre XV ait été supprimé en 1995.

18 LES TEXTES ADOPTÉS SUR LE FONDEMENT DE L'ARTICLE 92. — Les mois de novembre et de décembre ont été à l'honneur. Des dizaines de textes ont été adoptés. Citons pêle-mêle l'ordonnance n° 58-1067 du 7 novembre 1958 portant loi organique sur le Conseil constitutionnel, l'ordonnance n° 58-1099 du 17 novembre 1958 portant loi organique pour l'application de l'article 23 de la Constitution (incompatibilité des fonctions ministérielles et parlementaires), l'ordonnance n° 58-1136 du 28 novembre

1958 portant loi organique concernant les nominations aux emplois civils et militaires de l'État, l'ordonnance n° 58-1210 du 13 décembre 1958 portant loi organique relative à l'indemnité des membres du Parlement, l'ordonnance n° 58-1270 du 22 décembre 1958 portant loi organique relative au statut de la magistrature, etc. Certaines ordonnances ont été remplacées depuis : ainsi l'ordonnance n° 59-2 du 2 janvier 1959 portant loi organique relative aux lois de finances l'a été par la loi organique n° 2001-692 du 1er août 2001. De même, l'ordonnance n° 59-1 du 2 janvier 1959 portant loi organique sur la Haute Cour de justice a été abrogée par la loi organique n° 2014-1392 du 24 novembre 2014. Des lois ordinaires ont également fait l'objet d'ordonnances, telle l'ordonnance n° 58-1100 du 17 novembre 1958 relative au fonctionnement des assemblées parlementaires. Dans tous ces cas, les visas font mention de l'article 92 et de la procédure prévue par lui (la présentation en Conseil des ministres et l'avis du Conseil d'État). La plupart de ces textes sont encore aujourd'hui en vigueur et il est dommage de ne plus connaître leur origine.

19 La mise en place des institutions. — Les délais prévus ont été respectés : les nouvelles institutions ont été mises en place à la fin de 1958 et au début de 1959. Les élections législatives furent organisées les 23 et 30 novembre 1958 au scrutin majoritaire à deux tours. Le mode de scrutin avait été fixé par l'ordonnance n° 58-945 du 13 octobre 1958 : contre le vœu du comité consultatif, le régime électoral de l'Assemblée nationale était du ressort d'une ordonnance portant loi « ordinaire ». Le scrutin majoritaire à deux tours servira lors de toutes les élections législatives de la Ve République, sauf en 1986 pour l'élection de la VIIIe législature où la représentation proportionnelle lui a été préférée pour des motifs impurs (le parti socialiste, annoncé vaincu, souhaitait atténuer sa défaite). Les élections de novembre 1958 sont un succès incontestable pour de Gaulle : certes, l'Union pour la nouvelle République (UNR) n'atteint pas la majorité absolue des sièges – elle en compte un peu plus de 200 sur 579 – mais elle peut compter sur des alliés fiables. Par contraste, l'échec des communistes et des socialistes est patent : ils obtiennent quelques dizaines de sièges seulement et des personnalités de premier plan sont éliminées (Jacques Duclos, François Mitterrand, Pierre Mendès-France, Édouard Daladier : certains deviendront sénateurs quelques semaines plus tard). La première séance a lieu le 9 décembre. Voilà qui permet de procéder à l'élection présidentielle, à laquelle de Gaulle est candidat tant les habits du président de la République ont été taillés sur mesure pour lui. Les articles 6 et 7 de la Constitution – avant la modification de 1962 – prévoyaient que le président serait élu par un collège électoral assez large, rassemblant pour l'essentiel des élus locaux et notamment municipaux. Leur nombre dépassera les 81 000 le 21 décembre 1958. Le premier tour suffira puisque la majorité absolue est dépassée par de Gaulle : il obtient 62 000 suffrages sur 79 000 exprimés, soit 78 %. Il prend ses fonctions le 9 janvier 1959, après la proclamation des résultats la veille par la commission constitutionnelle (décision n° 59-2 PDR), conformément aux dispositions de l'article 91, alinéa 3 de la Constitution.

Les autres institutions de la République sont installées dans le courant du premier semestre de 1959. On l'a indiqué pour le Conseil constitutionnel, qui commencera ses opérations le 5 mars. Quant au Sénat, l'article 91 de la Constitution disposait qu'il serait composé des membres du Conseil de la République jusqu'aux lois organiques réglant sa « constitution définitive ». L'ordonnance n° 58-1097 du 15 novembre 1958 portant loi organique relative à la composition du Sénat et à la durée du mandat des sénateurs indique que la transition s'effectuera au moment de l'ouverture de la session ordinaire du Parlement en avril 1959. La Chambre est intégralement renouvelée le 26 avril ; la gauche communiste et socialiste y conservera ses positions ; en conséquence, le Sénat fera figure de foyer de résistance à de Gaulle, notamment après 1962. La première séance du Sénat aura lieu le 28 avril. De son côté, le Conseil économique et social (CES), qui gagnera l'adjectif « environnemental » (CESE) en 2008, fait l'objet de l'ordonnance n° 58-1360 du 29 décembre 1958 ; l'assemblée, objet du titre X de la Constitution, commence ses travaux le 22 juin 1959. À cette date, la période transitoire est finie : les institutions de la Ve République sont en place.

20 La présentation des institutions actuelles de la Ve République sera au cœur du présent ouvrage. Pour ce faire, on suivra le plan de la Constitution pas à pas ou titre après titre : une fois exposés les principes fondamentaux de la République (qui ne figurent pas seulement dans le titre I), on examinera successivement le président de la République (titre II), le Premier ministre et le Gouvernement (titre III), le Parlement (titre IV) et ses rapports avec les ministres (titre V), puis le Conseil constitutionnel (titre VII). Les autres titres seront envisagés ici et là, sous réserve du titre XIV « De la révision » qui fera l'objet d'une leçon particulière. Il sera alors temps de conclure sur la nature du régime politique de la Ve République.

Leçon 2

Les principes fondamentaux de la République

21 Dans un clin d'œil aux « principes fondamentaux reconnus par les lois de la République » du préambule de la Constitution de 1946, on appelle principes fondamentaux de la République tous ceux qui donnent son *âme* au nouveau régime. Celui-ci ne se résume pas à un réseau d'organes et à un entrelacs de procédures, il repose sur une philosophie politique et sur des valeurs qui lui donnent son identité propre. Le plus souvent, les principes fondamentaux figurent au début du texte constitutionnel ; celui de la Ve République ne fait pas exception : le préambule et le titre Ier font office de manifeste idéologique qui surplombe le reste de la Constitution. L'agencement institutionnel n'est que la conséquence et l'illustration de ces principes. Certains d'entre eux sont cependant disséminés dans la suite du document. Le titre VIII, le titre XI *bis*, les titres XII et XIII, le titre XV seront mis à contribution. On n'oubliera pas en outre la loi constitutionnelle du 3 juin 1958. De la sorte, on soutiendra que la République est non seulement indivisible, laïque, démocratique et sociale, voire décentralisée, mais aussi libérale et peut-être européenne.

22 LES SYMBOLES DE LA RÉPUBLIQUE. — Elle a aussi ses symboles, énumérés à l'article 2, qui s'inspire de l'article 2 de la Constitution de 1946 : une langue commune (le français), un emblème (le drapeau tricolore), un hymne (*La Marseillaise*), une devise (« Liberté, égalité, fraternité ») et un principe (« Gouvernement du peuple, par le peuple et pour le peuple ») popularisé par Abraham Lincoln, le 16e président des États-Unis, en 1863. L'héritage de la Révolution française est flagrant : à l'instigation de l'abbé Grégoire notamment, la République a lutté avec vigueur contre les patois ; les trois couleurs sont synonymes de « fusion nationale », pour emprunter à Bonaparte, et elles triompheront avec l'affaire du drapeau blanc à l'orée de la IIIe République ; il n'est pas nécessaire de rappeler que *La Marseillaise*, écrite par Rouget de Lisle en 1792, était le chant de guerre de l'armée du Rhin entonné par les volontaires marseillais venus à Paris au cœur de l'été ; quant à la devise, elle apparaît dans les premières années de la Révolution (s'y ajoute souvent « ou la mort »), mais elle ne deviendra officielle qu'en 1848 avec la Seconde République. On mesure aussi combien la Ve République est tributaire de la IIIe et de ses prodromes : l'affaire du drapeau blanc, en 1871, ruina définitivement les espoirs d'une restauration monarchique en raison de l'intransigeance du comte de Chambord qui refusa d'adopter le drapeau tricolore et prétendit conserver « le drapeau blanc d'Henri IV » ; *La Marseillaise* devint hymne national en 1879 ; la même année, la devise « Liberté, égalité, fraternité » fut officiellement celle de la République (en même temps que le 14-Juillet était érigé en fête nationale).

Il serait faux de croire que ces symboles sont dénués de portée juridique et contentieuse. On en citera deux exemples. D'une part la loi sur la sécurité intérieure n° 2003-239 du 18 mars 2003 a inséré dans le Code pénal un article 433-5-1 qui réprime le délit d'outrage public à l'hymne national ou au drapeau tricolore, passible de 7 500 euros d'amende, voire d'une peine d'emprisonnement de six mois. Des sifflets assez disgracieux avaient couvert *La Marseillaise* lors d'une rencontre de football ; la riposte, sur le terrain pénal, a été modérée par le Conseil constitutionnel en 2003 et par le Conseil d'État en 2011. Le premier a émis une réserve d'interprétation dans la décision n° 2003-467 DC du 13 mars 2003 : il a précisé ce qu'il fallait entendre par « manifestations réglementées par les autorités publiques ». Le second a estimé en 2011 que l'outrage au drapeau national n'est pas caractérisé lorsqu'il s'agit de communiquer des idées politiques ou philosophiques ou encore de faire œuvre de création artistique (décision n° 343430 du 19 juillet 2011). D'autre part le premier alinéa de l'article 2 relatif à la langue française est récent : il a été introduit par la loi constitutionnelle n° 92-554 du 25 juin

1992, en plein débat sur la ratification du traité de Maastricht. Cette disposition donnait des gages à ceux qui craignaient que la langue française fût menacée soit par le haut (la concurrence des autres idiomes de l'Europe), soit par le bas (la promotion des langues régionales). Ils ont été pleinement rassurés par le Conseil constitutionnel : dans sa décision n° 99-412 DC du 15 juin 1999, ce dernier déclarait des clauses de la Charte européenne des langues régionales ou minoritaires contraires à la Constitution. Le traité portait atteinte à l'indivisibilité de la République, à l'unicité du peuple français, à l'égalité devant la loi – et à l'article 2 de la Constitution dès lors que la pratique d'une langue régionale ou minoritaire pouvait s'imposer dans la vie publique et pas seulement dans la vie privée. Il n'est pas sûr que le nouvel article 75-1 de la Constitution, adopté en 2008, y change quelque chose : il dispose que « Les langues régionales appartiennent au patrimoine de la France ». Le Conseil constitutionnel a d'ores et déjà considéré que cet article n'instituait pas « un droit ou une liberté que la Constitution garantit » au sens de l'article 61-1 et qu'il ne pouvait donc faire l'objet d'une question prioritaire de constitutionnalité (décision n° 2011-130 QPC du 20 mai 2011). Le 5 mars 2013, le Conseil d'État a rendu un avis confirmant l'opinion déjà émise par lui en 1996 : la charte européenne, dont la ratification avait été promise par le candidat F. Hollande, apparaît contraire à l'article 2 de la Constitution. Malgré un nouvel avis négatif du Conseil d'État le 30 juillet 2015, le président de la République de l'époque a persisté dans ses intentions et un projet de loi constitutionnelle a été adopté en Conseil des ministres le 31 juillet : il a été rejeté par une question préalable au Sénat le 27 octobre 2015.

Quant à la fraternité, elle a reçu une consécration inattendue dans la décision n° 2018-717/718 QPC du 6 juillet 2018 : c'est « un principe à valeur constitutionnelle » dont découle « la liberté d'aider autrui, dans un but humanitaire ». Par voie de conséquence, autant l'aide à l'entrée irrégulière d'un étranger sur le territoire national est pénalement répréhensible, autant l'aide à la circulation sur ce même territoire d'un étranger en situation irrégulière ne l'est pas, ce qui motive la censure de la loi qui la réprimait. On peut aller plus loin et soutenir que c'est bien la fraternité, chevillée à la solidarité et au caractère social de la République (voir *infra*), qui a justifié les mesures exceptionnelles prises en mars et avril 2020 pour juguler l'épidémie de Covid-19.

Section I
La République indivisible

23 L'INDIVISIBILITÉ. — La République est « indivisible » : l'adjectif a une longue histoire qui remonte à la Révolution française ; il se trouve dans toutes les Constitutions républicaines depuis lors, si on excepte les lois constitutionnelles de 1875 qui se bornaient à organiser les pouvoirs publics. Il ne signifie pas tant que l'État est unitaire (car les Fédérations sont tout aussi indivisibles, les États-Unis en ont fait la sanglante expérience avec la guerre de Sécession), plutôt que nulle portion du territoire ne saurait être arrachée de l'ensemble ou s'en détacher. Deux cas de figure sont en effet envisagés : l'annexion d'une part et c'est le spectre de l'Alsace-Lorraine tout autant que celui de la débâcle de juin 1940 qui ont conduit à faire du président de la République le garant de l'intégrité du territoire, selon les termes de l'article 5 de la Constitution ; la sécession de l'autre, c'est-à-dire l'émancipation d'une partie du territoire. Elle est proscrite, sauf si elle prend la forme d'une cession à un État étranger ou d'un échange : l'article 53 dispose que le traité interétatique doit obtenir le consentement des populations concernées. S'agit-il véritablement d'une « sécession » ? Non, car la Constitution imagine l'hypothèse de l'incorporation au territoire d'un État déjà existant. La sécession n'est pas admise en principe. Certes, le préambule de la Constitution reconnaît « la libre détermination des peuples » mais, précisément, la République n'abrite qu'un peuple, le peuple français, ainsi que le Conseil constitutionnel a eu l'occasion de le rappeler dans sa décision n° 91-290 DC du 9 mai 1991 en censurant l'expression « peuple corse ». Pourtant, c'est bel et bien l'article 53 qui a servi à une autodétermination des « populations » algériennes en 1962, comoriennes en 1974 ou encore calédonienne en 1987.

24 LE DESTIN DE LA NOUVELLE-CALÉDONIE. — Récemment, au terme d'un conflit douloureux, la Nouvelle-Calédonie s'est exprimée sur « l'accession à la pleine souveraineté » (article 77 de la Constitution). Le référendum, qui a eu lieu le 4 novembre 2018 et qui a repoussé l'indépendance, est une entorse à l'indivisibilité de la République, laquelle inclut la métropole et l'outre-mer (le préambule de la Constitution est conforté par son article 72-3, selon lequel « La République reconnaît, au sein du peuple français, les populations d'outre-mer, dans un idéal commun de liberté, d'égalité et de fraternité »). La discontinuité du territoire est sans incidence : l'indivisibilité – tout ensemble de la nation, de la République et de l'État – est d'ordre juridique et politique. C'est d'ailleurs pour cette raison qu'il a fallu imaginer, en dehors de l'article 53, un moyen pacifique de résoudre la question calédonienne.

Le sort de la Nouvelle-Calédonie présente un vif intérêt. Soucieux de ne pas réitérer les erreurs de passé, notamment en Algérie, les gouvernements successifs ont privilégié la voie de la négociation après la désastreuse opération d'Ouvéa en 1988. L'île était au bord de la guerre civile, écartelée entre des Kanaks – la population autochtone – présumés favorables à l'indépendance et des Caldoches – la population d'origine européenne – sans doute désireuse de rester dans le giron de la République. La richesse en minerais est finalement secondaire, l'essentiel tient à la communauté de vie entre la France et la Nouvelle-Calédonie. L'accord de Matignon en 1988 a été relayé par l'accord de Nouméa en 1998 qui sera approuvé par référendum : un titre XIII « Dispositions transitoires relatives à la Nouvelle-Calédonie » a été ajouté par la loi constitutionnelle n° 98-610 du 20 juillet 1998. Une grande autonomie a été accordée au « Caillou » par la loi organique prise sur le fondement de l'article 77 de la Constitution. La loi organique n° 99-209 du 19 mars 1999 devait ainsi préciser les conditions et les délais pour organiser le référendum optant ou non pour l'indépendance. La consultation était repoussée à 2014 au plus tôt et à 2018 au plus tard : le 4 novembre 2018, les électeurs ont refusé l'indépendance à la majorité, plus étroite que prévue, de 56,67 % des suffrages exprimés (pour une participation de 81 %). Mais les choses n'en resteront pas là.

L'article 217 de la loi organique prévoyait en effet qu'un deuxième référendum pouvait être réclamé en cas de rejet de « l'accession à pleine souveraineté » ; la demande en a été faite par le Congrès de Nouvelle-Calédonie en 2019 et une nouvelle consultation sera organisée le 4 octobre 2020 (elle devait avoir lieu le 6 septembre 2020 mais elle a été repoussée d'un mois à cause de la crise du Covid-19).

Section II
La République laïque

25 ACTUALITÉ DE LA LAÏCITÉ. — La République est ensuite « laïque ». On avait le sentiment que ce caractère était passé au second plan, qu'il était entendu, malgré quelques soubresauts liés au financement de l'enseignement privé, que la politique et la religion étaient cantonnées chacune dans sa sphère. La loi de 1905, sous réserve des dispositions du concordat, forme la charte républicaine de la laïcité depuis plus d'un siècle : la République condamne toute religion d'État, elle ne finance aucun culte, etc. Mais le débat a été relancé avec l'intention du candidat F. Hollande d'inscrire la loi de 1905 dans la Constitution. Aussitôt les esprits se sont échauffés sur le sort à réserver aux départements alsaciens et mosellan : ceux-ci sont attachés au concordat de 1801 (il n'a cessé d'y être appliqué puisque la loi de séparation a été adoptée à un moment où l'Alsace-Lorraine appartenait à l'Empire allemand), tandis que les partisans d'une laïcité intransigeante voudraient que la loi de 1905 régnât partout et de manière uniforme. La suite du quinquennat n'a pas apporté de réponse claire. Elle eût été d'autant plus nécessaire que le Conseil constitutionnel n'estime pas la laïcité blessée par les dispositions dérogatoires de la loi du 18 germinal an X (décision n° 2012-297 QPC du 21 février 2013). On remarque cependant que l'article 1er de la Constitution assure que la France « protège toutes les croyances », notamment religieuses.

Section III
La République démocratique

26 L'AMBIGUÏTÉ DU MOT « DÉMOCRATIE ». — La République est évidemment « démocratique ». L'adverbe vise à mettre en relief le lien étroit en France entre l'idée républicaine et les revendications démocratiques, qui se sont historiquement confondues au XIXe siècle avec la faveur pour le suffrage universel (masculin). La première des cinq « bases » de la loi constitutionnelle du 3 juin 1958 et l'article 3 de la Constitution en portent la trace. Notre vocabulaire repose cependant sur une approximation : il est assez douteux que ce pays, à l'instar de ses homologues occidentaux, puisse être qualifié de démocratique dans la mesure où son Gouvernement est d'abord représentatif, une qualité aux antipodes de la démocratie selon les leçons amères et toujours actuelles de Jean-Jacques Rousseau.

27 L'ARTICLE 3 DE LA CONSTITUTION. — Le premier alinéa de l'article 3 est connu : « La souveraineté nationale appartient au peuple. » La formule a fait couler beaucoup d'encre : tous les mots attendus devaient y apparaître et il ne faut rien en conclure d'original, si ce n'est que la nation et le peuple peuvent être considérés comme des synonymes. Loin du droit divin ou du titre historique, la souveraineté réside dans l'être collectif qui forme la nation ou le peuple. Ainsi que l'indiquait nettement la loi constitutionnelle du 3 juin 1958, cette souveraineté s'exprime par le suffrage universel, « source du pouvoir » – le suffrage est « toujours » universel, ajoute l'article 3 de la Constitution. Mais le suffrage revêt deux formes : tantôt il tranche directement une question (c'est le référendum), tantôt il se contente de désigner des représentants qui décideront en lieu et place du souverain. Où l'on retrouve la dualité de la démocratie directe (ou « semi-directe » toutes les fois que l'initiative n'appartient pas aux citoyens) et de la démocratie dite représentative. Le recours au référendum sous la Ve République sera examiné plus loin ; il suffit de dire ici qu'il est resté rare et que la représentation a vu son monopole à peine ébréché. Selon l'étymologie, la représentation a pour objet de rendre présent celui qui est absent, en l'occurrence le peuple souverain. Les représentants sont autant de délégués qui veulent pour la nation, qui veulent à la place de la nation ; l'expression de cette volonté se coule classiquement dans le moule de la loi. Le système croit sauver son caractère « démocratique » en recourant au suffrage universel pour la désignation des représentants : si la représentation n'a pas besoin en droit de l'élection, dès lors que le représentant est défini par sa participation à l'œuvre législative (que l'on pense au roi de la Constitution de 1791), elle y recourt pour mieux justifier son existence. Nos pays seraient démocratiques puisque les représentants – on pourrait dire les « remplaçants » – sont élus au suffrage universel…

28 SUFFRAGE DIRECT ET INDIRECT. — Désignant un ou des représentants, le suffrage est susceptible de deux modalités, indiquées par l'article 3 de la Constitution : il est direct ou indirect. Le premier se porte sur tel ou tel sans intermédiaires, le second suppose des « degrés » : les représentants sont désignés au second ou au troisième degré (rarement plus) par d'autres élus, que ceux-ci aient été spécialement investis pour cette tâche ou pas. La Constitution n'accorde pas une dignité plus grande au suffrage direct par rapport au suffrage indirect. Il s'agit de modes de désignation alternatifs qui ont chacun leur intérêt. Le suffrage direct traduit immédiatement et sans distorsion la volonté populaire. Le suffrage indirect permet de la filtrer, avec tous les risques que cela comporte, mais aussi d'éviter parfois des choix malheureux ou passionnés. Il reste que le suffrage direct l'a emporté aujourd'hui : outre le président de la République (depuis 1965), il se porte sur les députés de l'Assemblée nationale, sur les députés européens, sur les conseillers municipaux, départementaux et régionaux. Le suffrage indirect n'est plus employé qu'à l'occasion des élections sénatoriales – il avait aussi servi lors de la première élection présidentielle le 21 décembre 1958. La désignation des ministres pourrait s'y apparenter en tant qu'ils sont nommés par le président de la République et parfois adoubés par les députés, tous élus au suffrage universel (direct).

29 SECRET ET ÉGALITÉ DU SUFFRAGE. — Le suffrage universel est par ailleurs secret et égal (il est donc personnel dans la mesure où, sauf procuration, nul ne peut détenir plusieurs voix, par exemple celles des divers membres de la famille). Le secret du vote a été ardemment débattu depuis la fin du XVIIIe siècle ; il l'a emporté parce qu'il interdit toute pression ou toute influence au moment du choix électoral. Quant au caractère égal, que les Américains traduisent par le principe *One man, one vote,* il proscrit toute pondération des suffrages en fonction de la naissance, de la richesse, de la profession exercée – et, depuis 1944, du sexe. La résidence devrait être également indifférente. Pourtant, elle nuance et même contredit l'égalité du suffrage à deux égards. D'une part le recours à des circonscriptions électorales implique presque toujours des distorsions : dès lors que le territoire national ne forme pas une seule circonscription, le « poids » de chaque suffrage dépend de la résidence de l'électeur. Certes, la Cour suprême des États-Unis impose une égalité rigoureuse entre les circonscriptions depuis les années 1960, mais on s'aperçoit que le *gerrymandering* (ou « charcutage électoral ») n'en souffre pas : il prend des formes subtiles. Le Conseil constitutionnel français se montre plus souple que son homologue américain : il accepte de faibles écarts démographiques entre circonscriptions servant tant à l'élection des députés qu'à celle des sénateurs (voir la leçon 7). D'autre part l'égalité du suffrage a été franchement violée en Nouvelle-Calédonie : l'accord de Nouméa, conclu en 1998, réservait le droit de vote aux citoyens domiciliés sur l'île depuis dix ans, condition dérogatoire au droit commun, mais immunisée au plan constitutionnel par son inscription à l'article 77. Le Conseil d'État et la Cour de cassation, dans leurs formations les plus solennelles, n'ont pu qu'enregistrer la dérogation et s'incliner devant elle (arrêt n° 200286 *Sarran* du 20 août 1998 et arrêt n° 99-60274 *Fraisse* du 2 juin 2000). Restait un délicat problème : à quel moment partait le délai des dix ans – de 1998 ou de n'importe quel moment après 1998 ? Le Conseil constitutionnel avait opté pour le corps électoral « glissant » dans sa décision n° 99-410 DC du 15 mars 1999 statuant sur la loi organique relative à la Nouvelle-Calédonie : la date d'installation des électeurs était indifférente dès lors qu'ils satisfaisaient à la condition de la domiciliation pendant

dix ans. La conséquence en était que le corps électoral se gonflait d'une population d'origine européenne supposée favorable au maintien dans la République. Face aux réclamations locales, le constituant est intervenu par la loi constitutionnelle n° 2007-237 du 23 février 2007 : le corps électoral était « figé » à la date de 1998. L'argument a été martelé : une telle exception était le prix à payer pour garantir la paix civile sur l'île.

30 CAPACITÉ. — L'égalité du suffrage n'exclut pas toute considération de capacité : simplement la capacité civile se superpose aujourd'hui à la capacité politique et l'histoire du suffrage depuis deux siècles est celle de son extension progressive à des catégories de personnes qui étaient autrefois jugées incapables. Les femmes, les nationaux âgés de plus de dix-huit ans (et non plus vingt et un ans, comme c'était le cas avant 1974) jouissent du droit de vote. L'article 3, alinéa 4 de la Constitution renvoie à la loi le soin de déterminer l'âge de la majorité ; elle se contente d'inclure les « majeurs des deux sexes » et d'exclure ceux qui auraient été privés de leurs droits civils et politiques – il s'agit d'une peine accessoire ou complémentaire, jamais d'une peine principale, prononcée par la juge en complément d'une autre sanction. Elle peut avoir des conséquences dramatiques lorsqu'elle frappe des élus car elle emporte inéligibilité : Alain Juppé ou Gaston Flosse en ont fait les frais dans la période récente. La question brûlante – mais elle est agitée depuis trente ans – est celle du droit de vote des étrangers : le texte de l'article 3 réserve le suffrage aux « nationaux français », la nationalité étant la condition de la citoyenneté. Par dérogation, l'article 88-3 de la Constitution prévoit que les ressortissants de l'Union européenne peuvent cependant participer aux élections municipales ; ils sont même éligibles au conseil municipal ; une double restriction pèse néanmoins sur eux : ils ne sauraient devenir maire ou adjoint au maire et ils ne sont pas autorisés à désigner les sénateurs. Le débat actuel porte sur l'extension du droit de suffrage aux ressortissants étrangers hors Union européenne. Cantonné aux élections municipales et entouré des mêmes garanties que celles prévues par l'article 88-3 (la durée de la résidence servirait de variable d'ajustement, elle pourrait atteindre dix ou quinze ans), un tel projet ne paraît pas déraisonnable.

31 LES PARTIS POLITIQUES. — Au désespoir du général de Gaulle, la démocratie contemporaine ne se conçoit pas en dehors des partis politiques. Ils étaient accusés par lui de tous les maux de la division : selon les anathèmes de Rousseau, ils forment autant de brigues ou de cliques qui portent atteinte à l'unité du peuple ou de la nation. Ils séparent en effet les citoyens et donnent une rigidité institutionnelle à des divergences d'opinion qui devraient s'évanouir dans la contemplation ou dans la formation de la volonté générale. Les conséquences en sont bien connues : de Gaulle se plaçait « au-dessus des partis » ; ses alliés étaient invités à former des « mouvements », des « rassemblements », des « unions » (qu'ils s'appellent UNR, UDR, RPR ou UMP) ; au plan constitutionnel, l'article 4 exprime une grande réserve à leur endroit. Leur seul rôle est de « concourir à l'expression du suffrage », c'est-à-dire qu'ils sont réduits à une dimension électorale et qu'ils ne sont pas en situation de monopole dans l'expression du suffrage (« concourent »). Le paradoxe veut que ces machines électorales doivent se montrer respectueuses de la souveraineté nationale et de la démocratie, c'est-à-dire du pluralisme partisan : le parti unique est proscrit, mais aussi le parti révolutionnaire. La dissolution d'un parti politique est toujours un acte grave ; elle est parfois nécessaire ; ainsi, en 1955, l'Allemagne de l'Ouest a interdit tant le parti communiste que le parti nazi nouvelle manière. Pour le reste, les partis prennent la forme d'associations soumises à la loi de 1901 : leur formation et leur activité sont libres. Deux alinéas ont été ajoutés à l'article 4 : le premier, en 1999, est lié à la parité (voir *infra*), le second, en 2008, au pluralisme. Une démocratie « ouverte » ne cherche pas à étouffer les opinions discordantes ou minoritaires. À l'ère des *mass media* (pour employer une expression délicieusement désuète), « la participation équitable des partis et groupements politiques à la vie démocratique de la nation » signifie qu'ils ont tous accès aux moyens modernes de communication, la radio, la télévision et internet. La loi constitutionnelle du 23 juillet 2008 a d'ailleurs enrichi l'article 34 en prévoyant que la loi réglera « la liberté, le pluralisme et l'indépendance des médias ». On aurait pu croire que ces dispositions resteraient inemployées et illustreraient la faveur pour le droit « mou ». Il n'en fut rien. Dès l'année suivante, en 2009, l'Assemblée du contentieux du Conseil d'État en a excipé pour contraindre le Conseil supérieur de l'audiovisuel (CSA) à inscrire certaines interventions du président de la République et de ses collaborateurs – celles qui ne sont pas régaliennes mais partisanes – dans le temps de parole partagé entre la majorité et l'opposition. Étaient en jeu « l'équilibre à rechercher entre les courants d'opinion politique » ou encore le « respect du pluralisme politique par les médias audiovisuels » (arrêt n° 311136 du 8 avril 2009). Plus récemment, la loi organique n° 2016-506 du 25 avril 2016 a modifié les règles applicables au temps de parole des candidats à l'élection présidentielle : un principe d'équité s'applique entre la publication de la liste des candidats et le début de la campagne électorale, tandis qu'un principe d'égalité s'impose au cours de la campagne.

32 DÉMOCRATIE, ÉGALITÉ, PARITÉ. — La démocratie et l'égalité ont partie liée et la République peut tout aussi bien être dite « égalitaire » que « démocratique ». L'article 1er de la Constitution, rappelant les articles 1er et 6 de la Déclaration des droits de 1789, l'énonce avec vigueur. Il ne pouvait en aller autrement, en 1789, pour une Révolution qui avait anéanti la vieille société d'ordres. L'égalité en cause est celle « devant la loi » (article 1er de la Constitution) puisqu'aussi bien les hommes naissent libres et égaux « en droits » (article 1er de la Déclaration). Sans surprise, le principe d'égalité est au cœur de la jurisprudence du Conseil constitutionnel (on l'a encore constaté au sujet du mariage « pour tous »). Dans la période récente, l'égalité érigée au rang constitutionnel a confiné à la parité entre les sexes : l'article 1er, deuxième alinéa de la Constitution dispose en effet que « La loi favorise l'égal accès des femmes et des hommes aux mandats électoraux et fonctions électives, ainsi qu'aux responsabilités professionnelles et sociales ». Cet alinéa a une histoire très mouvementée. Sa première mouture, bornée à la vie politique, date de la loi constitutionnelle n° 99-569 du 8 juillet 1999 ; elle était une réponse tardive du constituant à une censure du Conseil constitutionnel. Dans sa décision n° 82-146 DC du 18 novembre 1982, celui-ci avait en effet interdit toute « discrimination positive » en matière électorale : à l'époque, la loi déférée disposait que les listes municipales (dans les villes de plus de 3 500 habitants) ne comprendraient pas plus de 75 % de personnes du même sexe. La parité signifie aujourd'hui une égalité presque mathématique là où elle est possible : dans la foulée de l'habilitation donnée au législateur en 1999, toute une série de lois a été adoptée entre 2000 et 2013 imposant la parité dans tel ou tel scrutin sous peine de sanctions pécuniaires, voire d'irrecevabilité des listes là où elles sont prévues. En dernier lieu, la loi n° 2013-403 du 17 mai 2013 met en place des binômes composés d'un homme et d'une femme pour les élections départementales.

Il a semblé que la parité limitée à la vie politique n'allait pas assez loin : d'où l'ajout par la loi constitutionnelle du 23 juillet 2008 de la phrase « ainsi qu'aux responsabilités professionnelles et sociales ». En conséquence, la loi n° 2011-103 du 27 janvier 2011 prévoit que les femmes représenteront à terme 40 % des effectifs des conseils d'administration et des conseils de surveillance des entreprises cotées en bourse et des entreprises publiques. Les sanctions, juridiques et financières, sont suffisamment dissuasives pour garantir le succès de la mesure. Dans le même sens, la loi n° 2013-660 du 22 juillet 2013 relative à l'enseignement supérieur et à la recherche dispose que le conseil d'administration et le conseil académique de chaque université comprendront autant d'hommes que de femmes. On ajoutera la loi n° 2014-873 du 4 août 2014 « pour l'égalité réelle entre les femmes et les hommes ». Attention à ce que la conviction estimable ne le cède à une idéologie aveugle : dans les universités, pour prendre cet exemple, la parité demande des précautions parce que les hommes sont largement plus nombreux que les femmes (elles représentent 38 % des universitaires et 26 % des professeurs des universités). On peut regretter cette situation mais c'est un fait. En imposant la parité sans prudence, la discrimination à rebours guette.

L'enfer est souvent pavé de bonnes intentions. Fallait-il recourir à la Constitution et à la loi pour assurer une meilleure égalité entre les sexes ? La réponse est malaisée parce que les principes généraux du droit constitutionnel s'opposent résolument à une parité artificielle, tandis qu'il faut constater que la place réservée aux femmes dans la vie politique était ridicule, que les écarts de rémunération entre hommes et femmes persistent, etc. Le droit public français est très rebelle à la discrimination positive parce qu'elle contredit l'article 6 de la Déclaration de 1789 selon lequel seuls la capacité, les vertus et les talents sont à prendre en compte. C'est d'autant plus vrai en matière de suffrage que l'exigence de parité ajoute aux conditions posées par l'article 3 de la Constitution. Telle était l'opinion du Conseil constitutionnel en 1982. Autrement dit, c'est l'universalité qui était poursuivie : quel que soit leur sexe, les citoyens sont tous dignes de remplir une fonction politique ou d'occuper un emploi public s'ils prouvent leur capacité, leurs vertus et leurs talents qui sont indistinctement la propriété des citoyens, hommes et femmes confondus. Cependant, de tels principes à la noblesse incontestable ne sauraient nier que dans les faits les femmes étaient ou sont marginalisées dans l'exercice des mandats politiques ou dans la direction des entreprises, sans compter les distorsions de rémunération choquantes. Voilà une matière, une de plus, où on aurait souhaité que ce pays ait davantage de mœurs pour avoir moins besoin de lois, qui versent bien souvent dans l'excès.

Section IV
La République sociale

33 UN CARACTÈRE « SOCIAL » MÉCONNU. — La République est « sociale ». Voilà le terme le moins discuté de l'article 1er de la Constitution. Il est pourtant crucial à plusieurs égards. Tout d'abord, il était nécessaire pour inscrire la Ve République dans la filiation de la IVe : la Constitution de 1946, fruit d'une assemblée dominée par le parti communiste et la Section française de l'Internationale ouvrière (SFIO), ancêtre du parti socialiste, énumérait dans le préambule « les principes politiques, économiques et sociaux [...] particulièrement nécessaires à notre temps ». Ensuite, le caractère « social » traduit une évolution radicale du rôle de l'État : au lendemain de la guerre, on passe définitivement de l'État-gendarme à l'État-providence et, au plan juridique, les droits-créances s'ajoutent aux droits-libertés. Quoi qu'il en soit de la pertinence de ces expressions, la chronologie est certaine : un peu avant ou un peu après 1945, l'État n'est plus sommé de s'abstenir, on lui demande d'agir. La sécurité sociale est la preuve de cette redéfinition des missions de l'État. Dans ses diverses branches, elle vise à assurer l'individu contre les « accidents » de la vie (maladie, chômage, handicap, maternité). Son budget (recettes et dépenses des régimes de base) était en 2014 de 950 milliards d'euros. Il est de la responsabilité des partenaires sociaux, le Parlement votant cependant chaque année une loi de financement de la sécurité sociale (LFSS), objet de l'article 47-1 de la Constitution inséré par la loi constitutionnelle n° 96-138 du 22 février 1996. La LFSS se contente d'objectifs et de prévisions, selon les termes de l'article 34 ; sa procédure d'adoption est calquée sur celle qui vaut pour les lois de finances (les délais sont raccourcis). Au début du quinquennat de François Hollande, l'exécutif a voulu renforcer cette dimension sociale : un projet de loi constitutionnelle, adopté en Conseil des ministres le 13 mars 2013, suggérait la création d'un titre V *bis* intitulé « Du dialogue social préalable à la loi » et composé d'un article unique, l'article 51-3, selon lequel toute loi dans le domaine social doit être précédée d'une négociation entre les organisations syndicales. Mais le projet a été abandonné.

34 UN PHÉNOMÈNE OCCIDENTAL. — La dimension « sociale » de la Constitution n'est pas une originalité française. L'ensemble du monde occidental a opté pour le *Welfare State* au milieu du XXe siècle, ce qui n'a pas été sans susciter des résistances – on pense aux critiques féroces d'un Friedrich Hayek (*La Route de la servitude* a été publié en 1944). Les textes constitutionnels en portent la trace. Ainsi, la Loi fondamentale allemande de 1949 déclare, à l'article 20, que « La République fédérale d'Allemagne est un État démocratique et social » (une formule répétée à l'article 28). L'article 1er de la Constitution espagnole de 1978 proclame que « L'Espagne constitue un État de droit, social et démocratique ». Dans les premiers articles de la Constitution italienne de 1947, l'adjectif « social » revient tel un *leitmotiv*. (Il est remarquable que les adjectifs « sociale » et « démocratique » aillent de pair.) Bref, la République française est « sociale », au sens étroit, parce qu'elle repose sur un modèle de société où certains événements ou âges de la vie reçoivent une assistance de la part de la collectivité au moyen d'une redistribution des richesses.

Section V
La République décentralisée

35 L'APPROFONDISSEMENT RÉCENT DE LA DÉCENTRALISATION. — La République est, depuis peu, « décentralisée ». La décentralisation en France ne commence certes pas avec la Ve République. Elle plonge ses racines dans le XIXe siècle et prend de l'ampleur au début de la IIIe République. Elle restait cependant limitée jusque dans les années 1980 (il suffit de rappeler ici l'échec du projet de 1969 et le statut bâtard réservé à la région dans les années 1970). La France a connu deux grandes vagues de décentralisation, et peut-être ce qui apparaîtra avec le recul comme une troisième en 2014-2015. La première a eu lieu entre 1982 et 1984 et elle a pris la forme de lois. La seconde est intervenue en 2003 et elle a recouru à une loi constitutionnelle. En effet, c'est la loi constitutionnelle n° 2003-276 du 28 mars 2003 qui a ainsi complété l'article 1er de la Constitution : « Son organisation [celle de la République] est décentralisée. » Le titre XII a été bouleversé en 2003. Il est hors de question, dans les limites de ce manuel, de présenter le régime constitutionnel de la décentralisation. On se bornera à quelques réflexions d'ordre général.

36 LES LIMITES DE LA DÉCENTRALISATION. — Les collectivités territoriales, selon le catalogue de l'article 72, sont les communes, les départements, les régions (qui voient leur existence constitutionnalisée), les collectivités à statut particulier et les collectivités ultra-marines (la Nouvelle-Calédonie a droit à un titre particulier, le titre XIII). Toutes ces collectivités ont la personnalité juridique – un statut qui a été débattu depuis le début du XIXe siècle – et elles s'administrent librement par des conseils élus dans la sphère de leurs compétences. Mais la férule de l'État n'est jamais loin : il conserve d'abord un représentant dans chacune des collectivités territoriales (qu'il s'agisse du maire, du préfet ou du haut-commissaire) ; il est maître de créer et d'anéantir toute catégorie de collectivités ; les compétences de ces dernières, y compris celles qui ont le plus inquiété (ainsi la dérogation à titre expérimental), sont fixées soit par la loi, soit par la Constitution, c'est-à-dire par des autorités étatiques. De ce point de vue, et malgré l'acte II de la décentralisation en 2003, la France reste très en retrait par rapport à l'Espagne, l'Italie ou même la Grande-Bretagne. Rien de surprenant dans les deux premiers cas : rangés par la doctrine dans la classe des États « autonomiques » ou « régionaux » (deux termes assez malheureux), ils ont favorisé dès le départ l'autonomie de leurs collectivités territoriales, notamment les communautés en Espagne. La chose est plus surprenante outre-Manche, s'agissant d'un État historiquement tout aussi centralisé que la France : ce serait oublier que le Royaume est « uni » et qu'il rassemble des « nations » qui n'hésitent pas à se rudoyer pour remporter la Triple Couronne ou la *Calcutta Cup*. En tout état de cause, la dévolution a bénéficié, à la fin des années 1990, à l'Écosse, au Pays de Galles ou à l'Ulster. Gageons que cette faveur généralisée pour l'autonomie a des effets contraires en France : l'agitation indépendantiste en Catalogne, en Padanie ou en Écosse risque de refroidir les partisans les plus résolus d'une décentralisation qui ne serait pas sévèrement bordée.

37 Actualité de la décentralisation (2012-2017). — On en a eu l'illustration au début de la XIVe législature. Celle-ci a défait en partie l'œuvre de la majorité précédente : la création du conseiller territorial, exerçant à la fois un mandat régional et un mandat cantonal, avait fait couler beaucoup d'encre (loi n° 2010-1563 du 16 décembre 2010). Elle a été annulée par la loi n° 2013-403 du 17 mai 2013. La réforme territoriale, selon l'expression en usage, a été accomplie au moyen de trois lois : la loi n° 2014-58 du 27 janvier 2014 de modernisation de l'action publique territoriale et d'affirmation des métropoles, qui a créé la métropole du Grand Paris ; la loi n° 2015-29 du 16 janvier 2015 relative à la délimitation des régions et qui a réduit leur nombre de vingt-deux à treize en métropole ; surtout la loi n° 2015-991 du 7 août 2015 portant nouvelle organisation territoriale de la République (NOTRe), forte de 136 articles, qui renforcent le rôle des régions en matière économique, qui favorise les intercommunalités, qui supprime la clause générale des compétences des départements et des régions (qui avait pourtant été rétablie par la loi du 27 janvier 2014). Malgré des velléités en ce sens, le département n'a pas été supprimé, bien que la France se caractérise par un émiettement des institutions locales préjudiciable à l'efficacité de l'action publique : pour ne pas froisser des intérêts, le législateur a préféré avantager les régions d'une part, les intercommunalités de l'autre. Le département, pris en étau, se contente pour l'essentiel des politiques de solidarité.

37 *bis* ACTUALITÉ DE LA DÉCENTRALISATION (2017-2020). — La décentralisation est une entreprise sans fin. La XVe législature a poursuivi le mouvement sur le plan législatif : ainsi la loi n° 2017-257 du 28 février 2017 a-t-elle bouleversé le statut de Paris en fusionnant la commune et le département ou en unifiant les quatre premiers arrondissements de la ville ; très récemment, la loi n° 2019-1461 du 27 décembre 2019 a modifié en profondeur les relations entre les communes et les intercommunalités, tout en renforçant les pouvoirs de police des maires et en leur accordant des avantages et des facilités dans l'exercice de leurs fonctions. L'exécutif a eu des ambitions encore plus grandes et a voulu modifier la Constitution sur plusieurs points : les projets de loi constitutionnelle des 9 mai 2018 et 28 août 2019 prétendaient modifier trois articles. D'une part, l'article 72 aurait accordé, dans les limites fixées par la loi organique, un droit à la différenciation entre les collectivités territoriales, y compris pour déroger aux règles nationales, mais à la condition qu'une liberté publique ou qu'un droit constitutionnellement garanti ne soit pas en cause. D'autre part, un article 72-5 était créé spécialement pour la Corse : celle-ci se voyait reconnaître un statut à part et des adaptations ou compétences dérogatoires. Enfin, l'article 73 aurait permis aux collectivités ultra-marines de fixer elles-mêmes des règles dans le domaine de la loi ou du règlement, sous réserve de respecter les libertés publiques et les droits constitutionnellement garantis. Il est probable que ces modifications de la Constitution n'entreront pas en vigueur, du moins durant la législature actuelle.

Section VI
La République libérale, représentative et parlementaire

38 LIBÉRALISME ET SÉPARATION DES POUVOIRS. — La République est « libérale », « représentative » et « parlementaire ». On ne distingue pas ces trois mots qui sont solidaires. Il est bien difficile de définir le libéralisme de manière univoque. L'étymologie, le guide le plus sûr, enseigne que le libéralisme met la liberté au cœur de son programme. Parce que le pouvoir est tendanciellement oppressif, selon les leçons immortelles de Montesquieu, il faut le brider par la séparation des pouvoirs et par la garantie des droits individuels. Le constitutionnalisme libéral est cette construction inédite qui, à partir du XVIIIe siècle, inscrit dans une Constitution les moyens d'éviter l'oppression, le despotisme ou la tyrannie. Les hommes, particulièrement les gouvernants, n'ont pas assez de vertu pour résister à la tentation du pouvoir sans limites. Il faut donc leur en imposer par un agencement des organes de l'État qui se contrôlent et s'empêchent mutuellement. La séparation des pouvoirs vise à ériger des rivaux au bénéfice de la liberté et des libertés. Peu importe ici de connaître exactement la philosophie de Locke ou de Montesquieu, la postérité a retenu que le pouvoir d'État était morcelé en trois fonctions confiées *en gros* mais pas exclusivement à trois organes : la fonction législative est l'apanage du Parlement, la fonction exécutive est remise au roi, au président de la République ou aux ministres, la fonction juridictionnelle est la province des tribunaux et autres cours.

Une mise en garde s'impose ici : la langue française est source de confusion car elle emploie le terme « pouvoir » pour désigner tout aussi bien une fonction qu'un organe, par exemple la fonction exécutive et l'organe exécutif. Cette assimilation est regrettable car elle tend à faire croire que fonction et organe sont superposés, qu'un organe exerce telle fonction en monopole. La chose est fausse : la séparation des pouvoirs ne saurait être « stricte » ou « tranchée » (pas plus que « souple » d'ailleurs) parce qu'elle suppose partout des empiétements d'un organe sur la fonction confiée à titre principal à un autre organe. Un exemple suffira à le faire comprendre : le veto du président des États-Unis ou celui du roi dans la Constitution de 1791 fait figure d'intrusion de l'organe exécutif principal dans la confection de la loi qui est la fonction *naturelle* (mais pas exclusive) du Parlement, qu'il s'appelle Congrès ou Assemblée nationale. On pourrait multiplier les illustrations : ainsi le droit de grâce accordé au chef de l'État ou la mise en cause de sa responsabilité politico-criminelle par le Parlement.

La séparation des pouvoirs ne court pas seulement entre les départements législatif, exécutif et juridictionnel, mais à l'intérieur de chacun d'entre eux : le bicamérisme divise le Parlement en deux Chambres, tandis que la dyarchie exécutive – dans les régimes parlementaires – répartit la fonction exécutive entre un chef de l'État (monarque ou président de la République) et un Gouvernement. La garantie des droits individuels a partie liée avec la séparation des pouvoirs : en déclarant des droits de l'homme et du citoyen ou des droits fondamentaux, on en confie la protection aux juges – il leur appartient de vérifier que les actes législatifs ou administratifs n'ont pas porté atteinte à ces droits de l'individu.

Dès la loi constitutionnelle du 3 juin 1958, il était entendu que les deux « pouvoirs » législatif et exécutif seront « effectivement séparés », tandis que « l'autorité judiciaire » conservera son rôle traditionnel de gardienne des « libertés essentielles » énumérées dans la Déclaration de 1789 et dans le préambule de la Constitution de 1946 (les expressions entre guillemets se trouvent dans les deuxième et quatrième « bases » de la loi). La Constitution de 1958 a respecté les principes convenus en juin : comme ses titres l'indiquent, l'organe exécutif est dual, il comprend le président de la République et le Gouvernement, il est séparé du Parlement bicaméral, avec cette précision que la Chambre basse a la faculté de censurer le Gouvernement en place – de plus, un titre VIII intitulé « De l'autorité judiciaire » confirme à la fois l'indépendance de ses membres et son statut de « gardienne de la liberté individuelle ». Incontestablement, la République française repose sur « un ordre constitutionnel libéral et démocratique », à l'instar de sa consœur allemande (articles 18, 21 et 91 de la Loi fondamentale de 1949).

39 LA REPRÉSENTATION. — Or le régime représentatif, et sa variante parlementaire, sont les surgeons du libéralisme. La représentation s'impose pour de nombreuses raisons : parce que la taille de l'État contemporain ne tolère pas la démocratie directe ; parce que la liberté des modernes n'a rien à voir avec celle des anciens, selon les termes de Benjamin Constant ; parce qu'il n'est pas sain que les citoyens soient autant de magistrats, disait Jean-Jacques Rousseau, qui préconisait la représentation en matière exécutive. Représenter signifie « être présent à la place de ». D'où l'intérêt capital porté au suffrage : puisque la souveraineté appartient au peuple et que celui-ci ne peut l'exercer directement, il doit désigner des délégués qui décideront pour lui. Rousseau y voyait la négation même de la souveraineté du peuple : accepter qu'un représentant exprime la volonté du prétendu souverain anéantit la liberté. Les anathèmes du *Contrat social* (livre III, chapitre XV) sont bien connus : « La souveraineté ne peut être représentée, par la même raison qu'elle ne peut être aliénée » ; « Le peuple anglais pense être libre ; il se trompe fort, il ne l'est que durant l'élection des membres du Parlement ; sitôt qu'il est élu, il est esclave, il n'est rien » ; « À l'instant qu'un peuple se donne des représentants, il n'est plus libre ; il n'est plus ». Ainsi, la représentation est proscrite en matière législative et le Genevois se gausserait de l'expression « démocratie représentative » – elle est mensongère ou contradictoire car elle associe deux termes antinomiques. La démocratie est le pouvoir effectif du peuple, elle ne s'épuise pas dans la proclamation théorique de la souveraineté du peuple qui l'habiliterait uniquement à élire des représentants, seuls chargés d'exprimer la volonté de la nation au moyen de lois. Le référendum est ainsi l'ultime vestige (et l'aveu) d'une souveraineté du peuple rigoureusement entendue – celle où il se prononce sur une loi, pas celle où il entérine la perte de sa liberté en désignant des délégués. (Que l'on ne se méprenne pas et que l'on ne croie pas à une faveur pour une démocratie débarrassée de la représentation. Mais que l'on ne nous paye pas de mots ! Nous vivons sous l'empire d'un gouvernement représentatif qui est beau-

coup plus oligarchique – et pas tant aristocratique, hélas – que démocratique.)

40 LE RÉFÉRENDUM. — Dans le prolongement du premier principe arrêté par la loi constitutionnelle du 3 juin 1958, l'article 3 de la Constitution dispose que « la souveraineté nationale appartient au peuple qui l'exerce par ses représentants et par la voie du référendum ». On note que l'exercice indirect de la souveraineté précède son exercice direct : la représentation est privilégiée. Elle le sera dans la pratique de la Ve République, bien que celle-ci ait été adoptée par référendum le 28 septembre 1958, à une très large majorité, et conformément aux dispositions finales de la loi constitutionnelle du 3 juin. La Constitution prévoit le recours au référendum à divers titres : la cession, l'échange ou l'adjonction d'un territoire (article 53) ; le référendum local (article 86 jadis, articles 72-1 et 72-4 aujourd'hui), sans oublier le sort spécial réservé à la Nouvelle-Calédonie (article 76) ; l'adhésion d'un nouvel État à l'Union européenne (article 88-5) ; mais l'essentiel se trouve aux articles 11 et 89. On a longtemps cru – et on continue à avancer (ainsi l'Assemblée du contentieux du Conseil d'État dans l'arrêt *Sarran* précité) – que l'article 11 organisait un référendum législatif et l'article 89 un référendum constituant. Les consultations de 1962 et de 1969 ont prouvé l'inverse : l'article 11 a été utilisé pour opérer une révision de la Constitution (voir la leçon 3).

41 LE RÉFÉRENDUM DE L'ARTICLE 89. — La rédaction de l'article 89 nuance celle de l'article 3 : le principe est que toute révision de la Constitution doit être approuvée par référendum ; c'est à titre exceptionnel que l'approbation peut être accordée par le Congrès réuni à Versailles. « Toutefois », précise le premier mot du troisième alinéa. Cet ordre de préférence n'a pas été respecté : toutes les révisions constitutionnelles, sauf une, ont abouti à la convocation du Congrès. Autrement dit, la décision appartient presque exclusivement aux élites représentatives, y compris en matière constituante : le « peuple » n'a pas son mot à dire, ce qui contraste avec la situation en Suisse (là-bas, la démocratie n'est pas illusoire, avec toutes les dérives démagogiques que l'on peut craindre). L'unique fois où la procédure de l'article 89 a conduit à un référendum ne restera pas dans les annales : l'abstention ayant frôlé 70 % des inscrits, seuls 18 % d'entre eux ont approuvé en 2000 le passage du septennat présidentiel au quinquennat (le « oui » atteignant 73 % des votants). L'institution du référendum en a été discréditée ; c'est encore plus vrai lorsque le « peuple » se met à voter dans un sens inattendu ou contraire à la volonté des représentants, par exemple en 2005.

42 LE RÉFÉRENDUM DE L'ARTICLE 11. — Le référendum de l'article 11 de la Constitution a été davantage exploité que celui de l'article 89. Si l'on écarte pour le moment les opérations d'octobre 1962 et de 1969, on dénombre à ce jour six référendums ayant emprunté cette voie : le 8 janvier 1961 et le 8 avril 1962, il s'agissait de solder la guerre civile en Algérie ; le 6 novembre 1988, le sort de la Nouvelle-Calédonie était en jeu ; les autres consultations concernaient la construction communautaire et l'Union européenne – l'élargissement de la CEE était approuvé le 23 avril 1972, puis le traité de Maastricht le 20 septembre 1992, tandis que l'échec mettait fin le 29 mai 2005 à la ratification du traité établissant une Constitution pour l'Europe. Sous cette dernière réserve (on pourrait ajouter le camouflet de 1969), on constate que les référendums ont été couronnés de succès. L'initiative du référendum appartient au président de la République, à condition qu'une proposition lui soit faite par le Gouvernement (pendant la session) ou par le Parlement (le bicamérisme est ici égalitaire) : l'exigence d'une proposition est d'importance car elle enrichit la catégorie des « pouvoirs propres » du président (voir la leçon 4). Le référendum porte sur « tout projet de loi » ayant pour objet soit l'organisation des pouvoirs publics, soit la politique économique, sociale et (depuis 2008) environnementale de la nation et les services publics qui y concourent, soit l'autorisation de ratifier un traité international, avec cette précision que le traité ne doit pas être contraire à la Constitution. Le deuxième objet, relatif à la politique économique, sociale et environnementale, a été ajouté par la loi constitutionnelle n° 95-880 du 4 août 1995 ; il a remplacé l'approbation d'un accord de Communauté (l'ancien Empire colonial) ; il n'a jamais servi (tant avant qu'après 1995). En effet, le référendum de l'article 11 a concerné l'organisation des pouvoirs publics (en 1961, en avril 1962, en 1988, sans compter le scrutin du 28 octobre 1962) et l'autorisation de ratifier un traité – sans surprise, l'Europe a été au cœur des débats en 1972, 1992 et 2005.

Les traités en cause n'étaient plus contraires à la Constitution puisque, s'agissant des deux derniers, ils avaient réclamé une révision préalable du texte suprême : saisi par le président de la République en vertu de l'article 54, le Conseil constitutionnel avait estimé que le traité de Maastricht et le traité établissant une Constitution pour l'Europe contenaient des dispositions incompatibles avec la Constitution – ils ne pouvaient être ratifiés, après autorisation parlementaire ou référendaire, qu'après modification de cette dernière. Le référendum n'a pas été organisé sur le fondement de l'article 89 : les électeurs n'ont pas été invités à s'exprimer en matière constituante car la révision avait été approuvée par le Congrès. C'est seulement dans un second temps, une fois que la Constitution était prête à accueillir le traité, que les électeurs furent convoqués au titre de l'article 11. (Juridiquement, rien n'empêche que le projet de loi, quel qu'il fût, puisse être adopté par le Parlement malgré un échec référendaire ; politiquement, la chose est impossible, sauf à condamner la représentation, qui mépriserait ouvertement la souveraineté du « peuple ».) Le séisme de 2005 a rendu les représentants plus frileux : le traité de Lisbonne a été ratifié en 2008, après la révision constitutionnelle nécessaire, sur autorisation parlementaire. D'ailleurs, le rôle réservé aux représentants dans l'organisation du référendum condamne l'expression « procédé de démocratie directe » ; il faut lui préférer celle de « procédé de démocratie semi-directe », du moins en France, puisque l'initiative du référendum suppose toujours l'intervention des représentants. La dernière mouture de l'article 11 le prouve.

43 La modification de l'article 11 en 2008. — La loi constitutionnelle du 23 juillet 2008 a bouleversé en apparence l'économie de l'article 11. À l'époque, l'initiative « partagée » était soigneusement mise en avant : un référendum pouvait être provoqué par le concours d'un cinquième des parlementaires et d'un dixième des électeurs. Des précautions étaient prises : la proposition de loi,

fruit de cette initiative partagée, ne saurait porter sur une loi récente (de moins d'une année) ; elle fait l'objet d'un contrôle préalable du Conseil constitutionnel ; en cas d'échec du référendum, une nouvelle proposition de loi n'est pas admissible pendant deux ans sur la même matière. Surtout, la nouvelle rédaction de l'article 11 porte de façon elliptique que le président de la République a l'obligation de soumettre le texte au référendum « si la proposition de loi n'a pas été examinée par les deux assemblées dans un délai fixé par la loi organique ». Il s'agit de la loi organique n° 2013-1114 du 6 décembre 2013.

Le destin de la modification de l'article 11 en 2008 illustre la tension entre représentation et démocratie. On remarque d'abord qu'il s'agit de la dernière loi organique prévue en 2008 à avoir été adoptée : on suspecte une réticence de la part des représentants redoutant toute technique de démocratie semi-directe qui viendrait entamer leurs prérogatives. On ajoute que l'initiative est dite « partagée » : certes, l'opposition parlementaire, même faible, sera en mesure de déclencher un référendum avec le soutien d'environ quatre millions et demi d'électeurs ; mais cela signifie que l'initiative n'est pas populaire, comme en Suisse, et que les électeurs ne sauraient se dispenser de l'appui d'une minorité significative de représentants. Enfin, l'article 9 de la loi organique éclaire sur la condition de l'examen par les Chambres : l'initiative ne prospérera pas dès lors que les assemblées parlementaires auront pris la précaution d'inscrire le texte à leur ordre du jour (dans le délai de six mois) – elles ne sont pas obligées de l'approuver. Le référendum est ainsi facilement paralysé. On mesure combien les craintes exprimées par les représentants en 2008 étaient vaines : l'initiative ne saurait aboutir sans l'assentiment *de* représentants et aucun référendum ne sera organisé si les assemblées prennent la précaution de l'examiner « au moins une fois ». Comment douter que le gouvernement de la France soit franchement représentatif ? Les « Gilets jaunes » semblent l'avoir très bien compris.

43 *bis* « GILETS JAUNES » ET RÉFÉRENDUM. — Au moment de la grande crise politique, économique et sociale qui a secoué la France entre octobre 2018 et mars 2019, une revendication connaît un immense succès chez les « Gilets jaunes », celle en faveur du « RIC » ou « référendum d'initiative citoyenne ». Les propositions sont assez floues mais l'idée commune est de multiplier le nombre de référendums, sur le modèle suisse, en confiant l'initiative à une partie des électeurs. L'exécutif a voulu démontrer sa bonne volonté dans le projet de loi constitutionnelle du 28 août 2019. Il proposait de modifier l'article 11 de la Constitution, en étendant le champ du référendum à l'organisation des pouvoirs publics territoriaux et aux questions de société, et surtout de déplacer le référendum d'initiative parlementaire de l'article 11 à un article 69 contenu dans un titre XI « De la participation citoyenne ». Trois modifications étaient proposées : l'initiative était assouplie puisqu'elle supposait un cinquième (et non plus un dixième) des parlementaires et un million de citoyens, en lieu et place de 10 % du corps électoral, près de cinq millions d'électeurs ; la procédure ne débutait pas nécessairement par les parlementaires, elle pouvait commencer par la pétition populaire ; en contrepartie, une loi promulguée depuis moins de trois ans (et non une année) ne peut pas faire l'objet d'une proposition de référendum, pas plus que les textes en cours d'examen par le Parlement ou en instance de promulgation, une conséquence de l'épisode « Aéroports de Paris ». En avril 2019, le nombre de parlementaires requis par l'article 11 a voté une proposition référendaire qui visait à contester la privatisation d'ADP, et ce alors que la loi PACTE l'autorisant était sur le point d'être adoptée par le Parlement. Malgré les protestations du Gouvernement, qui y voyait un détournement de procédure, la proposition a été jugée conforme à la Constitution par une décision du Conseil constitutionnel n° 2019-1 RIP du 9 mai 2019 : la campagne référendaire a débuté en juin et a duré jusqu'en mars 2020. Elle n'a pas porté ses fruits : un peu plus d'un million de citoyens ont apporté leur soutien, loin des 4,7 millions exigés.

44 UN RÉGIME PARLEMENTAIRE. — La République est non seulement représentative, elle est aussi parlementaire. La loi constitutionnelle du 3 juin 1958 énonce sobrement : « Le Gouvernement doit être responsable devant le Parlement. » Tout est dit : le critère du régime parlementaire tient au lien intime noué entre le cabinet et le Parlement (ou plutôt la majorité parlementaire, souvent celle de la seule Chambre basse). La discussion sera approfondie plus tard (voir la leçon 12) ; on se contentera ici d'indiquer que les articles 49 et 50 de la Constitution permettent à l'Assemblée nationale de renvoyer un Gouvernement qui n'aurait plus sa confiance.

Section VII
Une République européenne ?

45 UNE RÉPUBLIQUE BOULEVERSÉE PAR LA CONSTRUCTION EUROPÉENNE. — La République peut-elle être dite « européenne » ? L'attribution du prix Nobel de la paix à l'Union européenne en 2012 a mis en relief le caractère extraordinaire de cette organisation tout à la fois politique, économique, monétaire, fiscale et sociale. Dès le lendemain de la guerre, la France a résolument participé à la construction « communautaire ». Le traité de Rome de 1957 avait été précédé par la CECA ; il a été suivi de très nombreux traités qui ont tout à la fois élargi le périmètre de l'Union et resserré les liens entre ses membres. Malgré quelques hésitations et échecs, notamment sous la présidence du général de Gaulle et plus récemment en 2005 avec le « non » au référendum sur le traité établissant une Constitution pour l'Europe ou encore le « Brexit » en 2016, le développement atteint par l'Union européenne est impressionnant. Il semble aujourd'hui difficile d'envisager que la France se retire de l'Europe à 27 – mais, précisément, un tel retrait, toujours possible, démontre que l'Union européenne reste une organisation internationale dont l'existence résulte de traités internationaux. C'est la raison pour laquelle le comité de réflexion sur le préambule de la Constitution, présidé par Simone Veil, a estimé en 2008 qu'il était inopportun d'enrichir le préambule de considérations sur le « destin » européen de la France. La République est aujourd'hui « européenne » (dans une acception qui n'est pas seulement géographique) mais elle ne le sera peut-être pas toujours, sauf à remettre en cause la souveraineté de la France, sauf à transformer l'Union en Fédération – ce qui adviendra, ou pas.

Le comité rappelait aussi que le titre XV de la Constitution servait de charte satisfaisante aux relations nouées entre la France et l'Union européenne. Les détails de ce titre appartiennent aux ouvrages spécialisés (le mandat d'arrêt européen, la transmission des actes de l'Union au Parlement, leur contestation par les Chambres au nom du principe de subsidiarité, la procédure d'adhésion de nouveaux États membres). Pour ce qui nous occupe, il convient de souligner que le titre XV résulte de la loi constitutionnelle n° 92-554 du 25 juin 1992, rendue nécessaire par les inconstitutionnalités du traité de Maastricht déclarées par le Conseil constitutionnel dans sa décision n° 92-308 DC du 9 avril 1992. Pour la première fois, un traité intéressant la construction européenne était déclaré contraire à la Constitution : c'était l'indice de l'approfondissement de l'Union. Les premiers mots de l'article 88-1 actuels sont restés presque inchangés : « La République participe à l'Union européenne constituée d'États qui ont choisi librement d'exercer en commun certaines de leurs compétences » en vertu d'un ou de plusieurs traités. Tout est dit : la République *n'appartient pas* à l'Union européenne, elle y *participe* ; l'Union est une organisation interétatique et elle résulte de traités internationaux qui, cousus ensemble, figurent dans le traité de Lisbonne de 2007 ; la souveraineté des États membres exige une libre adhésion (mais permet aussi leur retrait : article 50 du traité sur l'Union européenne) ; seules *certaines* compétences sont exercées en commun. Pour le reste, l'article 88-3 prévoit, on l'a indiqué, les conditions dans lesquelles les ressortissants de l'Union sont électeurs et éligibles aux élections municipales en France, tandis que l'article 88-4 institue une commission chargée des affaires européennes dans les deux assemblées parlementaires, l'Assemblée nationale et le Sénat.

La République est incontestablement européenne ; elle l'est d'ailleurs à deux titres : en tant que membre de l'Union européenne et aussi en tant que membre du Conseil de l'Europe. Il n'est pas nécessaire ici de gloser sur les conséquences de cette double adhésion : la discipline budgétaire, la solidarité financière, l'euro (dans la plupart des États membres), mais aussi la pénétration croissante du droit européen dans le droit national, dont l'efficacité tient largement à la Cour de justice de l'Union européenne (CJUE) et à la

Cour européenne des droits de l'homme (CEDH). Il reste que la République ne peut afficher trop ouvertement sa « vocation » européenne, dans le préambule ou dans l'article 1er de la Constitution, sauf à confondre le destin de la France avec celui de l'Europe. Les États-nations ont encore de beaux jours devant eux.

46 Au terme de cette analyse des principes fondamentaux de la République, on conclura à la relative indifférence de « la forme républicaine du Gouvernement », pour emprunter au dernier alinéa de l'article 89. Ainsi que l'indiquaient les sénateurs socialistes en 2003 (dans leur saisine du Conseil constitutionnel qui devait provoquer la décision n° 2003-469 DC du 26 mars 2003), il est sans doute exact que la République ne se résume plus aujourd'hui à une antithèse de la monarchie. C'était le cas jadis lorsque la loi constitutionnelle du 14 août 1884, modifiant l'article 8 de la loi constitutionnelle du 25 février 1875, affirmait dans un même souffle que la forme républicaine était intangible et que « les membres des familles ayant régné sur la France sont inéligibles à la présidence de la République ». Quel est alors le caractère distinctif de la République ? Il semble difficile d'en discerner un, si on s'en tient à la liste des adjectifs énumérés dans le préambule et l'article 1er de la Constitution de 1958. Qu'est-ce qui donne son identité propre à la République française si celle-ci est dite « indivisible », « laïque », « démocratique », « sociale », « décentralisée », voire « libérale ». (Est-elle « écologique » ? Notre régime politique semble enfin prendre conscience des défis liés au dérèglement climatique et au-delà : la Charte de l'environnement a été inscrite dans le préambule en 2004 ; les projets de loi constitutionnelle des 9 mai 2018 et 28 août 2019 envisageaient, l'un, de modifier l'article 34 de la Constitution pour préciser que le législateur est chargé « de l'action contre les changements climatiques », l'autre, de façon plus ambitieuse, d'enrichir l'article 1er de la Constitution en ajoutant que la République « favorise la préservation de l'environnement, la diversité biologique et l'action contre les changements climatiques ».)

Seule la qualité européenne est pertinente, avec toutes les limites indiquées : elle nous met cependant sur une piste féconde – la République française fait partie d'un modèle européen et plus largement occidental où l'État, quelle que soit sa structure (unitaire ou fédérale) et quelle que soit sa forme de Gouvernement (républicaine ou monarchique), est tout à la fois indivisible, laïque, démocratique, social et surtout libéral. On ajoutera qu'il est *au moins* décentralisé (si ce n'est « autonomique » ou fédéral) : ce faisant, on met en évidence que la République s'est bâtie en France sur l'unité et l'indivisibilité. Il y a une passion française du centre et de la centralisation, qui est peut-être le principal trait qui nous sépare de nos voisins. En revanche, les autres principes sur lesquels repose la République sont d'une grande banalité. Et la forme du Gouvernement n'a plus aujourd'hui de pertinence : la monarchie signifie simplement que le chef de l'État est désigné selon les règles de la succession héréditaire – qu'il n'est pas élu, d'une manière ou d'une autre. On se demande quelle est la différence fondamentale entre la France d'un côté, l'Espagne ou les Pays-Bas de l'autre. Seule la Grande-Bretagne échapperait en partie au moule commun : il s'agit d'un royaume où la religion anglicane est érigée en religion d'État, où la Chambre haute n'est pas élue et où la souveraineté appartient formellement au Parlement, et non au peuple ou à la nation. N'est-il pas remarquable que l'*Alma mater* conserve une telle originalité ? N'est-ce pas elle qui explique *in fine* le Brexit ?

Leçon 3

La désignation et le mandat du président de la République

47 En rupture avec les Constitutions républicaines antérieures, notamment celle de 1946, la Constitution de 1958 commence par les organes « exécutifs » (titres II et III) et poursuit par le Parlement (titre IV). Le symbole était frappant : désormais, la prééminence était accordée au président de la République et au Gouvernement. Le statut du chef de l'État alimentait tous les fantasmes : dans une cote taillée sur mesure, de Gaulle se ferait dictateur ou roi. Il est vrai que jamais depuis 1848 la République n'avait autant favorisé le président de la République : contrairement à ses prédécesseurs des IIIe et IVe Républiques, il n'était pas réduit à inaugurer les chrysanthèmes. Depuis 1875, ou plutôt depuis la crise du Seize-Mai 1877, il était entendu que le président devait être un personnage effacé, sauf au moment de la composition du ministère. Ses prérogatives, impressionnantes sur le papier, étaient réduites à peau de chagrin par l'exigence généralisée du contreseing. Or il semblait que cette médiocrité allait de pair avec une désignation qui faisait la part belle aux Chambres : le président était élu par le Parlement, parfois sans éclat – ainsi, René Coty fut élu au treizième tour de scrutin en 1953.

De Gaulle avait pour obsession de desserrer l'emprise des parlementaires, qu'elle s'exerçât sur le président de la République ou sur les ministres. La quête de l'indépendance condamnait à ses yeux le mode de désignation pratiqué depuis 1875. Cette conviction n'emportait pas le choix du suffrage universel direct en 1958 – il faudra attendre 1962 – mais supposait un collège électoral plus large que la seule réunion des députés et des sénateurs.

Section I
La désignation du président de la République

48 La solution adoptée en 1958 ne résultait pas d'un compromis : de Gaulle n'envisageait pas sérieusement l'élection au suffrage universel direct. Sa volonté avait été exprimée dans le discours de Bayeux du 16 juin 1946 et il n'y a pas lieu de croire qu'il avait changé d'opinion dans l'intervalle.

I | Le choix initial du suffrage universel indirect

49 Un moyen terme. — Le discours de Bayeux préconisait un chef de l'État « élu par un collège qui englobe le Parlement, mais beaucoup plus large ». C'est exactement le choix opéré en 1958. Dès les premières réunions consacrées à l'élaboration de la Constitution, les 12 et 13 juin, la question est posée en ces termes : d'une part le président de la République ne saurait être élu par les seuls parlementaires, d'autre part le suffrage universel direct est exclu au nom de l'histoire (tous les protagonistes pensent à 1851). Voilà les deux pôles entre lesquels la discussion sera enfermée. Jamais de Gaulle ne déclarera publiquement sa faveur pour le suffrage universel direct. Quelques voix isolées militeront en ce sens (ainsi F. Luchaire), mais le consensus frôle l'unanimité : rompre avec le mode de désignation des IIIe et IVe Républiques ne signifie pas embrasser le suffrage universel (l'adjectif « direct » n'était pas nécessaire à l'époque). Une solution intermédiaire se présentait immédiatement à l'esprit : par analogie avec les élections sénatoriales, le chef de l'État serait élu par un collège électoral suffisamment vaste pour le distinguer du collège parlementaire et suffisamment réduit pour ne pas ressembler au suffrage universel.

50 La composition du collège électoral. — Dès lors qu'une élection suppose un collège électoral, la composition de ce dernier est déterminante. Combien de membres comprendra-t-il ?

Faut-il y inclure les conseillers et les délégués municipaux ? Quels seuils retenir tenant compte de la taille des communes ? La réponse du Gouvernement fut ici sans ambiguïté : il fallait s'éloigner radicalement d'un collège réduit peu ou prou à mille parlementaires. Selon les chiffres avancés en août, le collège présidentiel devait dépasser les 50 000 membres. Malgré un débat parfois vif au sein du comité consultatif, on s'aperçoit que la volonté initiale du Gouvernement ne fut jamais contrariée. La seule concession accordée au comité consultatif consista à préciser les contours du collège électoral dans la Constitution elle-même, et non dans une loi organique subséquente (à vrai dire, c'était la première idée du groupe de travail en juin). L'article 6 de la Constitution disposait en conséquence que le président de la République était élu par un collège électoral composé des membres du Parlement, des conseils généraux et des assemblées des territoires d'outre-mer (les anciens TOM) et surtout des « représentants » des conseils municipaux. Le mot s'imposait : en application d'une règle semi-proportionnelle selon laquelle la démographie était partiellement prise en compte, les communes de plus de 30 000 habitants déléguaient non seulement l'ensemble des conseillers municipaux, mais aussi des « délégués » désignés par le conseil municipal à raison d'un par tranche de mille habitants au-delà de 30 000. Il reste que les petites communes étaient avantagées puisque toutes, y compris les plus petites, avaient droit à un délégué au moins, et ce dans un pays qui comptait 36 000 communes. Le résultat fut que le collège appelé à voter le 21 décembre 1958 comprenait un peu plus de 81 000 « grands » électeurs, issus à 90 % des communes.

51 LE CHOIX DU SCRUTIN MAJORITAIRE. — L'article 7 ajoute que le président est élu au scrutin majoritaire : un tour suffit si la majorité absolue est atteinte, le second tour se contente de la majorité relative. On pouvait s'y attendre : le 21 décembre, de Gaulle obtient 78,51 % des suffrages exprimés – la majorité absolue est largement dépassée et dispense d'un second tour. Les résultats sont proclamés par la commission constitutionnelle provisoire le 8 janvier 1959 ; de Gaulle prend ses fonctions le lendemain.

II | La crise de 1962 : l'élection au suffrage universel direct

52 La préférence pour le suffrage universel direct. — Si de Gaulle ne songeait pas au suffrage universel direct en 1958, il n'attendra pas l'attentat du Petit-Clamart le 22 août 1962 pour le proposer. Dès la conférence de presse du 11 avril 1961, le Général indique que le mode de scrutin arrêté en 1958 lui apparaît désormais « inadéquat » : ses successeurs n'auront pas la légitimité puisée dans la Résistance, il faudrait renforcer leur « équation personnelle ». L'élection au suffrage universel (« direct » reste omis) est souhaitable : il appartiendra aux générations futures de réviser la Constitution, « mais, si moi-même en ai le temps et la possibilité, je pourrais, au moment voulu, mettre à l'ordre du jour ce point important pour l'avenir de la France ». La marche des événements favorisera ce projet : une fois l'indépendance accordée à l'Algérie, ou sur le point de l'être, l'Assemblée nationale fait preuve de mauvaise humeur. La politique européenne du chef de l'État est dénoncée le 13 juin 1962 à l'Assemblée nationale par un manifeste signé par une majorité absolue de députés, une motion de censure relative à la force de frappe nucléaire réunit 206 voix le 16 juillet. Bref, l'attentat du Petit-Clamart, perpétré par l'OAS, qui reproche à de Gaulle d'avoir trahi l'Algérie française, sert d'occasion favorable. L'événement ne doit pas être minimisé : de Gaulle et son épouse ont frôlé la mort. Mais il vient à point nommé – le « moment voulu » espéré un an plus tôt.

53 L'allocution du 20 septembre 1962. — Dans les semaines qui suivent, de Gaulle annonce son intention d'organiser un référendum modifiant le mode d'élection du président de la République. Il s'en explique dans une allocution célèbre du 20 septembre 1962 qui s'inspire de la conférence de presse du 11 avril 1961. De Gaulle justifie le choix du suffrage indirect en 1958 par deux types de considérations : d'une part il était assuré d'être élu en raison des circonstances et de sa légitimité puisée dans la Résistance, d'autre part il ne voulait pas prêter le flanc au reproche

plébiscitaire. Mais la situation des futurs dirigeants du pays ne sera pas aussi enviable, or la « succession » peut être proche, ainsi que l'a démontré l'attentat du mois précédent. D'où la proposition d'opter pour une élection au suffrage universel (direct). De façon habile, l'accent est mis d'emblée sur la procédure référendaire : elle est conforme aux principes de la Constitution, elle-même adoptée par référendum, puisque « la souveraineté nationale appartient au peuple » et que celui-ci l'exerce « par ses représentants et par la voie du référendum » – on aura reconnu la trame de l'article 3. Or le référendum n'est pas seulement législatif, il est aussi, « évidemment », constituant. C'est ici que l'argumentation se fait plus serrée. Car nul ne conteste l'existence du référendum constituant ; toute la question est de savoir s'il est cantonné à l'article 89 ou s'il se trouve également à l'article 11. Sans citer les numéros d'article, de Gaulle soutient que la Constitution a tracé deux voies parallèles, l'une « dans le cadre parlementaire » (article 89), l'autre en dehors de lui (article 11). Ce dernier dispose en effet que le président de la République, sur proposition du Gouvernement ou des Chambres, peut soumettre à référendum « tout projet de loi portant sur l'organisation des pouvoirs publics ». De Gaulle insiste sur les deux parties de la phrase : « tout projet de loi » inclut les projets de loi constitutionnelle puisque, dans la tradition française, les mots « loi » et « Constitution » ne sont pas radicalement séparés ; « l'organisation des pouvoirs publics » est une formule vague qui englobe l'élection du président de la République.

54 LA CONTROVERSE. — L'allocution du 20 septembre provoque aussitôt un scandale inouï. Une large partie de la classe politique et de la doctrine juridique considère que le référendum constituant est réservé à l'article 89, tandis que le référendum de l'article 11 porte exclusivement sur les lois ordinaires ou organiques. Mais l'article 11 avait une grande vertu dans le contexte de l'époque : il permettait d'éviter le Parlement – les deux têtes de l'exécutif sont associées sans qu'un accord des Chambres fût nécessaire, là où l'article 89 réclame le vote conforme des deux assemblées, qui était improbable. Le débat a fait rage en 1962, puis en 1969. Sans doute qu'un partisan de la théorie réaliste de l'interprétation estimerait vaine cette *disputatio* : seule compte l'opinion délivrée par l'interprète authentique, celle qui s'impose en droit et il n'y a pas de sens qui préexiste au texte. Mais on aura la faiblesse de croire que certaines interprétations sont plus *raisonnables* que d'autres. De ce point de vue, il est à peu près certain que de Gaulle avait tort.

L'article 89 est l'article unique du titre XVI intitulé « De la révision ». Il semble difficile d'imaginer qu'une procédure de révision pût figurer ailleurs, sauf par dérogation. Or, précisément, une telle disposition existait (elle a été supprimée en 1995) : l'article 85 de la Constitution permettait de modifier le fonctionnement des institutions de la Communauté et il débutait par ces mots : « Par dérogation à la procédure prévue à l'article 89 ». Si le constituant avait voulu, en 1958, autoriser le référendum constituant sur le fondement de l'article 11, il aurait prévu expressément une telle dérogation. En outre, la rédaction de l'article 11 est révélatrice : les projets de lois soumis à référendum ne sont pas uniquement ceux qui affecteraient l'organisation des pouvoirs publics, il y a aussi ceux qui autorisent la ratification d'un traité international ayant des incidences sur le fonctionnement des institutions, mais à la condition que ce traité ne soit pas contraire à la Constitution. Autrement dit, on ne voit pas pourquoi l'article 11 permettrait l'adoption d'une loi contraire à la Constitution et pas celle d'un traité ayant le même caractère. Enfin, si on prend un peu de hauteur, il semblerait étrange que les garanties soient moins fortes dans une hypothèse que dans l'autre : aux termes de l'article 89, une révision constitutionnelle – un acte solennel et grave – exige l'accord des Chambres et un référendum ou bien l'accord des branches exécutive et législative, auquel cas l'approbation est donnée soit par référendum, soit par le Congrès de Versailles. Le dispositif est limpide : il est interdit aux organes exécutifs de consulter directement les électeurs lorsqu'il s'agit de réviser la Constitution. Le spectre des « plébiscites » napoléoniens joue à plein. L'article 11 accorderait-il ce que l'article 89 refuse ? La chose est douteuse. Bref, il y a de bonnes raisons de croire qu'une révision constitutionnelle ne pouvait emprunter la voie de l'article 11.

55 LA DOUBLE VICTOIRE GAULLISTE. — Pourtant, de Gaulle ne désarmera pas et sa fermeté donnera lieu à l'une des séquences les plus passionnantes de la vie politique et constitutionnelle de la France contemporaine. Conformément à la lettre de l'article 11, à l'issue du Conseil des ministres du 2 octobre, le Gouvernement adresse une proposition au président de la République en vue de l'organisation du référendum. La riposte du Parlement est virulente. À défaut de s'en prendre au président de la République pour « haute trahison » (article 68 de la Constitution, dans sa rédaction antérieure à 2007), il transporte sa vindicte sur le Gouvernement qui, juridiquement, est l'auteur de la proposition initiale. Déjà, le 29 septembre, Gaston Monnerville, le président du Sénat, avait employé le mot « forfaiture » à l'endroit du Premier ministre, Georges Pompidou (de Gaulle était indirectement visé) et avait annoncé son intention de saisir le Conseil constitutionnel. Surtout, le 5 octobre, l'Assemblée nationale vote une motion de censure, la seule couronnée de succès sous la Ve République : le Gouvernement est renversé à la majorité de 280 voix (il en fallait 241). En vertu de l'article 50 de la Constitution, G. Pompidou remet le lendemain la démission de son Gouvernement au président de la République. Celui-ci le maintient en fonction pour l'expédition des affaires courantes, annonçant une dissolution de la Chambre basse qui interviendra le 9 octobre.

D'une manière ou d'une autre, les électeurs étaient amenés à trancher deux fois un conflit institutionnel : la première à l'occasion du référendum, la seconde à l'occasion des élections législatives anticipées. Il est notable que le mandat en cours du président de la République n'était en rien concerné : pourtant, il était évident que les deux opérations revenaient à approuver ou à désapprouver la politique du Général, c'est-à-dire l'exercice des fonctions confiées en 1958. Or, à deux reprises, les électeurs votent dans un sens favorable à de Gaulle, d'abord en répondant « oui » à la question référendaire, ensuite en portant leurs suffrages sur les candidats à la députation de sensibilité gaulliste. Le référendum du 28 octobre n'est pas un raz-de-marée, à tel point que de Gaulle aurait envisagé de démissionner : il n'en fera rien et se contentera d'un score mitigé. L'abstention atteint 23 % des inscrits, proportion non négligeable eu égard à l'intensité du débat, le « oui » recueille 62,25 % des suffrages exprimés, soit 46,65 % des inscrits. La déception est vite effacée : d'une part l'approbation reste franche, de l'autre le Conseil constitutionnel refusera de se prononcer sur la constitutionnalité de la loi adoptée, enfin les élections législatives seront un triomphe pour les couleurs gaullistes.

Dès le 3 novembre, G. Monnerville use de la compétence accordée au président du Sénat par l'article 61, alinéa 2 de la Constitution : il défère la « loi » (à aucun moment, y compris au *Journal officiel*, elle n'est qualifiée de « constitutionnelle », ne serait-ce que parce qu'elle renferme des dispositions à la fois constitutionnelles et organiques) au Conseil constitutionnel. Dans sa décision n° 62-20 DC du 6 novembre 1962, celui-ci se déclare incompétent pour statuer en la matière : son contrôle porte sur les lois adoptées par le Parlement et non sur celles, quelle que soit leur nature, approuvées par référendum. Le Conseil, organe constitué, s'incline devant la majesté du souverain : il ne saurait vérifier la constitutionnalité de lois qui « constituent l'expression directe de la souveraineté nationale ». On sait aujourd'hui que les plus hautes instances de la République étaient hostiles à une telle utilisation de l'article 11 : le Conseil d'État n'a jamais varié depuis l'avis du 1er octobre 1962 rendu à l'unanimité (il l'a confirmé plusieurs fois depuis, en dernier lieu en 1998 dans l'arrêt *Sarran* précité), tandis que le Conseil constitutionnel était partagé – dans son avis du 2 octobre, à la majorité de sept contre trois, il considérait la procédure inconstitutionnelle, et il n'optait pour son incompétence le 6 novembre qu'à la majorité de six contre quatre. Quoi qu'il en soit, la « loi » n° 62-1292 du 6 novembre 1962 modifie les articles 6 et 7 de la Constitution : le président de la République sera, à partir de 1965, élu au suffrage universel direct.

III | Les modalités d'organisation du scrutin

56 Un ou deux tours. — L'élection présidentielle réclame un ou deux tours. Un tour suffit si la majorité absolue des suffrages exprimés est atteinte, un deuxième tour est nécessaire dans le cas contraire : il oppose, deux semaines après, les deux candidats ayant recueilli le plus de suffrages (le président élu disposera ainsi d'une majorité absolue en termes de voix exprimées), sachant que le retrait des candidats les plus favorisés est autorisé. Depuis 1965, un deuxième tour a toujours été nécessaire, sans qu'un candidat se soit jamais retiré – un cas de figure qu'on aurait pu imaginer, par exemple, si le candidat communiste avait précédé le candidat socialiste en 1981, étant donné que le premier n'avait aucune chance de séduire l'électorat centriste et aurait pu préserver les chances de succès de la gauche en monnayant chèrement son retrait. À l'issue du tour décisif, et après proclamation des résultats par le Conseil constitutionnel, juge électoral en la matière d'après l'article 58 de la Constitution, une passation des pouvoirs est convenue au palais de l'Élysée.

57 PARRAINAGES DES CANDIDATURES. — Les détails de la campagne présidentielle sont renvoyés par l'article 6 à une loi organique. Celle de 1958 a été évidemment remplacée en 1962, laquelle a été modifiée en 1976. Il y est question des « parrainages » accordés aux aspirants à la candidature sans lesquels ils ne sauraient disputer la compétition. La loi n° 62-1292 du 6 novembre 1962 exigeait cent « présentations » formulées dans au moins dix départements par des parlementaires, membres du Conseil économique et social, conseillers généraux ou maires. De telles conditions étaient aisées à satisfaire, de sorte que l'élection de 1974 mit aux prises douze candidats. Le Conseil constitutionnel s'en émut dans une déclaration du 24 mai. Il fut entendu : la loi organique n° 76-528 du 18 juin 1976 augmentait le nombre de présentations requises à cinq cents (dans au moins trente départements sans qu'aucun puisse fournir plus de 10 % des parrainages) et imposait leur publicité – elles font l'objet d'un tirage au sort à partir de 1981 si leur nombre excède les cinq cents. Cette disposition a suscité un contentieux récent : Marine Le Pen a contesté la constitutionnalité de la publicité des parrainages au moyen d'une question prioritaire de constitutionnalité, mais la décision n° 2012-233 QPC du 21 février 2012 a conclu à la conformité. Depuis 1981, il n'y a jamais eu moins de neuf candidatures (douze en 2007, dix en 2012 et onze en 2017) ; un record a été atteint en 2002 avec seize candidatures, contribuant ainsi à l'émiettement des scores et à l'élimination de L. Jospin dès le premier tour. Il n'est pas étonnant que l'ancien Premier ministre se soit intéressé de près aux parrainages : la commission qu'il présidait en 2012 a proposé que les parrainages soient donnés par les citoyens, de sorte que seraient qualifiés à l'élection présidentielle tous ceux rassemblant plus de 150 000 signatures venant d'au moins cinquante départements sans que l'un d'eux puisse accorder plus de 5 % de l'ensemble, tandis que ces présentations seraient anonymes. Cette recommandation ne semble pas avoir convaincu la classe politique. En effet, la loi organique n° 2016-506 du 25 avril 2016 se contente de prévoir la publicité de tous les parrainages (et pas seulement de cinq cents tirés au sort).

58 DISPARITION D'UN CANDIDAT. — La déclaration du 24 mai 1974 s'inquiétait aussi d'une hypothèse malheureuse, celle où un candidat admis à concourir décéderait avant le premier tour ou entre les deux tours. Le constituant a répondu par la loi constitutionnelle n° 76-527 du 18 juin 1976 promulguée le même jour que la loi organique. Trois hypothèses de décès et d'empêchement sont envisagées : avant le dépôt des parrainages, avant le premier tour ou entre les deux tours. Dans la première hypothèse, et si l'on se trouve dans les sept jours qui précèdent la date limite du dépôt des parrainages, le Conseil constitutionnel *peut* reporter l'élection. Dans la seconde hypothèse, il *doit* reporter l'élection. Dans la troisième, non seulement il doit reporter l'élection, mais il ordonne de reprendre l'ensemble des opérations électorales – sélection des candidats, propagande électorale, premier tour. La compétition est en effet plus ou moins faussée : le Conseil conserve une marge d'appréciation si le candidat déclaré avant le début de la campagne officielle est une personnalité d'envergure ; il se contente de reporter l'élection en cas d'accident avant le premier tour en vue de permettre une recomposition politique ; entre les deux tours, il annule l'ensemble des opérations électorales et les reprend à zéro parce que la votation aura été défigurée (sans compter que le duel serait tout bonnement impossible en l'absence de désistement). Dans de telles circonstances, le Conseil est autorisé à proroger les délais prévus pour assurer la transition entre deux mandats : cependant, l'élection ne peut avoir lieu plus de trente-cinq jours après la décision de report ou de recommencement. Le président en place reste en fonction au-delà de l'expiration de son mandat et jusqu'à la désignation de son successeur. Ces dispositions n'ont jamais joué depuis 1981.

59 LES NEUF ÉLECTIONS PRÉSIDENTIELLES. — En tout, dix élections présidentielles ont eu lieu au suffrage universel direct sous la Ve République : en 1965 (Ch. de Gaulle), 1969 (G. Pompidou), 1974 (V. Giscard d'Estaing), 1981 (F. Mitterrand), 1988 (F. Mitterrand), 1995 (J. Chirac), 2002 (J. Chirac), 2007 (N. Sarkozy), 2012 (F. Hollande) et 2017 (E. Macron). Chacune de ces dix élections présidentielles a des traits remarquables. En 1965, à la surprise générale, de Gaulle a été contraint à un second tour : le 5 décembre, il est mis en ballotage par le socialiste François Mitterrand – il est élu le 19 décembre avec 55 % des suffrages exprimés. La campagne a montré l'importance de la télévision. L'élection de 1969 est anticipée en raison de la démission du général de Gaulle : l'ancien Premier ministre G. Pompidou affronte un candidat du centre, le président du Sénat, Alain Poher (la gauche a avancé désunie lors du premier tour le 1er juin) – Pompidou l'emporte largement le 15 juin, fort de plus de 58 % des suffrages. L'élection de 1974 est elle aussi anticipée à cause de la mort de Pompidou : c'est la droite cette fois qui se présente divisée, la candidature de Jacques Chaban-Delmas étant affaiblie par des dissensions internes, tandis que la gauche se rassemble derrière F. Mitterrand. Celui-ci arrive en tête au premier tour le 5 mai, mais il est finalement battu par V. Giscard d'Estaing : le 19 mai, ce dernier n'obtient que 400 000 voix de plus que son adversaire, l'écart le plus faible de la Ve République. La revanche sera prise en 1981 : le président sortant est affaibli par la candidature de Jacques Chirac et par le ralliement sans enthousiasme de celui-ci entre les deux tours, tandis que F. Mitterrand profite d'un excellent report des voix – il est élu le 10 mai avec un million de voix d'avance. Il sera réélu en 1988 : à l'issue d'une cohabitation tendue entre 1986 et 1988, le président et le Premier ministre, J. Chirac, arrivent en tête du premier tour organisé le

24 avril et marqué par le score inattendu de Jean-Marie Le Pen, candidat du Front national. F. Mitterrand rallie 54 % des suffrages le 8 mai. Le scrutin de 1995 est l'occasion d'un combat fratricide à droite entre Édouard Balladur, alors Premier ministre, et Jacques Chirac : celui-ci en sort vainqueur le soir du premier tour le 23 avril et triomphe du candidat socialiste, Lionel Jospin, le 7 mai en recueillant plus de 52 % des suffrages. Il est réélu dans des circonstances dramatiques en 2002 : comme en 1988, le président en place vainc le Premier ministre socialiste, Lionel Jospin, mais son élection est assurée dès le premier tour le 21 avril – en effet, le candidat socialiste est précédé par l'inusable Jean-Marie Le Pen. Pour la première fois depuis 1969, la gauche n'est pas représentée au second tour : l'élection est atypique puisque jamais un candidat ayant obtenu un score aussi étriqué au premier tour (19 % des suffrages exprimés) ne fut aussi largement élu au second (82 %). Pour la première fois aussi, le mandat présidentiel sera de cinq ans. En 2007, le premier tour du 22 avril est remarquable en raison de la percée réalisée par le candidat centriste, François Bayrou, qui rassemble 18 % des voix, mais la perturbation restera limitée : le 5 mai, Nicolas Sarkozy, candidat de l'UMP, bat nettement Ségolène Royal avec 53 % des suffrages. En 2012, le président sortant est vaincu – cela n'était pas arrivé depuis 1981 : sa défaite est cependant honorable puisque François Hollande, socialiste, compte un peu plus d'un million de voix d'avance le 6 mai (le premier tour, le 22 avril, avait accordé près de 18 % des suffrages à Marine Le Pen, du Front national). Le scrutin de 2017 a été caractérisé par un ensemble de circonstances rocambolesques : le 1er décembre 2016, F. Hollande annonce qu'il ne se représentera pas ; la voie semble dégager pour le candidat de la droite, F. Fillon, mais celui-ci est discrédité par un scandale politico-financier ; contre toute attente, un *outsider* l'emporte. Au premier tour, Emmanuel Macron arrive en tête (24 % des suffrages exprimés) devant Marine Le Pen (21 %) : de façon inédite, la droite et la gauche sont éliminées, tandis que le candidat de la gauche radicale, Jean-Luc Mélenchon, enregistre un score flatteur (19,58 %). E. Macron s'imposera aisément au second tour (66 % des voix).

60 LE FAIT MAJORITAIRE. — Ces dix élections présidentielles se sont déroulées dans un paysage politique bouleversé par l'enchaînement des événements en 1962. En effet, on se souvient que de Gaulle avait prononcé la dissolution de l'Assemblée nationale le 9 octobre. Le référendum du 28 octobre – un succès sans éclat – devait donc être suivi d'élections législatives anticipées. Or elles constitueront une victoire sans appel pour le camp gaulliste : les députés gaullistes formeront une majorité absolue à l'Assemblée nationale. C'est la naissance de ce qu'on appelle le fait majoritaire. Le référendum ou l'élection présidentielle ne réalisent pas à eux seuls le fait majoritaire : l'expression désigne cette situation où une majorité de députés croit devoir son élection au président de la République et reconnaît en lui son chef aux dépens du Premier ministre. Lorsque les députés sont élus dans la foulée d'une élection présidentielle (le référendum du 28 octobre 1962 pouvait en tenir lieu), leur sort est dépendant du succès ou de l'échec de leur champion. Ils voient en lui le véritable *leader* de la majorité parlementaire parce qu'ils ont capitalisé sur son nom : les équilibres du régime parlementaire en sont bouleversés puisque le chef de la majorité ne se trouve pas à Matignon, comme le veut la logique du parlementarisme, mais à l'Élysée. Le Premier ministre est marginalisé sur le plan politique – hors cohabitation – parce qu'il n'est que le fondé de pouvoir du président : à l'occasion, il est qualifié de « collaborateur » (F. Fillon fut déclaré tel par N. Sarkozy en 2007). La cohabitation restaure le régime parlementaire classique : les élections législatives accouchent d'une majorité parlementaire hostile au président et qui ne saurait l'ériger en chef – le Premier ministre joue ce rôle. Le *fait* majoritaire n'est pas du droit : c'est une conjonction électorale et une interprétation des résultats du scrutin qui relèvent de la contingence. Le *fait* peut tout aussi bien ne pas advenir, ce que révèle la cohabitation, même si l'observation prouve qu'il est doué de pérennité. Tout le débat est de savoir s'il convient de favoriser cette situation ou s'il faut la combattre. Prenant le contre-pied d'une classe politique unanime, on tentera de montrer qu'il est temps de renouer avec un véritable régime parlementaire qui ne renoncerait ni à l'efficacité gouvernementale ni à l'originalité présidentielle (voir la leçon 12).

Section II
La durée du mandat et sa protection

61 En principe, la durée du mandat est de cinq ans. Mais il peut être abrégé pour toute une série de causes : décès, démission, vacance, empêchement définitif, voire destitution qui met en cause la responsabilité, sévèrement encadrée, du président de la République.

I | Du septennat au quinquennat

62 Le choix initial du septennat. — Les trois dernières républiques avaient opté pour un mandat de sept ans. Cette durée fut affaire de circonstances : dans la période allant de 1871 à 1875, au moment où la nature du régime n'était pas tranchée, une loi du 30 novembre 1873 confiait le pouvoir exécutif au maréchal de Mac Mahon pour sept ans. Cette loi du septennat s'apparentait à une solution d'attente : elle plaçait à l'Élysée un monarchiste convaincu, chargé de préparer la restauration au profit du comte de Paris (orléaniste) en attendant la disparition probable et espérée du comte de Chambord (légitimiste), brûlé après l'affaire du drapeau blanc. Le septennat fut conservé dans la loi constitutionnelle du 25 février 1875 (article 2), puis dans la Constitution de 1946 (article 29) et dans celle de 1958 (article 6). Aux yeux du général de Gaulle, il permettait de conférer permanence et sérénité à l'institution présidentielle, s'agissant d'un arbitre « au-dessus des contingences politiques » (discours de Bayeux), assurant « la continuité de l'État » (article 5 de la Constitution). Rapidement, une telle durée parut cependant inadaptée : elle convenait à une fonction d'apparat, pas à une présidence devenue la principale institution politique du pays. À l'étranger, le pouvoir était et est toujours confié pour quatre ou cinq ans, pas plus. G. Pompidou prit alors en 1973 l'initiative d'une révision constitutionnelle pour réduire le mandat présidentiel à cinq ans. Conformément aux dispositions de l'article 89, l'accord des deux Chambres fut obtenu en octobre mais à une majorité tellement étriquée que la réunion du Congrès à Versailles (qui semblait

à l'époque préférable au référendum) risquait l'échec : la majorité des 3/5e n'était pas certaine, ce qui conduisit Pompidou à renoncer.

63 L'ADOPTION DU QUINQUENNAT. — Chose notable, il fut question en 2000 de reprendre la procédure là où elle avait été abandonnée en 1973. En effet, la question restait lancinante, d'autant que le deuxième mandat de F. Mitterrand avait démontré combien une période de quatorze ans pouvait sembler excessive. La cohabitation ne fut pas un obstacle : le président, Jacques Chirac, et le Premier ministre, Lionel Jospin, étaient d'accord sur le principe. Plusieurs hypothèses avaient été imaginées : un mandat de sept ans « sec » ; un mandat de six ans, renouvelable ou non ; mais le mandat de cinq ans l'emporta. Après le vote identique des deux Chambres en juin et bien que le vote du Congrès fût acquis, la voie du référendum fut préférée : organisé le 24 septembre, il livra des résultats contrastés – le « oui » obtint 73 % des suffrages exprimés, mais l'abstention s'éleva à 70 % des inscrits. Une expérience peu satisfaisante pour un recours inédit au référendum constituant de l'article 89 (toutes les autres révisions menées sous la Ve République se sont conclues par une réunion du Congrès). L'article 6 de la Constitution fut ainsi modifié par la loi constitutionnelle n° 2000-964 du 2 octobre 2000.

64 LES ARGUMENTS EN FAVEUR DU QUINQUENNAT. — Deux arguments principaux furent avancés en faveur du quinquennat. Le premier, d'ordre politique, vante les mérites « démocratiques » d'une fonction renouvelée plus fréquemment : il est incontestable. Le second argument, d'ordre institutionnel, apparaît en revanche médiocre : le quinquennat préserverait de la cohabitation – dont les deux principaux protagonistes expérimentaient les inconvénients – dès lors que les élections législatives et présidentielle seraient organisées dans le même temps, avec cette précision que l'on devait « inverser » le calendrier électoral pour que la seconde précédât les premières (la loi organique n° 2001-419 du 15 mai 2001 reporte l'expiration du mandat des députés d'avril à juin). On comptait sur l'effet d'entraînement de l'élection présidentielle pour que se dégageât ensuite une majorité parlementaire de la même couleur politique que le pensionnaire du palais de l'Élysée. De ce point de vue, les quatre séquences de 2002, 2007, 2012 et 2017 ont vérifié le pronostic émis en 2000 : l'élection de J. Chirac, N. Sarkozy, F. Hollande et E. Macron fut suivie par la victoire de leur parti lors des élections législatives et par la formation d'une majorité parlementaire fidèle. Le fait majoritaire né en 1962 en sortait renforcé : plus que jamais, la majorité des députés considère que son chef est le président de la République davantage que le Premier ministre. Tout le calcul repose sur la solidarité et la succession immédiate des élections présidentielle et législatives. Mais c'est faire fi d'une démission (de Gaulle en 1969), d'un décès (Pompidou en 1974), d'un empêchement ou d'une destitution, sans compter les dissolutions de l'Assemblée nationale qui interviendraient en cours de mandat présidentiel (celle de 1997 par exemple). Tous ces événements ont pour résultat inévitable de dissocier le mandat présidentiel et le mandat des députés, or ils relèvent pour partie d'une contingence que le système constitutionnel français ne contrarie pas – contrairement à son homologue américain, il n'organise pas une succession allant au terme du mandat au cas d'une vacance de la présidence. En France, celle-ci provoque aussitôt une nouvelle élection présidentielle.

65 Le nombre de mandats autorisé. — L'article 6 a été modifié une ultime fois par la loi constitutionnelle n° 2008-724 du 23 juillet 2008. Désormais, « nul ne peut exercer plus de deux mandats consécutifs ». Bizarrement, cette disposition n'a pas été discutée autant que d'autres en 2008 : elle porte cependant une atteinte directe à la souveraineté du peuple qui devrait lui permettre de réélire indéfiniment ses gouvernants s'il les juge compétents. Les inconvénients d'une perpétuation dans les fonctions, la volonté de renouveler les titulaires de la magistrature suprême ont joué à plein. Pourtant, cela emporte que le président élu une deuxième fois d'affilée sera un *lame-duck president*, comme disent les Américains, c'est-à-dire un « canard boiteux » dont l'autorité est menacée de s'effilocher au fur et à mesure que le terme du deuxième mandat approche (Barack Obama en a éprouvé les premiers symptômes dès 2014). En quelques années, on est donc passé d'un septennat renouvelable sans limites à un quinquennat borné à deux mandats

« consécutifs ». On mesure la différence d'avec le XXIIe amendement de la Constitution des États-Unis qui dispose depuis 1951 : « Nul ne sera élu aux fonctions de président plus de deux fois » (l'usage établi par George Washington avait été contredit par Franklin Roosevelt, mort dans l'exercice d'un quatrième mandat en 1945). Le dispositif français n'interdit pas un troisième mandat, à condition qu'il ne suive pas immédiatement les deux premiers (pour envisager l'hypothèse la plus réaliste). N. Sarkozy eût-il été réélu en 2012, il n'aurait pu briguer une troisième couronne en 2017 ; sa défaite a au contraire rendu possible une candidature à ce moment-là. Écartant la radicalité américaine, la Constitution française ressemble à la Constitution russe dont l'article 81, alinéa 3 interdit également le troisième mandat consécutif. En conséquence, Vladimir Poutine, élu président de la Fédération russe en 2000 et en 2004, s'est contenté du poste de président du Gouvernement (Premier ministre) entre 2008 et 2012, avant de redevenir président de la Fédération pour un mandat porté dans l'intervalle de quatre à six ans. Il a été réélu haut la main en 2018.

II | L'interruption du mandat

66 L'interruption du mandat présidentiel est crainte par le droit car elle met en danger le principe de la continuité de l'État et ouvre une période d'incertitudes. C'est d'ailleurs pour s'en garder que l'article 7 de la Constitution prévoit que l'élection du nouveau président a lieu entre vingt et trente-cinq jours avant l'expiration des fonctions de son prédécesseur (et que celui-ci est prorogé si son successeur n'est pas désigné dans les délais impartis). L'interruption du mandat se produit dans quatre hypothèses : la démission, le décès, la destitution et l'empêchement. Les trois premières, synonymes de « vacance » selon le terme de l'article 7, sont définitives, la quatrième est soit définitive, soit temporaire. Dans tous les cas, il faut organiser l'intérim et, si l'empêchement est définitif, la nouvelle élection présidentielle.

67 LES QUATRE HYPOTHÈSES. — La démission et le décès susciteront peu de commentaires. Volontaires ou subis, ils sont sans retour : le mandat du président s'interrompt définitivement, la vacance est hors de doute. La Ve République a éprouvé l'une et l'autre. Le 28 avril 1969, au lendemain de l'échec du référendum, de Gaulle publie un communiqué laconique : « Je cesse d'exercer mes fonctions de président de la République. Cette décision prend effet aujourd'hui à midi. » La mort de Pompidou est annoncée le 2 avril 1974. Les deux fois, le 28 avril 1969 et le 3 avril 1974, le Conseil constitutionnel a constaté la vacance, bien que l'article 7 de la Constitution ne lui accordât point cette compétence, ainsi que son président, Gaston Palewski, le reconnut d'ailleurs lors de la séance du Conseil du 28 avril 1969. Son rôle se limite en effet à constater un empêchement ou à le déclarer définitif. Autant une démission, un décès ou une destitution – que l'on évoquera plus bas – sont indéniables (c'est pour cela qu'ils ouvrent une période de vacance), autant un empêchement est difficile à établir. Il signifie que le président élu n'est plus en mesure d'assumer ses fonctions, alors qu'il est vivant, qu'il n'a pas renoncé à son mandat et que celui-ci ne lui a pas été retiré. L'enlèvement, l'aliénation mentale, la maladie de façon générale sont causes d'empêchement. Or celui-ci a une conséquence grave : il prive de son mandat celui qui a été élu, de surcroît au suffrage universel. Il est donc rare que les autorités compétentes – en France comme ailleurs, notamment aux États-Unis – acceptent de constater un empêchement. Le terme est choisi : constater, c'est enregistrer un fait extérieur. Mais il est mensonger : en dehors de quelques cas-limites, la question se posera le plus souvent lorsqu'un président est atteint d'une maladie grave – est-il encore en état d'exercer correctement ses fonctions ? On se rappelle la santé très délabrée de Pompidou en 1974, atteint de la maladie de Waldenström, ou de Mitterrand en 1993-1995, frappé par un cancer. Parce que l'épreuve peut être surmontée, l'empêchement est d'abord temporaire : l'intérim ne s'accompagne pas d'une nouvelle élection présidentielle. Celle-ci n'est prévue que si l'empêchement est déclaré définitif. Le Conseil constitutionnel agit à deux niveaux : il constate l'empêchement à la majorité absolue de ses membres et sur saisine du Gouvernement, ce qui entraîne l'intérim ; il est habilité à

le déclarer définitif, étape nécessaire pour procéder à une nouvelle élection du président.

68 L'INTÉRIM. — Autrement dit, la vacance provoque à la fois l'intérim et l'élection, tandis que l'empêchement est toujours source d'intérim et n'aboutit à l'élection que dans sa version définitive (par exemple si le président souffre d'un coma). Le délai est très ramassé et l'intérim réduit au strict minimum : l'élection a lieu, sauf cas de force majeure évalué par le Conseil constitutionnel, entre vingt et trente-cinq jours après le début de la vacance ou l'empêchement définitif. Des garde-fous sont érigés : le Conseil constitutionnel statue à une majorité renforcée et il doit être saisi par le Gouvernement. L'intérim revient au président du Sénat, troisième personnage de l'État : il est à la tête d'une assemblée permanente, différence notable d'avec l'Assemblée nationale qui se renouvelle intégralement. L'article 7 précise qu'il remplace le président de la République « provisoirement ». D'ailleurs, ses prérogatives sont amputées : d'une part il ne saurait faire usage des articles 11 et 12 (référendum et dissolution de la Chambre basse), d'autre part – depuis la loi du 6 novembre 1962 – les articles 49, 50 et 89 (responsabilité du Gouvernement et révision de la Constitution) sont paralysés jusqu'à l'élection d'un successeur. Le président du Sénat est un intérimaire au petit pied : sa mission se borne à assurer la transition, il lui est interdit de prendre des initiatives importantes. De façon générale, les pouvoirs publics ne doivent pas être bouleversés dans une période toujours délicate. Si le président de la Haute assemblée est lui-même « empêché » (le mot est inadéquat ou réducteur car le poste peut être vacant), le Gouvernement est collectivement chargé de l'intérim. Là encore, il s'agit d'un ajout passé inaperçu de la loi du 6 novembre 1962 : en dernier ressort, pour pallier la faiblesse des individus, un être collectif et pérenne exercera l'intérim. Celui-ci a été assuré deux fois sous la Ve République, en 1969 et en 1974, par le même homme : Alain Poher, président du Sénat de 1968 à 1992. Les intérims ont suivi une démission et un décès, jamais une destitution ou un empêchement : ils ont revêtu une dimension très différente les deux fois – en 1969, Poher était candidat à l'élection présidentielle subséquente où il fut battu au deuxième tour par

Pompidou, auquel il succéda à titre intérimaire en 1974, en se gardant cette fois de se lancer dans le combat électoral.

69 Si la destitution du président de la République est envisagée par les textes, c'est que celui-ci est responsable à au moins un titre. Peu importe que cette responsabilité n'ait jamais joué depuis la IIIe République : il est faux de croire le président totalement irresponsable.

III | La responsabilité présidentielle

70 Une responsabilité aux contours discutés. — Il est commun de soutenir que le président de la République française est *essentiellement* irresponsable, puis d'admettre ensuite une exception de taille qui figure au titre IX de la Constitution intitulé « La Haute Cour ». La matière a été chaudement discutée à partir de 1999 et bouleversée en 2007. La loi constitutionnelle n° 2007-237 du 23 février 2007, inspirée par les conclusions de la commission présidée par le professeur Pierre Avril en 2002, a largement réécrit le titre IX. Elle met fin à un conflit d'interprétation entre le Conseil constitutionnel et la Cour de cassation. Dans la décision n° 98-408 DC du 22 janvier 1999, relative à la convention de Rome instituant la Cour pénale internationale, le premier indiquait au détour d'un *obiter dictum* que la responsabilité pénale du président ne pouvait être engagée pendant la durée de ses fonctions, si ce n'est devant la Haute Cour de justice. Dans l'arrêt *Breisacher* rendu le 10 octobre 2001, la Cour de cassation s'écartait de l'opinion du Conseil constitutionnel : la responsabilité pénale du président est seulement suspendue, devant les juridictions ordinaires, pendant la durée des fonctions, c'est-à-dire qu'il est tout à la fois responsable en principe et inviolable temporairement. Les deux juridictions s'accordaient sur l'irresponsabilité présidentielle pour les actes commis dans l'exercice des fonctions : elle ne cédait que devant la Haute Cour de justice (et la Cour pénale internationale). Mais elles divergeaient quant à la responsabilité « ordinaire » du président, dans tous les cas où il agit en dehors de ses fonctions : pour le Conseil constitutionnel, le président est irresponsable et inviolable, sauf intervention de la Haute Cour de justice ; pour la Cour de cassation, il est certes inviolable pendant le mandat – on ne peut contraindre le président – mais il reste responsable devant les juridictions ordinaires, et c'est pourquoi les actes de procédure sont seulement mis entre parenthèses et reprennent à la fin du mandat.

71 L'IMMUNITÉ ACCORDÉE AU PRÉSIDENT DE LA RÉPUBLIQUE. — Pour plus de commodité, il convient de distinguer la responsabilité civile et pénale d'un côté, la responsabilité politico-criminelle de l'autre. S'agissant de la première, elle est suspendue tout au long du mandat présidentiel, du moins en droit interne : aucun acte de procédure, aucun jugement, aucune peine ne sauraient viser ou châtier le président de la République en place. L'article 67 dispose : « Il ne peut, durant son mandat et devant aucune juridiction ou autorité administrative française, être requis de témoigner non plus que faire l'objet d'une action, d'un acte d'information, d'instruction ou de poursuite. » La dignité et l'importance de la fonction font obstacle à tout ce qui viendrait en troubler l'exercice. (Une solution qui ne s'impose pas avec la force de l'évidence : aux États-Unis, le président doit répondre de ses actes au plan civil et pénal, ainsi que l'ont démontré à la fin des années 1990 les infortunes – de la vertu – de Bill Clinton dans les affaires Paula Jones et Monica Lewinski. On note d'ailleurs que la commission « de rénovation et de déontologie de la vie publique » présidée par Lionel Jospin a indiqué en 2012 sa préférence, moyennant des aménagements, pour une pleine responsabilité civile et pénale du président lors de son mandat.) Il est particulièrement choquant que le président soit à l'abri de toute poursuite, mais qu'il puisse dans le même temps actionner la justice, d'autant plus qu'il est garant de son indépendance (article 64) et qu'il a même présidé le Conseil supérieur de la magistrature jusqu'en 2008. Autrefois, les présidents agissaient avec retenue. Ainsi, en 1970, G. Pompidou obtint du tribunal de grande instance de Paris la condamnation d'une publicité dans le magazine *L'Express* qui utilisait une photographie du président pour vanter les moteurs de bateau Mercury. Si F. Mitterrand et J. Chirac se sont interdits de saisir la justice, il n'en

alla pas de même de N. Sarkozy (piratage de compte bancaire, poupée vaudou, publication d'un SMS intime, etc.).

72 UNE IMMUNITÉ TEMPORAIRE. — Depuis 2007, le président jouit d'une immunité pendant toute la durée de ses fonctions, mais cette immunité disparaît un mois après la fin du mandat aux termes du dernier alinéa de l'article 67. J. Chirac et N. Sarkozy en ont fait l'expérience rapidement après leur sortie de charge : le premier a été entendu dès le 19 juillet 2007 en tant que témoin dans l'affaire des emplois fictifs de la mairie de Paris (mis en examen quelques mois plus tard, il sera condamné par le tribunal correctionnel de Paris le 15 décembre 2011 à deux ans d'emprisonnement avec sursis) ; le second a été placé sous le statut de témoin assisté le 22 novembre 2012 dans l'affaire dite Woerth/Bettencourt, puis mis en examen le 21 mars 2013 pour abus de faiblesse (il a finalement obtenu un non-lieu le 7 octobre 2013). Plus grave, N. Sarkozy a été placé en garde à vue, puis mis en examen dans l'affaire « Azibert » le 2 juillet 2014 : il est soupçonné de trafic d'influence, corruption active et recel de violation du secret de l'instruction professionnel. Le procès aura lieu en octobre 2020. Il a aussi été mis en examen le 16 février 2016 dans l'affaire « Bygmalion » pour financement illégal de campagne électorale. Le procès pourrait également avoir lieu en 2020 ou bien en 2021. La protection spéciale due au chef de l'État ne doit pas confiner à l'irresponsabilité perpétuelle sans verser dans le déni de justice et sans violer le principe d'égalité : elle trouve un terme avec l'expiration des fonctions qui justifiaient l'immunité. Il reste que la longueur de la procédure et le « gel » de la responsabilité civile et pénale tout au long du mandat ralentissent la machine au point que l'on peut douter que la justice soit bien administrée. Pour cette raison, un projet de loi constitutionnelle adopté en Conseil des ministres le 13 mars 2013 prévoyait de modifier l'article 67 de la Constitution. L'immunité accordée au président serait réduite à la matière pénale : en matière civile, le chef de l'État pourrait être poursuivi durant son mandat après autorisation de la commission des requêtes visée à l'article 68-1 et à condition que l'exercice de sa mission et la dignité de sa fonction ne soient pas atteints. Le titre IX de la Constitution serait intitulé « De la responsabilité du président

de la République ». Le projet a été abandonné rapidement : la majorité des 3/5e au Congrès semblait inatteignable.

73 COUR PÉNALE INTERNATIONALE ET HAUTE COUR. — Selon le premier alinéa de l'article 67, le président est responsable des actes commis dans l'exercice de ses fonctions à deux égards : il peut être poursuivi en cours de mandat sur le fondement des articles 53-2 et 68. D'une part la France a signé, ratifié et inséré dans sa Constitution la convention de Rome portant création de la Cour pénale internationale : pour les crimes les plus graves – génocide, crimes contre l'humanité, crimes de guerre – les gouvernants sont justiciables devant une juridiction internationale, tout à la fois pénale et spéciale. Seuls des dirigeants africains ont pour l'instant été inquiétés. D'autre part l'article 68 désigne une Haute Cour pour « juger » le président en exercice. La doctrine affirme généralement que la responsabilité en cause est de nature pénale. De la sorte, le président ne serait pas responsable politiquement, à l'inverse du Gouvernement. Ce serait un privilège traditionnel des chefs d'État dont la mission réclame stabilité et continuité. On ajoute qu'ils n'ont que de faibles prérogatives. Un tel sentiment est contestable. En premier lieu, il fait fi de la différence entre monarchies et républiques : dans les premières, le roi ou la reine est en principe irresponsable et inviolable parce que la dévolution de la Couronne est héréditaire ; dans les secondes, le président est élu – d'une manière ou d'une autre – et rien ne s'oppose à sa destitution. En second lieu, les chefs d'État ne sont pas toujours faibles : ainsi le président des États-Unis ou celui de la Ve République française.

74 UNE RESPONSABILITÉ POLITIQUE. — Surtout, il y aurait quelque illusion à croire que la « haute trahison » ou le « manquement aux devoirs » de la charge n'ont pas une dimension tout à la fois politique et pénale – ces incriminations vagues permettent de sanctionner aussi bien des crimes et délits au sens du droit pénal que des fautes politiques. Entre 1875 et 2007, le président de la République française était passible de destitution pour « haute trahison », une qualification qui ne figurait dans aucun article du Code pénal. Depuis 2007, il l'est pour « manquement à ses devoirs », une incrimination nettement politique. Comment pourrait-il en aller autrement ? Un organe politique – le président de la République – est jugé par un autre organe politique – le Parlement ou une partie de celui-ci – en vue d'infliger une peine éminemment politique – la destitution – en vertu d'incriminations inconnues du droit pénal – la haute trahison ou le manquement aux devoirs de la charge. On peut en dire autant des « hauts crimes et délits » (*high crimes and misdemeanors*) prévus par la Constitution des États-Unis (article 2, section 4).

La loi constitutionnelle de 2007 a accentué ce caractère politique à plusieurs égards. D'abord la Haute Cour « de justice » est devenue « Haute Cour » (la commission Jospin proposait même de l'appeler « le Congrès »). Ensuite, on l'a dit, la haute trahison a été remplacée par le manquement aux devoirs de la charge, or la haute trahison avait une couleur pénale puisque le Code pénal réprime le crime de « trahison » (c'est l'adjectif « haute » qui change la donne). Enfin, la composition de la Haute Cour a été modifiée : jadis bornée à douze parlementaires élus par leurs pairs, ce qui lui donnait l'allure d'un tribunal, la Cour correspond aujourd'hui à l'ensemble du Parlement, soit près de mille « juges »… Pour toutes ces raisons, la responsabilité examinée par la Haute Cour sera dite « politico-criminelle » : elle sert aussi bien à sanctionner un comportement politique qu'un crime ou un délit au sens du droit pénal. D'ailleurs, la peine est exclusivement politique : la destitution souligne qu'il s'agit de priver tel individu de tel mandat. Elle est soumise à des conditions draconiennes : d'une part les deux Chambres doivent être d'accord, chacune à la majorité des deux tiers, pour réunir la Cour, de l'autre les parlementaires réunis décident la destitution à la majorité des deux tiers, sachant que seuls comptent les votes favorables (les abstentions jouent en faveur du président aux deux stades de la procédure : la mise en accusation et le jugement).

Le dernier alinéa de l'article 68 exige cependant l'édiction d'une loi organique. Il aura fallu sept ans pour qu'elle soit adoptée, avec cette conséquence que le président de la République était totalement irresponsable de ses actes pendant son mandat (sauf recours à la Cour pénale internationale) entre 2007 et 2014. La loi organique n° 2014-1392 du 24 novembre 2014 précise la procédure devant le

Parlement : initiative de la résolution, examen de sa recevabilité, égalité entre les deux Chambres, etc.

75 Le droit constitutionnel n'organise pas l'irresponsabilité du président de la République. Au contraire, sa responsabilité est établie à trois égards : devant les juridictions civiles et pénales françaises, même si la procédure ne reprend qu'avec la fin du mandat ; devant la Cour pénale internationale pour des crimes particulièrement graves ; devant la Haute Cour pour tous les actes qui constitueraient autant de manquements aux devoirs de la charge.

Leçon 4
Les compétences du président de la République

76 Le président de la République est le personnage central de l'échiquier politique pour trois raisons solidaires : il est élu au suffrage universel direct, il est le chef de la majorité parlementaire, il exerce des compétences capitales. Cette troisième caractéristique est la seule qui date de 1958. C'est dire s'il ne faut pas la négliger : dans les premières années du régime, de Gaulle a profité des circonstances de son retour au pouvoir mais il a aussi usé des compétences inédites accordées par la Constitution. Il ne pouvait en aller autrement dès lors que le discours de Bayeux faisait du chef de l'État un « arbitre au-dessus des contingences politiques », la « clef de voûte » du régime, pour emprunter à Michel Debré.

Section I
La fonction présidentielle

77 L'ARTICLE 5 DE LA CONSTITUTION. — L'article 5 de la Constitution ouvre le titre II consacré au président de la République. Nul autre article sans doute ne manifeste autant l'influence gaullienne : la trame du discours de Bayeux s'y décèle sans peine. Aux termes de l'article 5, le président de la République est à la fois gardien, arbitre et garant, sans qu'il y ait de frontière étanche entre ces trois missions : il veille au respect de la Constitution ; il assure le fonctionnement régulier des pouvoirs publics et la continuité de l'État ; il garantit l'indépendance nationale, l'intégrité

du territoire et le respect des traités. Autrement dit, le président assume un rôle *conservateur* : il doit maintenir l'ordre établi et préserver ce qui existe, à savoir la nation, l'État et la Constitution. La mission du Gouvernement, consignée à l'article 20, est beaucoup plus dynamique : il « détermine » et « conduit » la politique de la nation – et c'est pour ce motif qu'il avait été question, en 2007-2008, de modifier les articles 5 et 20 de la Constitution. Le comité Balladur préconisait en 2007 d'ajouter un dernier alinéa à l'article 5 aux termes duquel le président de la République « définit la politique de la nation », tandis que l'article 20 ne permettrait plus au Gouvernement de la « déterminer » mais seulement de la « conduire ». Ainsi le droit enregistrerait le fait, à savoir le rôle de premier plan joué par le chef de l'État. Mais le comité a dû reconnaître que cette configuration n'était pas pérenne, notamment en cas de cohabitation. Cela explique que cette recommandation n'ait pas prospéré et que la rédaction initiale des articles 5 et 20 soit restée inchangée depuis 1958.

78 UN GARDIEN. — Le président est d'abord le gardien de la Constitution. Loin de l'agitation des partis et des contingences politiques, sa mission est d'une grande noblesse : il doit s'assurer que la Constitution est scrupuleusement respectée. Le fonctionnement « régulier » des pouvoirs publics en découle : l'article 16 le confirme, qui évoque les pouvoirs publics « constitutionnels ». Le président vérifie que chaque organe de l'État reste dans les limites tracées par la Constitution. Pour ce faire, il peut demander une nouvelle délibération de la loi (article 10), il peut déférer une loi au Conseil constitutionnel (article 61), il a même l'initiative des révisions constitutionnelles (article 89), le rôle de gardien n'étant pas incompatible avec l'amélioration de l'existant.

79 UN ARBITRE. — Dans la foulée, le président est arbitre. Autrement dit, il départage les protagonistes lorsque cela est nécessaire : au-dessus de la mêlée, il résout les conflits qui éclateraient entre les pouvoirs publics. La dissolution de l'Assemblée nationale (article 12) est ainsi envisagée comme le moyen de mettre fin à une querelle inextricable entre le Gouvernement et la Chambre basse : les électeurs sont amenés à trancher en faveur de l'un ou de l'autre. Le président assure aussi la continuité de l'État, formule classique qui reste mystérieuse : le président représente l'État sur la scène internationale et à l'intérieur du pays, il en incarne la permanence ou la « pérennité », selon le mot de l'article 56 de la Constitution espagnole (d'où les difficultés mises à sa destitution ou l'organisation de l'intérim en cas de vacance ou d'empêchement définitif). Cela signifie notamment que les engagements conclus par la France doivent être respectés : *Pacta sunt servanda*. Le souvenir de la débâcle de 1940 transparaît ici de façon évidente : la France a failli, notamment parce que les plus hautes autorités de l'État n'ont pas voulu quitter le territoire métropolitain et se réfugier en Afrique. La continuité est au demeurant celle de l'État républicain : l'ordonnance du Gouvernement provisoire de la République française (GPRF) en date du 9 août 1944 dispose que « La forme du Gouvernement est et demeure la République. En droit, celle-ci n'a pas cessé d'exister ». D'où l'interdiction de porter atteinte à la forme républicaine du Gouvernement, qui figure à l'article 89 de la Constitution.

80 UN GARANT. — Le président devient garant dans des circonstances graves, celles qui rappellent encore 1940. Le discours de Bayeux est ici précieux : « À lui, s'il devait arriver que la patrie fût en péril, le devoir d'être le garant de l'indépendance nationale et des traités conclus par la France. » L'article 5 en est la traduction fidèle : sera ajoutée l'intégrité du territoire, complément de l'indépendance nationale. La souveraineté du pays est ici en danger : c'est d'ailleurs pour cela que la révision constitutionnelle est interdite lorsqu'il est porté atteinte à l'intégrité du territoire (article 89), sorte de conjuration pour l'avenir de la loi constitutionnelle du 10 juillet 1940 qui avait confié le pouvoir constituant au maréchal Pétain. Mais c'est surtout l'article 16 qui complète l'article 5 : « Lorsque les institutions de la République, l'indépendance de la nation, l'intégrité de son territoire ou l'exécution de ses engagements internationaux sont menacées [...] et que le fonctionnement régulier des pouvoirs publics constitutionnels est interrompu, le président de la République prend les mesures exigées par les circonstances. » L'article 16 est en quelque sorte le bras armé de l'article 5 : il donne au président les moyens d'accomplir la mission qui lui est confiée (et c'est aussi pour cette raison que le président est fait « chef des armées » par l'article 15). Les moyens en cause sont des « mesures », c'est-à-dire des actes juridiques signés par le président. Ils ont pour but de conserver ou de restaurer un ordre constitutionnel préexistant : on comprend d'emblée qu'ils seront rares. Une rareté qui caractérise aussi le référendum, la dissolution de l'Assemblée nationale, le droit de grâce (surtout depuis qu'il est devenu individuel), la saisine du Conseil constitutionnel ou la révision constitutionnelle. Il est évident que ce ne sont pas là des actes de gestion quotidienne.

Section II
Les actes présidentiels

81 LE CONTRESEING. — Les actes présidentiels sont souvent distingués au moyen d'un critère formel, le contreseing. L'article 19 de la Constitution indique quels actes présidentiels réclament le contreseing ministériel et lesquels en sont dispensés. Le principe est le contreseing ; c'est à titre d'exception que certains actes présidentiels ne l'exigent pas. « Les actes du président de la République autres que ceux prévus aux articles 8 (1er alinéa), 11, 12, 16, 18, 54, 56 et 61 sont contresignés par le Premier ministre et, le cas échéant, par les ministres responsables. » Avant d'entrer dans les détails, il convient de définir le contreseing.

À l'origine, dans l'ancien droit, le contreseing se résumait à l'authentification de l'acte signé en premier par l'autorité décisionnaire : à la manière d'un acte notarié, la signature en second venait attester la réalité et la régularité de l'acte. Ainsi procédait le garde des Sceaux sous l'Ancien Régime : il va sans dire qu'il ne contrôlait pas la volonté royale, il se contentait de vérifier que l'acte royal (ordonnance, édit, etc.) était bien émané du roi et que la procédure d'édiction avait été respectée. Le contreseing n'a pas perdu cette dimension notariale aujourd'hui, mais il a connu un bouleversement avec l'avènement du régime parlementaire aux XVIIIe et XIXe siècles, c'est-à-dire avec l'effacement du monarque. Le contreseing apposé par les ministres ne vaut plus seulement authentification de l'acte, il emporte endossement de la responsabilité politique de l'acte : le monarque étant irresponsable, le Parlement fait peser son autorité sur ses agents immédiats, les ministres, car ceux-ci sont responsables de l'acte qu'ils ont contresigné. Mais un glissement se produit : les ministres, d'abord responsables devant le roi et le Parlement (parlementarisme dualiste), se conçoivent de plus en plus responsables devant le seul Parlement au fur et à mesure que la légitimité démocratique l'emporte sur la légitimité royale, qu'elle soit historique ou de droit divin (parlementarisme moniste). Les ministres s'affranchissent du monarque : ils deviennent les agents du Parlement, c'est-à-dire tout à la fois ses serviteurs et ses interlocuteurs privilégiés. Le lien intime noué entre les ministres et le Parlement signifie que celui-ci peut renvoyer ceux-là s'il estime que la politique menée par le cabinet n'est pas conforme à ses volontés. Or cette politique est le fruit d'actes juridiques contresignés par les ministres, la signature en premier appartenant au chef de l'État, soit monarque, soit président de la République.

Le contreseing manifeste l'association (et non la solidarité) entre le chef de l'État et au moins un ministre : le chef de l'État signe et le ou les ministres contresignent. Plusieurs membres de l'exécutif ont collaboré en vue de l'édiction de l'acte, mais l'ordre des signatures est mensonger : l'autorité décisionnaire est l'autorité contresignataire, qui a d'ailleurs préparé le texte, car « le pouvoir va à la responsabilité » (S. Rials). Le chef de l'État, irresponsable, a une compétence liée : il doit signer, sauf à démissionner. Ainsi s'explique la litanie à première vue surprenante de la loi constitutionnelle du 25 février 1875 : le président de la République nomme, désigne, surveille, promulgue, dissout, etc. On a le sentiment qu'il est la pièce principale de l'échiquier politique. Mais ce serait ignorer le dernier alinéa de l'article 3 : « Chacun des actes du président de la République doit être contresigné par un ministre. » Par le contreseing, le président de la IIIe République en était réduit à inaugurer les chrysanthèmes : il ne pouvait rien décider sans l'accord d'un ministre – c'est tellement vrai que même la désignation d'un nouveau président du Conseil réclamait le contreseing de l'ancien et seule la démission du président de la République se dispensait du contreseing. La situation du président de la IVe République était semblable.

La Ve République a entendu réagir contre la condition autrefois réservée au chef de l'État. Conformément aux vues du général de Gaulle, le président de la République doit avoir les moyens de mener une politique personnelle. La Constitution de 1958 établit donc un partage entre les actes présidentiels revêtus du contreseing et ceux qui en sont dispensés. Dans toute une série de matières, royaume des « pouvoirs propres », le président est seul décisionnaire. S'il doit souvent consulter ou informer, sa décision n'a besoin de l'approbation d'aucun ministre. Il reste que certains actes, de la compétence exclusive du président, exigent parfois une proposition préalable (voir *infra*).

82 CONSEIL DES MINISTRES ET CONTRESEING. — Le Conseil des ministres illustre le mieux l'association entre le président et le ou les ministres contresignataires. Malgré son titre, le Conseil des ministres est présidé par le président de la République (article 9 de la Constitution). Pour cette raison, tous les actes délibérés en Conseil des ministres sont contresignés, ce qui ne signifie pas *a contrario* que les actes non délibérés en Conseil des ministres ne sont pas contresignés : on pense à tous ceux qui se contentent du contreseing primo-ministériel. La Constitution établit en effet une hiérarchie entre les ministres : si le contreseing du premier d'entre eux est toujours nécessaire, il s'accompagne parfois de celui du ou des ministres « responsables ». La jurisprudence administrative a dû préciser ce qu'il fallait entendre par « responsables », d'autant que l'article 22 de la Constitution ajoute que les actes du Premier ministre sont contresignés par les ministres « chargés de leur exécution » (voir la leçon 5).

Il est crucial de savoir quels actes sont délibérés en Conseil des ministres – qui a lieu traditionnellement le mercredi matin au palais de l'Élysée – parce qu'ils sont nécessairement signés par le président de la République et entrent dans sa compétence. Dès lors, ils ne peuvent plus être abrogés, modifiés ou remplacés que par un acte subséquent signé par le président. La jurisprudence du Conseil d'État est dite libérale sur ce point : depuis un arrêt *Meyet* du 10 septembre

1992, il estime que tous les décrets délibérés en Conseil des ministres – et pas seulement ceux qui le sont en vertu d'un texte – demandent la signature du président.

I | Les actes déliés de l'obligation du contreseing

83 Des actes peu nombreux. — Si l'on examine les actes du président débarrassés du contreseing, on s'aperçoit qu'il s'agit d'actes rares, voire exceptionnels. Nommer le Premier ministre (article 8, alinéa 1er), prendre l'initiative d'un référendum (article 11), dissoudre l'Assemblée nationale (article 12), recourir aux pouvoirs exceptionnels (article 16), s'adresser aux Chambres (article 18), nommer les membres du Conseil constitutionnel (article 56) et saisir ce dernier pour qu'il opère un contrôle de constitutionnalité des traités et des lois (articles 54 et 61), tout cela ne fait pas partie de l'activité quotidienne du président. Ces actes correspondent cependant à l'idée que de Gaulle se faisait de la fonction présidentielle telle que précisée à l'article 5 : le président veille au respect de la Constitution avec l'appui du Conseil constitutionnel, il garantit l'indépendance nationale et l'intégrité du territoire en usant des pouvoirs exceptionnels de l'article 16, il arbitre les conflits entre les pouvoirs publics par le référendum et la dissolution de l'Assemblée nationale, il veille de façon générale au fonctionnement régulier des pouvoirs publics en nommant le Premier ministre et en communiquant avec les assemblées parlementaires. Que les circonstances soient graves, troublées, critiques ou plus ordinaires, le président de la République a les moyens juridiques de remplir la mission impartie à l'article 5.

84 Proposition et contreseing. — La liste des actes présidentiels déliés de l'obligation du contreseing n'est pas homogène. On l'a dit : l'expression « pouvoirs propres » mérite une distinction selon que la décision est précédée ou non d'une proposition. L'article 11 est en effet à part : l'initiative du président en matière référendaire suppose une proposition. Les autres articles de la liste ne prévoient pas une telle proposition.

1. Les actes déliés de l'obligation du contreseing mais subordonnés à une proposition

85 LA PROPOSITION DE RÉFÉRENDUM DE L'ARTICLE 11. — La catégorie se borne ici à un seul élément : l'initiative référendaire de l'article 11. Le président est l'unique titulaire du droit d'initiative – sous réserve du référendum d'initiative partagée. Mais la décision présidentielle, exclusive, suppose au préalable une proposition venant soit du Premier ministre, soit des Chambres. Dans le premier cas, la proposition n'est possible qu'autant que le Parlement est en session : ce dernier est ainsi en mesure de mettre en cause la responsabilité du Gouvernement, ainsi que l'a expérimenté G. Pompidou le 5 octobre 1962 (d'où aussi, depuis 1995, la déclaration suivie d'un débat devant chacune des assemblées). Dans le second cas, le bicamérisme est égalitaire : la proposition des Chambres est « conjointe ». Dans les deux hypothèses, la publicité de la mesure est assurée par une insertion au *Journal officiel.*

86 LE CHAMP DU RÉFÉRENDUM DE L'ARTICLE 11. — Le champ du référendum était plus étroit hier qu'aujourd'hui. Le texte originaire disposait que le « projet de loi » (sans plus de précision) pouvait être soumis au référendum dans trois hypothèses : s'il touchait à l'organisation des pouvoirs publics, s'il portait sur un accord de Communauté, s'il tendait à autoriser la ratification d'un traité qui, conforme à la Constitution, aurait néanmoins des incidences sur le fonctionnement des institutions. La loi constitutionnelle n° 95-880 du 4 août 1995 a supprimé la référence aux accords de Communauté, quasiment mort-née. Elle a ajouté en revanche les « réformes relatives à la politique économique ou sociale de la nation et aux services publics qui y concourent ». Dans la foulée du « Grenelle de l'environnement » en 2007, la loi constitutionnelle du 23 juillet 2008 a précisé : « politique économique, sociale ou environnementale ». Le projet de loi constitutionnelle du

28 août 2019, qui restera sans doute lettre morte, va plus loin et inclut « l'organisation des pouvoirs publics territoriaux » et « les questions de société ». L'extension du champ du référendum, d'abord en 1995, puis en 2008, n'a cependant servi à rien : le référendum est utilisé avec beaucoup de parcimonie en France.

87 LE RECOURS AU RÉFÉRENDUM SOUS LA Ve RÉPUBLIQUE. — Il convient de rappeler que le référendum est prévu à divers endroits de la Constitution, notamment aux articles 11 et 89. L'article 11 organise des référendums législatifs, l'article 89 des référendums constituants, sauf à faire sienne l'interprétation gaullienne selon laquelle l'expression « tout projet de loi » vaut également pour les « lois » constitutionnelles. Le rapprochement entre les deux textes est éclairant : en vertu de l'article 89, le président détient l'initiative d'une révision constitutionnelle à la condition que le Premier ministre lui adresse une proposition – le mécanisme ressemble à celui qui figure à l'article 11, la différence tient à l'exigence du contreseing dans le premier cas. Quoi qu'il en soit, peu de référendums ont été organisés en France sur le fondement des articles 11 et 89. La consultation référendaire de l'article 89 n'a eu lieu qu'une fois sous la Ve République, en 2000, le mandat présidentiel ayant été raccourci à cinq ans.

Quant à l'article 11, il n'a pas connu un vif succès, surtout si l'on écarte la période où de Gaulle était président. On compte huit référendums entre 1961 et 2005, dont quatre dans la décennie 1960. Les deux premiers référendums, les 8 janvier 1961 et 8 avril 1962, ont conduit à l'indépendance de l'Algérie. Les deux suivants, ceux des 28 octobre 1962 et 27 avril 1969, visaient à modifier la Constitution : l'élection du président au suffrage universel direct fut acceptée en 1962, la transformation du Sénat et la création des régions furent repoussées en 1969, provoquant la démission de Ch. de Gaulle. On notera que ces quatre référendums avaient trait à « l'organisation des pouvoirs publics », y compris ceux réglant le sort de l'Algérie : il ne pouvait être question d'autoriser la ratification d'un traité international puisque l'Algérie n'était pas encore indépendante. La question posée le 8 janvier 1961 concernait « l'autodétermination des populations algériennes et l'organisation des pouvoirs publics en Algérie avant l'autodétermination ». Par la suite, sous réserve du référendum du 6 novembre 1988 relatif à la Nouvelle-Calédonie (et donc à l'organisation des pouvoirs publics), les référendums de l'article 11 ont toujours tendu à autoriser la ratification d'un traité en rapport avec la construction européenne. Le 23 avril 1972, la Communauté économique européenne (CEE) était élargie à la Grande-Bretagne, à l'Irlande, au Danemark et à la Norvège (une sorte d'anticipation de l'article 88-5 actuel). Le 20 septembre 1992, le traité de Maastricht était en jeu, puis, le 29 mai 2005, le traité établissant une Constitution pour l'Europe.

Le « oui » l'a emporté dans six cas sur huit. Les deux échecs de 1969 et de 2005 ont eu des conséquences notables : d'une part la démission du président de la République, la seule à ce jour, d'autre part le coup d'arrêt momentané à l'approfondissement de la construction européenne. On constate que l'abstention a toujours été inférieure à 30 % des inscrits avant 1972, toujours supérieure depuis avec une pointe à 63 % en 1988 (à comparer avec les 70 % atteints en 2000 dans le cadre de l'article 89). On remarque aussi que les résultats ont rarement été serrés, à deux exceptions près : le référendum de 1969 s'est joué à un million de voix (52 % de « non »), celui de 1992 à 500 000 voix (51 % de « oui »). On ne saurait donc conclure à un engouement des électeurs pour la procédure référendaire. Si on ajoute que les représentants, quels qu'ils soient, n'ont pas d'affection particulière pour un mécanisme qui les prive de leur pouvoir de décision, on comprend la rareté des référendums en France. Peut-être s'explique-t-elle aussi par la nature des questions posées aux électeurs. De ce point de vue, la loi constitutionnelle du 23 juillet 2008 a prétendu bouleverser la matière.

88 RÉFÉRENDUM ET DÉMOCRATIE. — Le référendum est un instrument de la démocratie dite « semi-directe ». La formule est troublante : d'un côté il n'est de démocratie que directe et tout recours à des représentants la condamne, de l'autre côté l'adjectif est précieux parce qu'il met l'accent sur l'une des caractéristiques du système français – il ne permet la consultation des électeurs sans intermédiaires qu'autant que des représentants ont bien voulu en prendre l'initiative. Autrement dit, le référendum est une technique de la démocratie directe dès lors que les électeurs sont à l'origine et à la conclusion du processus : cela suppose la pétition et l'initiative populaires. La Suisse en est la terre d'accueil. Rien de tel en France : le référendum (de l'article 11) n'est organisé que de la volonté initiale de tel ou tel représentant. Il s'agissait jusqu'à aujourd'hui du président de la République, agissant sur proposition du Gouvernement ou des Chambres. La révolution annoncée a-t-elle eu lieu avec la loi constitutionnelle de 2008 ? La réponse est négative.

89 LA NOUVELLE MOUTURE DE L'ARTICLE 11 DEPUIS 2008. — Que de craintes et d'espoirs agités en 2008 ! La nouvelle mouture de l'article 11 devait permettre au « peuple » de déclencher un référendum sur les matières énumérées au premier alinéa. Belle chimère ! On se contente d'abord d'une initiative « partagée », réclamant le concours d'un cinquième des parlementaires et d'un dixième des électeurs. Les représentants sont donc associés à l'organisation du référendum ; la proportion est suffisamment faible pour qualifier l'opposition, à la condition redoutable qu'elle rassemble derrière elle 4,7 millions de voix. La proposition de loi présentée est ensuite soumise à de nombreuses conditions : elle ne peut abroger une loi récente (promulguée depuis moins d'un an) ; le Conseil constitutionnel est chargé de vérifier sa constitutionnalité avant la collecte des signatures et donc avant l'organisation du référendum (on évite ainsi de réitérer les expériences de 1962 et de 1969) ; son échec lors du référendum proscrit toute nouvelle consultation sur le même sujet pendant deux ans ; surtout, l'organisation du référendum n'est une obligation pour le président de la République qu'autant que le Parlement n'a pas « examiné » le texte dans un certain délai. Il suffit donc aux Chambres d'inscrire la proposition de loi à l'ordre du jour (sans avoir à la voter) pour mettre fin à la procédure. Là encore, l'adoption de la loi organique prévue par l'article 11 a tardé : la loi organique n° 2013-1114 du 6 décembre 2013 prévoit que la proposition de loi est soumise au Conseil constitutionnel après l'initiative des parlementaires et avant le recueil des soutiens ; elle précise que ces soutiens peuvent être enregistrés pendant neuf mois et uniquement sous forme électronique ; si le seuil des 10 % des électeurs est franchi, les Chambres ont un délai de six mois pour « examiner » le texte. Plus que jamais, l'euphémisme « semi-direct » est de rigueur : l'initiative est d'abord « partagée » avec une minorité de parlementaires ; surtout, il suffira à des assemblées hostiles d'inscrire le projet à l'ordre du jour et de l'ignorer ensuite pour empêcher tout référendum. La seule vertu de la mobilisation civique aura été d'obtenir un « examen » parlementaire devant chaque Chambre…

Les limites du référendum d'initiative partagée sont telles que l'exécutif a pris l'engagement d'en modifier les contours pour répondre à la faveur des « Gilets jaunes » pour le « RIC » (référendum d'initiative citoyenne). Le projet de loi constitutionnelle du 28 août 2019 est d'une audace incontestable quant à l'initiative elle-même : elle se satisferait d'un dixième des parlementaires et d'un million d'électeurs, lesquels pourraient entamer la procédure avant de recevoir le soutien des députés et sénateurs. Cependant, la proposition de loi référendaire ne pourrait abroger une loi adoptée dans les trois années précédentes, ni porter sur les textes en discussion au Parlement ou sur le point d'être adoptés. Surtout, le contrôle du Conseil constitutionnel est maintenu intact et la conséquence de cette vaste mobilisation reste faible : le Parlement est toujours maître d'enterrer la proposition. En tout état de cause, il est peu probable que le projet de loi constitutionnelle soit avalisé avant la fin du mandat d'E. Macron.

2. *Les actes déliés de l'obligation du contreseing et dispensés d'une proposition*

90 Les autres actes visés à l'article 19 de la Constitution donnent plus de liberté au président : non seulement ils sont affranchis du contreseing mais nulle proposition ne précède la prise de décision. Il est tout au plus question d'avis ou de consultation.

91 La nomination et la cessation des fonctions du Premier ministre. — L'article 19 ne vise que le premier alinéa de l'article 8 de la Constitution, c'est-à-dire le Premier ministre. Le deuxième alinéa, lui, s'intéresse au sort des ministres : leur nomination et la fin de leurs fonctions font l'objet d'un décret présidentiel contresigné par le Premier ministre. De Gaulle attachait une grande importance au lien organique entre le président et le Gouvernement : dès le discours de Bayeux, il soulignait que « c'est donc du chef de l'État [...] que doit procéder le pouvoir exécutif. Au chef de l'État la charge d'accorder l'intérêt général quant au choix des hommes avec l'orientation qui se dégage du Parlement. À lui la mission de nommer les ministres et, d'abord, bien entendu, le Premier ». La rupture est nette avec les IIIe et IVe Républiques : depuis 1958, nul contreseing n'est réclamé du prédécesseur, le président est libre de son choix s'agissant du Premier ministre, tandis qu'il doit s'accorder avec celui-ci pour le choix des autres membres du Gouvernement. Libre juridiquement ne signifie pas libre politiquement : ainsi que l'indiquait de Gaulle, le président doit prendre en considération « l'orientation qui se dégage du Parlement », preuve s'il en était besoin de la nature parlementaire de la Ve République. Le président est donc plus ou moins contraint selon la configuration politique : en situation de fait majoritaire, la marge de manœuvre est grande et permet de nommer une personnalité de second plan (Édith Cresson en 1991) ou promise à un brillant avenir (Laurent Fabius en 1984, Édouard Philippe en 2017) ou n'ayant jamais affronté le suffrage universel (Georges Pompidou en 1962, Dominique de Villepin en 2005) ; en cas de cohabitation, les choix sont réduits – le président est obligé de choisir le chef de la nouvelle majorité parlementaire (Jacques Chirac en 1986, Lionel Jospin en 1997), sauf refus de ce dernier (celui de Jacques Chirac ouvrit les portes de Matignon à Édouard Balladur en 1993).

Symétriquement, le président « met fin » aux fonctions du Premier ministre dès lors que celui-ci présente la démission du Gouvernement. L'ambiguïté n'est pas de mise : le décret présidentiel ne peut intervenir qu'après cette présentation. Un Premier ministre récalcitrant – sous réserve des démissions prévues par la Constitution (ainsi l'article 50) – ne saurait être contraint de se retirer. En réalité, tout dépend du rapport de forces entre les deux têtes de l'exécutif : le fait majoritaire rend le Premier ministre révocable *ad nutum*, à tout moment, au gré de la volonté du président. Nombre de premiers ministres n'avaient pas l'intention de démissionner : Michel Debré en 1962, Georges Pompidou en 1968, Michel

Rocard en 1991, Jean-Marc Ayrault en 2014. On dit que Valéry Giscard d'Estaing exigeait une lettre de démission en blanc de la part du Premier ministre avant son entrée en fonction. Mais, en cas de cohabitation, le président n'est pas plus libre pour nommer que pour révoquer : il l'est même moins car il dispose d'une marge si le *leader* de la majorité parlementaire refuse d'aller à Matignon, tandis qu'il serait tout à la fois dangereux et stérile de réclamer la démission d'un Premier ministre soutenu par une majorité de députés.

92 LES RELATIONS AVEC LE PARLEMENT. — Dans un régime (qui reste) parlementaire, les relations avec le Parlement sont l'apanage du Premier ministre et du Gouvernement : la procédure législative le prouve (voir la leçon 6). Le président de la République apparaît en retrait. Depuis la IIIe République, cependant, il « communique » avec le Parlement par des « messages » lus par un autre que lui (article 18 de la Constitution) : un ministre autrefois, les présidents des assemblées depuis 1958. Contrairement aux ministres, qui ont droit d'accès aux Chambres, le président ne pénètre pas dans les enceintes parlementaires : la séparation des pouvoirs n'est pas en cause – sinon il faudrait appliquer la règle aux ministres –, plutôt la dignité de la fonction présidentielle qui lui interdit de se déplacer jusqu'aux Chambres et qui explique aussi que le message ne fasse l'objet d'aucun débat. Dix-huit messages ont été délivrés sous la Ve République, le plus souvent aux deux assemblées au même moment (une exception le 11 décembre 1962 : le message s'adressait à la seule Assemblée nationale tout juste élue). Les présidents successifs n'ont pas abusé de cette faculté : de Gaulle y a recouru cinq fois, Pompidou trois fois, V. Giscard d'Estaing une seule fois, Mitterrand six fois, J. Chirac trois fois. On serait tenté d'ajouter un dix-neuvième message, prononcé par Nicolas Sarkozy en personne le 22 juin 2009, sur le fondement du nouvel alinéa 2 de l'article 18 inséré par la loi constitutionnelle du 23 juillet 2008. Pour la première fois depuis 1875, le président de la République se présentait devant le Parlement dont les deux assemblées furent pour l'occasion réunies en Congrès. Le prestige du discours sur l'état de l'Union aux États-Unis a sans doute pesé. D'ailleurs, l'intervention présidentielle s'apparentait à un programme de Gouvernement et se substituait ainsi à toute déclaration du Premier ministre telle que prévue par l'article 49, alinéa 1er de la Constitution. Le discours présidentiel est susceptible de provoquer un débat : dans ce cas la dignité de la fonction et l'irresponsabilité alléguée de son titulaire emportent que le débat a lieu « hors de sa présence » et qu'il n'est suivi d'aucun vote. Il y a eu débat en 2009, et aussi en 2015 : dans le contexte des attentats du 13 novembre, le président Hollande a convoqué le Congrès le 16 novembre. Son discours a notamment porté sur l'état d'urgence et sur un projet de révision constitutionnelle qui a échoué (voir la leçon 11). Contrairement à ses deux prédécesseurs, Emmanuel Macron a décidé de s'exprimer devant le Congrès chaque année : ainsi les 3 juillet 2017 et 9 juillet 2018 (jour où il a annoncé un amendement au projet de loi constitutionnelle du 9 mai permettant au président de la République d'assister au débat au Congrès et de répondre aux parlementaires). Il a cependant renoncé en 2019 : après le « Grand débat », il a préféré laisser le Premier ministre s'adresser aux deux Chambres les 12 et 13 juin sur le fondement de l'article 49 de la Constitution.

En 1958, l'article 18 n'a pas suscité de discussion, à rebours de l'article 12 autorisant le président de la République à dissoudre l'Assemblée nationale. Trois précautions sont prises. D'une part le président doit « consulter » le Premier ministre et les présidents des deux Chambres – l'information de ces autorités ne les associe en rien au décret présidentiel, ici dispensé du contreseing. D'autre part la nouvelle Assemblée se réunit « de plein droit ». Enfin, pour éviter les dissolutions à répétition, une dissolution ne peut intervenir moins d'un an après la précédente (ou plus exactement après les élections législatives anticipées). On n'oubliera pas que la dissolution est expressément interdite sous le régime de l'article 16 et pendant l'intérim de la présidence (article 7). Là encore, de Gaulle jugeait crucial que le président fût en mesure d'assurer le fonctionnement régulier des pouvoirs publics et d'arbitrer les conflits éventuels entre eux. Soit que l'Assemblée nationale fût incapable de constituer une majorité stable en son sein. Soit que le conflit fût inextricable entre l'Assemblée et le Gouvernement, voire le président. La dissolution – qui ne vise que la Chambre basse, contrairement à l'Italie où le bicamérisme est (encore) égalitaire – est un moyen de demander l'arbitrage du peuple souverain ou, plus simplement, des électeurs. La première dissolution de la Ve République l'a parfaitement vérifié : le désaccord au sujet de l'élection du président au suffrage universel direct était tel que l'Assemblée vota le 5 octobre 1962 une motion de censure contre le Gouvernement de Pompidou, auteur de la proposition de référendum la riposte prit la forme d'une dissolution le 9 octobre. Les élections législatives anticipées de novembre devaient permettre de vider la querelle entre les deux protagonistes : on sait que la victoire gaulliste fut éclatante et signa l'avènement du fait majoritaire (d'où le message présidentiel du 11 décembre délivré à la seule Assemblée nationale : tout se tient).

La dissolution est cependant rebelle à une typologie trop rigide. En effet, elle intervient parfois en dehors de tout conflit ou de toute paralysie des pouvoirs publics. Celle de 1968 tentait de mettre fin à l'agitation des événements de mai : il s'agissait d'une réponse institutionnelle à une crise extra-institutionnelle. Bien souvent, pour perpétuer le fait majoritaire, la dissolution ambitionne de donner une majorité parlementaire au président, soit au président récemment élu (1981, 1988), soit au président qui ne se satisfait pas de la majorité en place, d'une orientation politique pourtant identique à la sienne (1997). Les dissolutions décidées par F. Mitterrand s'analysent, il est vrai, comme une anticipation des heurts inévitables entre un président socialiste et une Chambre classée à droite. En tout, on ne compte donc que cinq utilisations de l'article 12 depuis 1962. La plupart ont été couronnées de succès : en dehors des élections législatives anticipées de 1962, celles de 1968 ont conforté un président ébranlé, tandis que celles de 1981 et de 1988 ont envoyé une majorité de députés socialistes à l'Assemblée (la majorité absolue de 1981 a néanmoins laissé la place à une majorité relative en 1988). Seule la dissolution de 1997 a échoué : dite souvent « de convenance », elle a abrégé d'un an le mandat de députés qui avaient été nombreux à soutenir Édouard Balladur dans la lutte fratricide qui l'avait opposé à Jacques Chirac lors de l'élection présidentielle de 1995. Ce dernier, devenu président, s'était refusé à dissoudre : il l'a sans doute regretté, la majorité, pléthorique, ne s'étant pas montrée aussi fidèle et disciplinée qu'espéré. D'où la dissolution tardive de

1997. L'inversion du calendrier électoral depuis 2002 – l'élection présidentielle précédant les élections législatives – se veut un remède à la cohabitation et un frein à la dissolution : si la majorité parlementaire est de la couleur politique du président et y voit son chef, celui-ci n'aura pas la tentation de dissoudre.

93 LES POUVOIRS EXCEPTIONNELS DE L'ARTICLE 16. — Nul autre article ne fut plus débattu et attaqué au moment de l'élaboration de la Constitution, puis au moment de sa première et, à ce jour, dernière application en 1961 (dans son discours au Congrès le 16 novembre 2015, F. Hollande notait que l'article 16 était inadapté pour réprimer les actes terroristes commis trois jours auparavant, tandis qu'il l'était aussi aux yeux d'E. Macron en mars 2020 pour lutter contre l'épidémie de Covid-19). De Gaulle y tenait absolument parce qu'il y voyait le remède ultime aux situations les plus dramatiques, celles où les institutions de la République, l'indépendance nationale, l'intégrité du territoire et le respect des traités internationaux seraient menacés. L'article 16 répond et complète l'article 5 : il doit chasser le spectre de 1940. C'est aussi pour cette raison qu'il est précédé de l'article 15 qui fait du président le chef des armées. Toute une série de précautions est mise en place, mais elle ne saurait cacher l'essentiel : le président accapare à la fois la fonction législative et la fonction exécutive dans des « circonstances » graves qu'il est le seul habilité à juger telles qu'elles autoriseraient le recours à l'article 16. Le mot « dictature » a été souvent proféré : il n'est pas totalement inexact s'il désigne cette institution romaine qui réunissait l'autorité des deux consuls sur la tête d'un dictateur. La concentration du pouvoir entre les mains d'un seul est commune. La différence de taille est que la dictature romaine ne pouvait excéder six mois, alors que l'article 16 n'impose aucune durée.

À la lecture de l'article 16, on est impressionné par son luxe de détails : ils visent à écarter les reproches de « dictature », cette fois-ci au sens contemporain du terme. Il faut une menace « grave » et « immédiate », ainsi qu'une « interruption » des pouvoirs publics constitutionnels, le but étant de rétablir leur fonctionnement normal ; la décision de recourir à l'article 16 suppose une publicité minimale puisque le président « consulte » le Premier ministre, les présidents des deux Chambres et le Conseil constitutionnel, tandis qu'il « informe » la nation par un message ; le Parlement se réunit de plein droit, s'il n'est pas en session ; l'Assemblée nationale ne peut être dissoute. Toutes ces précautions cherchent à proscrire un coup d'État, sous prétexte de sauver la patrie en danger (le salut du peuple est la loi suprême depuis Cicéron). Le souvenir du 2 décembre 1851 est vivace. Il reste que ces précautions ne sont pas des obstacles : seul le président qualifie juridiquement les circonstances et décide souverainement qu'elles méritent des « mesures » d'exception. La « décision », dénuée de contreseing, est publiée au *Journal officiel*.

L'article 16 serait resté virtuel, si la guerre civile en Algérie n'avait conduit de Gaulle à l'utiliser en 1961. Le contexte était certes tendu : refusant l'indépendance probable de l'Algérie – l'autodétermination avait été acceptée par le référendum du 8 janvier – un quarteron de généraux fomente un putsch à Alger le 21 avril. De Gaulle met en œuvre l'article 16 le 23 avril. Il le maintiendra en vigueur pendant plus de cinq mois, jusqu'au 29 septembre, alors que le soulèvement avait fait long feu dès le 26 avril. Le régime juridique de l'article 16 a été précisé par le Conseil d'État dans son arrêt d'Assemblée *Rubin de Servens* du 2 mars 1962 : d'une part la Haute juridiction assimile la décision de faire application de l'article 16 à un acte de gouvernement, avec cette double conséquence que ni sa légalité ni sa durée ne peuvent être appréciées par un juge ; d'autre part elle distingue, parmi les mesures prises sur le fondement de l'article 16, entre celles qui relèvent de l'article 34 (et de la loi) et celles qui relèvent de l'article 37 (donc du pouvoir réglementaire). Selon la conception traditionnelle du droit public français, le juge administratif est juge de la légalité des actes administratifs – pas de la constitutionnalité des lois (ni, à l'époque, de leur conventionnalité). En l'espèce, la création d'un tribunal militaire à compétence spéciale et la détermination de la procédure suivie devant lui faisaient partie du champ de la loi au sens de l'article 34 : le Conseil d'État se déclara incompétent. Autrement dit, de façon paradoxale, les mesures les plus graves car matériellement législatives échappaient à tout contentieux, alors que les mesures réglementaires pouvaient faire l'objet d'une contestation (en ce sens l'arrêt du Conseil d'État *D'Oriano* du 23 octobre 1964, n° 56.756).

Les critiques virulentes émises en 1961 ont reçu une traduction constitutionnelle le 23 juillet 2008. La durée du régime de l'article 16 fait désormais l'objet d'un contrôle de la part du Conseil constitutionnel. Deux seuils sont prévus : trente jours après la décision d'appliquer l'article 16, le Conseil peut être saisi ; soixante jours après, il se saisit de « plein droit ». L'idée est que les pouvoirs exceptionnels répondent à une urgence par définition de courte durée : au bout d'un mois ou de deux, il appartient aux « Sages » de vérifier si les conditions posées par le premier alinéa de l'article 16 sont toujours réunies. Le Conseil est saisi, dans le premier cas, par le président de l'Assemblée nationale, par celui du Sénat, par soixante députés ou par soixante sénateurs : le dispositif n'est pas sans analogie avec la saisine dans le cadre du contrôle de constitutionnalité *a priori*. L'opposition est ainsi en mesure de contester la décision présidentielle. Le Conseil statue alors « dans les délais les plus brefs ». Son « avis », rendu public, s'apparente-t-il à une consultation sans effet contraignant ou à une décision et, éventuellement, à un veto en cas de désaccord, sur le modèle de l'article 13, alinéa 5 de la Constitution ? Seule la pratique permettrait de le dire.

94 LES RELATIONS AVEC LE CONSEIL CONSTITUTIONNEL. — Chargé de veiller au respect de la Constitution (article 5), le président agit à deux titres : d'une part il nomme une partie des membres du Conseil, d'autre part il a la faculté de le saisir. Le Conseil est composé de neuf membres « ordinaires », sans compter les membres de droit, à savoir les anciens présidents de la République. Selon l'article 56, le chef de l'État en exercice désigne trois des neuf membres, ainsi que le président de l'institution, soit parmi les trois membres nommés par lui, soit parmi les six autres membres. En outre, le président de la République est compétent pour déclencher le contrôle de constitutionnalité facultatif confié au Conseil, qu'il s'agisse du contrôle effectué sur les traités internationaux (article 54) ou de celui exercé sur les lois (article 61, alinéa 2). Le président partage cette compétence avec le Premier ministre et les présidents des deux Chambres – avec soixante députés ou soixante sénateurs depuis 1974 pour les lois et depuis 1992 pour les traités. On s'aperçoit que le président saisit rarement les « Sages » (voir la leçon 10).

II | Les actes soumis au contreseing

95 Sous réserve des exceptions relevées ci-dessus, *tous* les actes du président sont contresignés. Ce sont les plus nombreux, ceux qui sont au cœur du quotidien présidentiel. Ils sont parfois ponctuels (nomination des ministres, grâce), parfois fréquents (promulgation des lois, signature des décrets et ordonnances délibérés en Conseil des ministres, affaires étrangères).

96 La nomination des ministres. — On l'a dit, aux termes de l'article 19, seule la nomination du Premier ministre est déliée du contreseing. Pour les autres membres du Gouvernement – au premier chef les ministres, mais aussi les secrétaires d'État, voire les hauts-commissaires – le décret présidentiel est contresigné par le Premier ministre. Les deux têtes de l'exécutif sont associées selon le deuxième alinéa de l'article 8. Cela signifie qu'elles doivent se mettre d'accord sur des noms : la volonté présidentielle s'impose lorsque le Premier ministre n'est qu'un « collaborateur », elle doit trouver un terrain d'entente avec lui en cas de cohabitation, y compris dans le prétendu « domaine réservé » (défense, affaires étrangères). Il semblerait ainsi que le président Mitterrand se soit opposé au choix de François Léotard comme ministre de la Défense en 1986.

97 Le droit de grâce. — Prérogative traditionnelle des chefs de l'État, le droit de grâce constitue une intrusion dans la fonction juridictionnelle. La grâce efface, parfois de manière anticipée et à titre partiel, une condamnation ou une peine infligée (ou envisagée) par le juge. En France cependant, la grâce ne porte pas sur la condamnation, mais sur l'exécution de la peine. Le décret de grâce est signé par le président, contresigné par le Premier ministre et le ministre de la Justice. Son originalité est double : d'une part le contreseing n'est jamais refusé – on voit que la frontière avec les pouvoirs « propres » n'est pas nette –, d'autre part le décret n'est pas publié au *Journal officiel*. La grâce est souvent confondue avec l'amnistie, qui est l'apanage du législateur : on parle il est vrai de « grâce amnistiante » lorsque l'amnistie est subordonnée à une grâce. Elle était soit collective (et même traditionnelle le jour de la fête nationale, le 14-Juillet), soit individuelle. Sur ce point, l'article 17 de la Constitution a été modifié le 23 juillet 2008 : depuis, la grâce est exclusivement accordée à titre individuel. Elle est devenue rare parce que politiquement dangereuse, ainsi que l'a prouvé la polémique suscitée par le décret du 23 décembre 2008. Vingt-trois personnes ont été graciées, dont l'ancien député européen et préfet du Var Jean-Charles Marchiani. Celui-ci a bénéficié d'une remise de peine de six mois, alors qu'il avait été condamné à quatre ans de prison ferme pour trafic d'influence passif et recel d'abus de biens sociaux. Récemment, le 31 janvier 2016, le président Hollande a accordé une grâce partielle à Jacqueline Sauvage, condamnée pour le meurtre de son mari. Pour l'instant, E. Macron n'a utilisé le droit de grâce qu'une seule fois, en 2018.

98 LES AFFAIRES ÉTRANGÈRES. — Deux articles de la Constitution font du président de la République le chef de la diplomatie française. L'article 14 lui permet d'accréditer les ambassadeurs français à l'étranger et les ambassadeurs étrangers en France. L'accréditation est distincte de la nomination : cela permet de vérifier que tel État est disposé à accueillir sur son sol le représentant d'un autre État. C'est pourquoi, selon l'article 13, la nomination des ambassadeurs de France prend la forme d'un décret présidentiel pris en Conseil des ministres. Ils ne reçoivent leurs lettres de créances, à présenter au chef de l'État étranger, qu'après l'agrément du pays de destination. Par ailleurs, l'article 52 dispose que le président « négocie et ratifie les traités », tandis qu'il est « informé » de la négociation des autres engagements internationaux, appelés « accords », qui ne réclament pas une ratification mais une approbation. Il n'y a pas de partage matériel tranché entre les traités et les accords internationaux, à une réserve près précisée par l'article 53 : les engagements relatifs à la paix et au commerce doivent toujours revêtir la forme solennelle du traité et ils supposent une ratification par le président, celle-ci étant cependant subordonnée à une loi autorisant la ratification, qu'elle fût d'origine parlementaire (dans la plupart des cas) ou référendaire (ainsi le traité de Maastricht en 1992). Pour le reste, la pratique est reine : les considérations politiques expliquent bien souvent le recours à la solennité du traité. La grande majorité des engagements internationaux se satisfait de la forme simplifiée : ils sont négociés et approuvés par le Gouvernement, éventuellement après l'autorisation donnée par une loi, toujours au titre de l'article 53.

99 La signature des ordonnances et des décrets délibérés en Conseil des ministres. — L'article 13 doit être précisé parce que toutes les ordonnances font l'objet d'un examen en Conseil des ministres (article 38) mais seulement une partie des décrets, qu'ils y soient attraits en vertu d'un texte ou non. Le présent de l'indicatif « signe », qui figure à l'article 13 (« Le président de la République signe les ordonnances »), a provoqué une intense controverse lors de la première cohabitation : des ordonnances élaborées par le Gouvernement de J. Chirac en 1986 se sont heurtées à un refus de la part du président Mitterrand. Le présent de l'indicatif valait-il impératif ? Le président était-il tenu de signer les ordonnances ? En l'absence de tiers ou d'interprète authentique, la divergence d'interprétation devait se résoudre par la voie politique : le Gouvernement n'a pas tenté l'épreuve de force (haute trahison, paralysie des institutions) parce que le refus présidentiel n'avait pour conséquence que de ralentir l'adoption de son programme – au lieu de recourir à des ordonnances, il dut en passer par des lois. Le recours aux ordonnances est de plus en plus fréquent depuis le début des années 2000 : le Gouvernement, avec le soutien du Parlement, y trouve le moyen d'agir rapidement dans le domaine de la loi. L'utilité – et la dangerosité – des ordonnances a reçu une illustration éclatante en mars 2020 : dans le sillage de la loi n° 2020-290 du 23 mars, une trentaine d'ordonnances a été adoptée en quelques jours pour répondre à la crise sanitaire du Covid-19.

Quant aux décrets, seule une faible portion d'entre eux est délibérée en Conseil des ministres. On aura l'occasion de le redire :

l'activité administrative est du ressort de Matignon et le Premier ministre signe 90 % des décrets. Le président de la République s'intéresse aux plus importants, qu'ils soient réglementaires ou individuels. La déclaration de l'état d'urgence, en novembre 2015, l'a prouvé : après convocation du Conseil des ministres dans la nuit du 13 au 14, le président a signé trois décrets contresignés par le Premier ministre, le ministre de l'Intérieur et le garde des Sceaux. On précise que le président de la République détient une compétence d'exception en matière réglementaire et une compétence de principe en matière individuelle. C'est pourquoi l'article 13 met l'accent sur la nomination aux emplois publics. Le maquis est touffu : pour toute une série de postes, désignés au troisième alinéa, la nomination est réalisée par un décret présidentiel délibéré en Conseil des ministres et donc contresigné ; le quatrième alinéa prévoit en outre qu'une loi organique peut élargir cette liste ou déterminer à quelles conditions le président délègue sa compétence ; ce sera l'ordonnance portant loi organique n° 58-1136 du 28 novembre 1958. Quels sont les emplois pourvus en Conseil des ministres en raison soit de la Constitution, soit de la loi organique ? Les plus prestigieux : ambassadeurs, préfets, conseillers d'État, procureurs, recteurs, généraux, etc. Par ailleurs, selon les dispositions de la loi organique, le président nomme par décret « simple », qui fait l'économie du Conseil des ministres (et du Conseil d'État), les membres du Conseil d'État, de la Cour des comptes et de la magistrature judiciaire (notamment les magistrats du siège) dont la désignation n'est pas réglée par la Constitution, les officiers militaires qui n'ont pas le grade de général, les professeurs des universités, etc.

Un alinéa 5 a été ajouté à l'article 13 par la loi constitutionnelle du 23 juillet 2008 : il vise à encadrer le pouvoir de nomination présidentiel en subordonnant la décision à l'approbation des commissions parlementaires compétentes. Une loi organique devait déterminer les emplois, en dehors de ceux désignés au troisième alinéa, faisant l'objet d'une procédure spéciale « en raison de leur importance pour la garantie des droits et libertés ou la vie économique et sociale de la nation ». La loi organique n° 2010-837 du 23 juillet 2010 a établi une liste d'une cinquantaine d'emplois : les dirigeants des autorités administratives indépendantes (Défenseur des enfants, Conseil supérieur de l'audiovisuel, Commission de régulation de l'énergie) et des entreprises publiques ou assimilées (EDF, La Poste, SNCF), sans oublier la Banque de France ou la Caisse des dépôts et consignations. Il faut y ajouter les dispositions spéciales de la Constitution qui renvoient à la procédure de l'article 13, alinéa 5 : sont concernés les membres du Conseil constitutionnel (article 56), les personnalités qualifiées du Conseil supérieur de la magistrature (article 65) et le Défenseur des droits (article 71-1). Bien que l'alinéa 5 emploie le terme « avis », il faut y voir une décision et, le cas échéant, un droit de veto : les commissions ne remplissent pas une fonction consultative, elles peuvent utilement s'opposer à une proposition du président de la République. Si le mot « avis » est mensonger, la procédure prévue est un leurre : le veto éventuel sera paralysé dans les faits puisque le choix présidentiel ne sera contrarié qu'autant qu'une majorité contraire des trois cinquièmes des suffrages exprimés, tous confondus, se dessinera dans les deux commissions de l'Assemblée nationale et du Sénat. En effet, la composition des commissions reflète celle des Chambres : il faudrait des assemblées, donc des commissions, très hostiles au président pour qu'une majorité qualifiée de 60 % soit atteinte. Finalement, la vertu principale de cette nouvelle procédure réside dans l'audition des candidats (article 1er de la loi n° 2010-838 du 23 juillet 2010) et dans la publicité de l'« avis ».

100 LOIS ET RÉVISIONS CONSTITUTIONNELLES. — La procédure législative est le royaume du Gouvernement ; le président y joue un rôle moindre. L'article 10 lui donne cependant la compétence de promulguer les lois, c'est-à-dire d'attester leur existence, leur régularité et d'ordonner leur observation (la publication au *Journal officiel* les rendra applicables). Il s'agit d'une compétence liée qui prend la forme d'un décret contresigné et qui doit être exercée dans les quinze jours de la transmission au Gouvernement – plus précisément au secrétariat général du Gouvernement – de la loi définitivement adoptée. Deux circonstances peuvent suspendre, voire interrompre ce délai : la saisine du Conseil constitutionnel (article 61, dernier alinéa) et la demande d'une nouvelle délibération de la loi (article 10, alinéa 2). La saisine du Conseil constitutionnel interrompt définitivement le processus si elle débouche sur une censure totale de la loi ou sur une censure partielle dès lors que la disposition inconstitutionnelle est inséparable du reste du texte ; elle le suspend temporairement si la conformité est prononcée ou si la disposition censurée est séparable des autres dispositions. La seconde délibération emporte quelquefois interruption : la procédure législative est relancée et le Parlement peut tout aussi bien se déjuger ou ne pas être saisi (ainsi, en 1983, après le décret présidentiel du 13 juillet, le Gouvernement n'a pas inscrit à l'ordre du jour la loi relative à l'organisation de l'Exposition universelle de 1989, pourtant adoptée le 5 juillet, puisque la France n'y était plus candidate). Ou elle est synonyme de suspension : la loi adoptée une première fois sera confirmée, serait-ce moyennant des modifications. Les deux circonstances peuvent se succéder : la nouvelle délibération permet de remédier à une inconstitutionnalité partielle. Tel fut le cas en 1985 au sujet de la Nouvelle-Calédonie et ce avec la bénédiction du Conseil constitutionnel : celui-ci avait censuré en partie la loi sur l'évolution de la Nouvelle-Calédonie dans une décision n° 85-196 DC du 8 août 1985 ; le président de la République réagissait par deux décrets du 9 août, l'un convoquant le Parlement en session extraordinaire, l'autre lui demandant une nouvelle délibération de la loi pour remédier à l'inconstitutionnalité constatée ; la décision n° 85-197 DC du 23 août 1985 n'y vit pas un détournement de procédure, mais une « phase complémentaire » de la procédure législative.

Si le président de la République n'a pas l'initiative des lois (l'article 39 la confie au chef du Gouvernement), un rôle de premier plan lui est réservé en matière de révision constitutionnelle. L'article 89 lui accorde deux prérogatives. L'initiative en premier lieu : elle n'appartient pas ici au Premier ministre et aux parlementaires, mais au président et aux parlementaires. On retrouve néanmoins le dispositif de l'article 11 : l'initiative présidentielle suppose une proposition du Premier ministre – la différence est que le décret présidentiel est contresigné dans un cas (article 89), pas dans l'autre (article 11). La révision de la Constitution est une affaire tellement capitale que l'association des deux têtes de l'exécutif est resserrée : la proposition et le contreseing du Premier ministre encadrent l'initiative du président. On note que toutes les « lois » constitutionnelles de la Ve République prises sur le fondement de l'article 89, au nombre de vingt-deux, ont suivi une telle voie. Le président Hollande n'a pas eu la main heureuse, qu'il s'agisse des quatre projets de lois constitutionnelle en 2013 ou du projet relatif à la protection de la nation en 2016 (voir la leçon 11). Le président Macron a également connu l'échec tant en 2018 qu'en 2019. La cohabitation n'a pas été un obstacle : le président et le Premier ministre ont souvent trouvé un terrain d'entente. En second lieu, le président dispose d'une option quant au mode d'approbation du projet de loi constitutionnelle (un tel choix n'est pas permis pour les propositions de loi constitutionnelle, qui entraînent toujours un référendum). Soit les électeurs sont priés de s'exprimer à l'occasion d'un référendum, soit les deux Chambres sont réunies en Congrès à Versailles : à ce jour, toutes les révisions constitutionnelles ont recouru au Congrès, sauf en 2000 – le passage du septennat au quinquennat a été soumis au référendum. Là encore, la décision présidentielle prend les traits d'un décret contresigné. Celui-ci peut d'ailleurs annuler un décret antérieur réunissant le Congrès : le décret du 19 janvier 2000 a ainsi abrogé celui du 3 novembre 1999 qui convoquait le Congrès à la date du 24 janvier 2000 pour l'examen de deux projets de loi constitutionnelle.

Leçon 5
Les membres du Gouvernement

101 Les dispositions consacrées au Gouvernement, objet du titre III de la Constitution, poursuivent un double objectif : d'une part assurer la solidarité entre les membres du Gouvernement sans laquelle il n'y aurait pas d'être collectif appelé Gouvernement (ou cabinet), d'autre part donner un chef à ce Gouvernement en la personne du Premier ministre. Le titre III, intercalé entre les titres II et IV respectivement voués au président et au Parlement, commence par définir le rôle du Gouvernement (article 20) avant de poursuivre avec celui du Premier ministre (article 21). Pourtant, chronologiquement, le Premier ministre précède le Gouvernement et lui donne même naissance avec le concours du président de la République.

Section I
La composition du Gouvernement

102 Nulle part la Constitution ne précise la composition du Gouvernement, ainsi qu'elle le fait pour le Parlement, composé de l'Assemblée nationale et du Sénat en vertu de l'article 24. Tout au plus sait-on que le Gouvernement comprend un Premier ministre et des « autres membres » selon les termes de l'article 8, alinéa 2. À l'origine, comme son nom l'indique, le Premier ministre n'était qu'un *primus inter pares* : il était le premier des ministres mais le premier parmi ses pairs. Tout au long de la IIIe République, la fonction de président du Conseil, création coutumière, n'emportait pas d'attributions spéciales, sauf de coordination, et c'est pour cela que l'on était d'abord chef d'un département ministériel et ensuite président du Conseil (ainsi Jules Ferry, ministre de l'Instruction publique et président du Conseil). Les choses ont changé sous la Vᵉ République, le Premier ministre ne présidant plus le Conseil des ministres, sauf à noter que la conception initiale n'a pas entièrement disparu : on le verra quant au pouvoir hiérarchique.

I | La nomination et la révocation des membres du Gouvernement

103 La nomination des membres du Gouvernement. — Si le Premier ministre est nommé par décret non contresigné du président de la République (article 8, alinéa 1ᵉʳ), la désignation des autres membres du Gouvernement suppose un concours entre les deux têtes de l'exécutif. L'autorité du Premier ministre est établie avec soin : il fait des propositions au président et il contresigne le décret présidentiel (article 8, alinéa 2). Aucun autre contreseing n'est nécessaire : les nominations ne sont pas examinées en Conseil des ministres puisque la première réunion de celui-ci résulte d'un décret désignant les membres du Gouvernement. Dans la pratique, l'entente n'est pas toujours heureuse entre le président et le Premier ministre : celui-ci doit toujours composer avec un président soucieux du choix des hommes, surtout en période de fait majoritaire. Cependant, la cohabitation ne rend pas le président impuissant : dans le domaine dit « réservé » (défense, affaires étrangères, affaires européennes), le président Mitterrand s'est cru autorisé en 1986 à repousser telles propositions de son Premier ministre de l'époque, Jacques Chirac. Le Quai d'Orsay fut refusé à Jean Lecanuet, le ministère de la Défense à François Léotard.

104 La révocation des membres du Gouvernement. — La collaboration obligée entre le président et le Premier ministre s'illustre symétriquement par la révocation des autres membres du Gouvernement. Là encore, selon l'article 8, alinéa 2, il faut une proposition du Premier ministre pour que le président mette fin aux fonctions d'un « ministre ». Il s'agit une nouvelle fois d'asseoir l'autorité du Premier ministre : en principe, le président n'est pas en mesure d'obtenir le départ d'un ministre, il doit compter sur la complicité du Premier ministre. Individuelle, la révocation (subie) est le plus souvent camouflée derrière une démission (volontaire) : le décret indique souvent que la fin des fonctions a lieu « à la demande » de l'intéressé(e). La procédure vise à discipliner le Gouvernement ou à en éliminer les maillons faibles, qu'ils soient ministres d'État, ministres, ministres délégués ou secrétaires d'État. Les exemples abondent. Ainsi Michèle Alliot-Marie, Christian Blanc, Alain Joyandet ou Georges Tron en ont fait les frais en 2011, Jérôme Cahuzac en mars 2013, Thomas Thévenoud en septembre 2014, Fleur Pellerin en février 2016, Sylvie Goulard et François Bayrou en juin 2017, Laura Flessel en septembre 2018, François de Rugy en juillet 2019, Jean-Paul Delevoye en décembre 2019. Voilà qui met de plain-pied avec la diversité « ministérielle », telle que soulignée par l'article 8 qui n'emploie pas le terme « ministres » mais l'expression « membres du Gouvernement ».

II | La structure du Gouvernement

105 Le nombre de ministères. — Le nombre des ministères, ainsi que leurs attributions respectives, sont déterminés par décret et non par la loi ou par la Constitution. Tel ne fut pas toujours le cas. La Constitution de 1848 renvoyait au pouvoir législatif (article 66), tandis que la Constitution de l'an III prévoyait que le Directoire serait formé de cinq membres (article 132) et que le Corps législatif arrêterait le nombre de ministres, compris entre six et huit (article 150). Sous la Ve République, il appartient au pouvoir réglementaire de statuer. La détermination du nombre des ministères résulte d'une négociation entre le président et le Premier ministre au moment de la nomination des ministres ; le « périmètre » des départements ministériels, toujours très discuté, fait l'objet d'un décret délibéré en Conseil des ministres et après avis du Conseil d'État (selon les dispositions de l'article 1er du décret n° 59-178 du 22 janvier 1959). Le Conseil constitutionnel l'a rappelé sèchement dans une décision n° 69-56 L du 9 juillet 1969 : « La répartition des compétences entre les membres du Gouvernement relève du pouvoir réglementaire. »

Dans la période longue, on constate un accroissement du nombre des ministères, ce qui correspond à une multiplication des tâches confiées à l'État. En effet, les missions régaliennes n'ont pas évolué depuis le XVIIIe siècle : il y a toujours un ministère de l'Intérieur, de la Défense, des Affaires étrangères ou de la Justice. Mais l'État a développé au XXe siècle une action dans le domaine économique et social qui s'est traduite par la création de nouveaux ministères : ministère du Temps libre dans le second Gouvernement Mauroy (décret du 22 mai 1981, précisé par le décret n° 81-637 du 29 mai : le ministre de la Jeunesse et des Sports « est en outre chargé de définir et de mettre en œuvre la politique du Gouvernement en ce qui concerne le temps dont chacun doit disposer librement »), ministère de la Cohésion sociale et de la Parité ou encore de la Promotion de l'égalité des chances dans le Gouvernement dirigé par Dominique de Villepin (décret du 2 juin 2005), ministère de l'immigration, de l'Intégration, de l'Identité nationale et du Co-développement dans le Gouvernement de François Fillon (décret du 18 mai 2007), ministère du Redressement productif dans le Gouvernement de Jean-Marc Ayrault (décret du 16 mai 2012). En février 2016, lors de la recomposition du Gouvernement de Manuel Valls, on a relevé la création d'un secrétariat d'État chargé de l'égalité réelle et d'un autre voué à l'aide aux victimes (décret du 11 février 2016).

La latitude laissée au pouvoir réglementaire explique que le nombre des ministères varie d'un Gouvernement à l'autre. Celui de Georges Pompidou en comprenait 25 en décembre 1962, celui de Michel Rocard 48 en juin 1988, celui de François Fillon 32 en juin 2007, celui de Jean-Marc Ayrault 35 en mai 2012. Plus la majorité parlementaire est hétéroclite ou faible, plus on s'assure des soutiens en distribuant les ministères comme des prébendes (le cabinet Rocard était pléthorique parce que la majorité à l'Assemblée nationale était relative et qu'il fallait entretenir la fidélité des partis soutenant le Gouvernement ; en Italie, en 2006, le Gouvernement de Romano Prodi comprenait plus de cent membres car il dépendait d'une coalition fragile). En sens inverse, surtout dans la période actuelle, il est fréquent de constituer des équipes réduites pour favoriser la cohésion du Gouvernement et l'efficacité de son action. Le Gouvernement de F. Fillon ne comptait ainsi que quinze ministres, auxquels il fallait ajouter des secrétaires d'État et même un haut-commissaire.

106 LA DIVERSITÉ MINISTÉRIELLE. — Au sein de la catégorie des ministres, on distingue les ministres d'État, les ministres et les ministres délégués. Le Gouvernement Mauroy comprenait ainsi cinq ministres d'État, vingt ministres et six ministres délégués (décret du 22 mai 1981) ; le Gouvernement Fillon était composé d'un ministre d'État, de quatorze ministres, mais se dispensait de ministres délégués (décret du 19 juin 2007) ; le Gouvernement Ayrault ne comptait que des ministres et des ministres délégués, respectivement dix-huit et seize à l'origine (décret du 16 mai 2012) ; celui de Manuel Valls dix-huit ministres (décret du 11 février 2016) ; le Gouvernement d'Édouard Philippe associait à l'origine dix-neuf ministres et dix secrétaires d'État (décret du 21 juin 2017). La qualité de ministre d'État est plus honorifique qu'autre chose : elle a seulement des conséquences protocolaires. Elle vise à distinguer une personnalité éminente ou à montrer l'importance que le Gouvernement accorde à tel secteur de son action (ainsi l'écologie et le développement durable en 2007). Nicolas Sarkozy était le seul ministre d'État du Gouvernement Villepin (décret du 2 juin 2005). Son poids politique, le contrôle de l'UMP, sa candidature probable à l'élection présidentielle lui valaient une place à part. Dans le même sens, Alain Juppé, Jean-Louis Borloo ou Michèle Alliot-Marie ont été nommés ministres d'État dans les cabinets successifs de F. Fillon entre 2007 et 2012. Ce fut également le cas, pour une brève période, de Gérard Collomb et de Nicolas Hulot dans le Gouvernement d'Édouard Philippe en 2017-2018 : il n'y a plus de ministre d'État actuellement.

La qualité de ministre d'État n'ajoute rien aux fonctions ou à l'autorité de son bénéficiaire. Comme les ministres « ordinaires », il dirige un département ministériel et participe de plein droit aux réunions du Conseil des ministres. Quant aux ministres délégués, ils sont placés auprès du Premier ministre ou d'un ministre pour veiller plus particulièrement à telle action gouvernementale. Ils ne sont pas à la tête d'un département ministériel et détiennent leurs attributions par délégation de l'autorité auprès de laquelle ils sont placés : ils les exercent en son nom et sous sa responsabilité. Dans le Gouvernement Ayrault, par exemple, le ministre chargé des relations avec le Parlement était délégué auprès du Premier ministre, tandis que la ministre chargée de la réussite éducative était déléguée auprès du ministre de l'Éducation nationale.

Reste le cas des secrétaires d'État. Ils sont de deux sortes : d'une part ceux délégués auprès du Premier ministre ou d'un ministre, d'autre part ceux qui sont dits « autonomes » – comme les ministres, ils sont placés à la tête d'un département ministériel (d'où la nécessité de leur contreseing pour les affaires les concernant), mais, à la différence de ceux-ci, ils ne participent pas nécessairement à l'ensemble des réunions du Gouvernement et, notamment, au Conseil des ministres. Dans les deux cas, soit les secrétaires d'État sont spécialement invités au Conseil des ministres, soit le décret de nomination dispose que certains y participent de droit, alors que d'autres n'y viennent qu'autant que sont discutées « les affaires relevant de leurs attributions » (décrets des 18 mai et 19 juin 2007). La catégorie des secrétaires d'État n'est pas toujours représentée – ainsi dans le Gouvernement Villepin en 2005 ou dans celui de J.-M. Ayrault en 2012. En revanche, le Gouvernement Valls comprenait plus de secrétaires d'État (vingt) que de ministres (dix-huit) après le remaniement de février 2016. Le Gouvernement d'Édouard Philippe mêle dix-neuf ministres et, aujourd'hui, dix-sept secrétaires d'État. L'imagination est reine. Le décret du 18 mai 2007 (confirmé par celui du 19 juin) a ainsi désigné un « haut-commissaire aux solidarités actives contre la pauvreté » en la personne de Martin Hirsch. Celui-ci, à l'instar d'un secrétaire d'État, était convié au Conseil des ministres toutes les fois qu'il était question de lutte contre la pauvreté. Entre septembre et décembre 2019, Jean-Paul Delevoye a été un éphémère haut-commissaire à la réforme des retraites.

Section II
Le statut des ministres

107 En tant que membres du Gouvernement, les ministres, y compris le premier d'entre eux, ont un statut identique. Cela se traduit à trois égards.

I | L'ABSENCE DE LIEN HIÉRARCHIQUE

108 PRÉÉMINENCE POLITIQUE ET AUTORITÉ HIÉRARCHIQUE. — Le Premier ministre n'a qu'une prééminence politique sur les autres membres du Gouvernement (sous réserve de leur nomination et révocation). En matière administrative, il n'a pas la qualité de supérieur hiérarchique des ministres : tous les ministres sont juridiquement égaux. La hiérarchie administrative est constituée, au sommet, par les membres du Gouvernement placés à la tête d'un département ministériel. Cela signifie que le Premier ministre ne peut ni se substituer aux ministres pour exercer leurs attributions (CE, Sect., 12 novembre 1965, *Compagnie marchande de Tunisie*, n° 55.315, *Rec.*, p. 602), ni réformer ou annuler leurs décisions – les actes des ministres ne peuvent faire l'objet d'un recours hiérarchique devant le Premier ministre. Face à un ministre refusant de contresigner un texte jugé capital, le Premier ministre demandera au chef de l'État de mettre fin aux fonctions du ministre récalcitrant.

II | LE RÉGIME DES INCOMPATIBILITÉS

109 FONCTION MINISTÉRIELLE ET ACTIVITÉ PROFESSIONNELLE. — L'article 23 de la Constitution dispose : « Les fonctions de membres du Gouvernement sont incompatibles avec l'exercice de tout mandat parlementaire, de toute fonction de représentation professionnelle à caractère national et de tout emploi public ou de toute activité professionnelle. » L'interdiction de cumuler fonction ministérielle et activité professionnelle, publique ou privée, se comprend d'abord pour des raisons de disponibilité : la direction d'un ministère exige de s'y consacrer à temps complet. Mais cette interdiction s'explique aussi par la volonté d'éviter tout conflit d'intérêts et toute dépendance : une responsabilité syndicale, un emploi public ou une activité professionnelle pourraient être en contradiction avec la position ministérielle. On sait qu'un fonctionnaire est le plus souvent placé dans une situation hiérarchique et qu'il est donc susceptible de recevoir des instructions de la part de son supérieur, ce qui est inconciliable avec l'indépendance de la fonction ministérielle. Il existe quelques exceptions : c'est ainsi que les professeurs de l'enseignement supérieur, assurément des fonctionnaires publics, peuvent continuer d'assurer leurs cours lorsqu'ils deviennent ministres (tel fut le cas de Jack Lang). De manière connexe, et dans un esprit de « transparence », les membres du Gouvernement de J.-M. Ayrault ont été contraints de rendre publique leur déclaration de patrimoine le 15 avril 2013 : après la démission de J. Cahuzac, l'exécutif entendait prouver à l'opinion publique que les ministres ne profitaient pas de leurs fonctions pour s'enrichir indûment. Dans la foulée, un projet de loi organique et un projet de loi ordinaire ont été soumis au Parlement dans le but d'interdire tout conflit d'intérêts dans la vie publique : si le premier concerne les députés et les sénateurs (voir *infra*), le second règle le sort des membres du Gouvernement mais aussi des députés européens, de certains élus locaux, des membres des cabinets ministériels et des autorités administratives indépendantes, des personnes nommées en conseils des ministres et autres dirigeants d'entreprises publiques ou assimilées. La loi n° 2013-907 du 11 octobre 2013 impose aux 7 000 responsables visés d'adresser une déclaration de situation patrimoniale et une déclaration d'intérêts à la Haute autorité de la transparence de la vie publique, nouvelle autorité administrative indépendante qui se substitue à la Commission de la transparence financière de la vie publique. Les déclarations seront rendues publiques ; de lourdes sanctions sont prévues en cas de déclaration inexacte ou manquante.

110 FONCTION MINISTÉRIELLE ET MANDAT PARLEMENTAIRE. — L'essentiel de l'article 23 est cependant ailleurs : à l'inverse des IIIe et IVe Républiques, la Constitution de la Ve République rend incompatibles fonction ministérielle et mandat parlementaire (de député comme de sénateur). En 1958, cette innovation avait suscité de nombreuses réticences. Auparavant, les parlementaires désignés membres du Gouvernement ne cessaient d'appartenir à leur assemblée d'origine. De Gaulle et Michel Debré ont voulu rompre avec cette pratique qui, à leurs yeux, entretenait l'instabilité ministérielle, parce que les ministres étaient assurés de retrouver leur siège en cas de chute du Gouvernement. Michel Debré déclarait le 27 août 1958 devant le Conseil d'État : « La règle de l'incompatibilité est devenue une sorte de nécessité pour briser ce qu'il était convenu d'appeler la "course aux portefeuilles", jeu mortel pour l'État. » En outre, on a pu estimer que la séparation des pouvoirs imposait une telle incompatibilité, tant pour protéger l'autonomie du Gouvernement que celle du Parlement. Il reste que le système n'a cessé de susciter la critique. D'une part il était hypocrite parce que les suppléants devenus parlementaires démissionnaient souvent pour permettre à un ancien membre du Gouvernement de se représenter lors d'une élection partielle (les allers-retours de Nicolas Sarkozy au milieu des années 1990 et au début des années 2000 furent exemplaires). D'autre part des parlementaires hésitaient à accepter un maroquin ministériel parce qu'ils n'étaient pas assurés de retrouver leur siège en cas de démission ou d'éviction du Gouvernement, en raison soit de la mauvaise volonté de leur suppléant, soit d'une défaite électorale. C'est pourquoi le comité Vedel avait proposé, en 1993, que l'incompatibilité fût temporaire : six mois après la fin des fonctions ministérielles, l'ancien parlementaire retrouverait son siège. La proposition, d'abord enterrée, a finalement inspiré le constituant en 2008.

La loi constitutionnelle du 23 juillet 2008 n'a pas modifié l'article 23 (qui figure au titre III) mais l'article 25 (qui se trouve au titre IV). L'article 25 prévoit l'édiction d'une loi organique pour régler, entre autres choses, le remplacement d'un parlementaire par son suppléant. Le remplacement est désormais « temporaire » si le député ou le sénateur a accepté une fonction gouvernementale. La loi organique n° 2009-38 du 13 janvier 2009 dispose en conséquence que les parlementaires devenus ministres retrouvent leur siège un mois après la fin de leur activité ministérielle. Le dispositif a donc été aménagé et non bouleversé : hier comme aujourd'hui, la fonction ministérielle et le mandat parlementaire sont incompatibles, nul ne peut être *dans le même temps* parlementaire et ministre, mais le parlementaire devenu ministre a la garantie de retourner à l'Assemblée nationale ou au Sénat peu de temps après son passage au ministère. Alain Joyandet et Christian Blanc en 2010, Michèle Alliot-Marie et Georges Tron en 2011, Delphine Batho en 2013, Sylvia Pinel et Marylise Lebranchu en 2016, Stéphane Travert en 2018 ont tous profité de cette faculté et sont retournés, un mois après leur démission, sur les bancs de l'Assemblée nationale. On s'aperçoit que la loi organique ne profite pas qu'aux anciens membres du Gouvernement ; elle permet aussi au président de la République et au Premier ministre de les congédier plus facilement puisqu'une porte de sortie honorable leur est offerte. Une telle issue peut cependant avoir des effets pervers : d'où les efforts des dirigeants socialistes pour décourager l'ancien ministre du Budget, Jérôme Cahuzac, de retrouver son siège de député en 2013. Thomas Thévenoud, éphémère secrétaire d'État en 2014, n'a pas eu de tels scrupules : il a récupéré son mandat mais a siégé parmi les non-inscrits. L'assurance de retourner dans son assemblée d'origine peut aussi rendre un ministre audacieux ou intransigeant : en juillet 2013, Delphine Batho a sacrifié son ambition ministérielle en sachant qu'elle serait à nouveau députée des Deux-Sèvres un mois plus tard.

III | La responsabilité pénale des ministres

111 Autant la responsabilité du président de la République est indissociablement politique et pénale, autant la responsabilité des ministres est résolument double. Elle est politique d'un côté, pénale de l'autre. La responsabilité politique est elle-même individuelle ou collective et elle aboutit à une démission (voir *infra*). La responsabilité pénale, elle, est toujours individuelle, conformément aux principes généraux du droit pénal. Après le scandale du sang contaminé, la loi constitutionnelle n° 93-952 du 27 juillet 1993 a créé un titre X « De la responsabilité pénale des membres du Gouvernement » qui la distingue de celle du président de la République, objet du titre IX.

112 UNE RESPONSABILITÉ PÉNALE AFFIRMÉE. — S'agissant des ministres, le caractère pénal de leur responsabilité est souligné. L'intitulé du titre X est révélateur ; l'article 68-1 dit les ministres « pénalement » responsables s'ils ont commis des « crimes ou délits » dans l'exercice de leurs fonctions ; ce même article les rend alors passibles de la Cour de justice de la République qui est « liée par la définition des crimes et délits ainsi que par la détermination des peines telles qu'elles résultent de la loi ». Dans le même sens, la procédure fixée à l'article 68-2 et dans la loi organique n° 93-1252 du 23 novembre 1993 est inspirée de la procédure pénale ordinaire. La décision de poursuivre n'appartient plus au Parlement : elle est confiée à une commission des requêtes composée de membres de la Cour de cassation (trois magistrats du siège), du Conseil d'État (deux) et de la Cour des comptes (deux), qui décide de classer ou de donner suite, ainsi qu'au procureur général près la Cour de cassation à la condition d'obtenir un avis conforme de la commission des requêtes. L'instruction est confiée à la commission d'instruction de la Cour de justice de la République composée de trois magistrats du siège de la Cour de cassation ; elle se fait sur la base du réquisitoire du procureur général ; les arrêts de la commission se conforment au code de procédure pénale et sont susceptibles de recours en cassation devant l'Assemblée plénière de la Cour de cassation. Enfin, trois magistrats du siège de la Cour de cassation font partie de la Cour de justice que l'un d'eux préside ; les arrêts de la Cour sont susceptibles de cassation devant l'Assemblée plénière de la Cour de cassation. En même temps, preuve que le jugement des autorités politiques dans l'exercice de leurs fonctions n'est pas anodin, la composition de la Cour de justice reste majoritairement politique : douze de ses quinze membres sont des parlementaires, élus à égalité par l'Assemblée nationale et par le Sénat.

113 UN PRIVILÈGE DE JURIDICTION. — Le titre X accorde donc un privilège de juridiction aux membres du Gouvernement. Le mot « privilège » a aujourd'hui une connotation péjorative

en français ; pourtant, au sens littéral, il signifie simplement qu'un sort particulier est réservé à telles personnes, en l'occurrence aux ministres dont on conçoit qu'ils ne doivent pas être troublés intempestivement dans l'exercice de leurs fonctions. On ajoute que le dispositif a été en large partie banalisé : seule la formation de jugement fait une place, certes majoritaire, au personnel politique. Pourtant, le privilège de juridiction, borné aux crimes et délits commis dans l'exercice des fonctions, continue à provoquer de vives critiques. La commission Jospin a ainsi proposé en 2012 de le supprimer et de confier la responsabilité pénale des ministres, quelle que fût la date des crimes et délits allégués, aux juridictions répressives ordinaires, sous réserve de quelques précautions (tel un examen préalable pour écarter les requêtes fantaisistes). Il est vrai que la Cour de justice de la République a des faiblesses, qui tiennent notamment à l'impossibilité de se constituer partie civile devant elle ou à la lenteur de ses travaux. Il est également difficile de démêler ce qui relève des actes accomplis « dans l'exercice » des fonctions et ceux qui ne l'ont été qu'« à l'occasion » de ces fonctions (selon la distinction de la chambre criminelle de la Cour de cassation). De ce point de vue, il semble que les faits reprochés à Dominique de Villepin dans l'affaire *Clearstream* auraient dû être examinés par la Cour de justice et non par les juridictions de droit commun (le tribunal correctionnel et la cour d'appel de Paris étaient sans doute incompétents, le premier s'est pourtant prononcé le 28 janvier 2010 et la seconde le 14 septembre 2011).

114 LES ARRÊTS RENDUS PAR LA COUR DE JUSTICE DE LA RÉPUBLIQUE. — La Cour de justice a été rarement saisie et n'a rendu que quelques arrêts (1999, 2000, 2004, 2010, 2016 et 2019). L'ancienne ministre de l'Économie, Christine Lagarde, a été poursuivie dans l'affaire de l'arbitrage du Crédit lyonnais : le 19 décembre 2016, elle a été condamnée pour « négligence par une personne dépositaire de l'autorité publique » mais dispensée de peine en raison notamment de « sa personnalité » et de « sa réputation nationale et internationale » (de tels motifs laissent rêveur). Plus récemment, le 30 septembre 2019, Jean-Jacques Urvoas, ancien garde des Sceaux, a été condamné à un mois d'emprisonnement avec sursis et à 5 000 euros d'amende pour avoir divulgué des informations secrètes. De surcroît, dans l'affaire dite des frégates, Édouard Balladur, ancien Premier ministre, et François Léotard, ancien ministre de la Défense, ont été renvoyés devant la Cour de justice en octobre 2019. Le premier arrêt rendu par la Cour, en date du 9 mars 1999, a été très commenté car il est intervenu dans des circonstances dramatiques – l'affaire du sang contaminé – qui avaient motivé la révision constitutionnelle en juillet 1993. Trois membres du Gouvernement étaient accusés d'avoir commis, au milieu des années 1980, des crimes et délits de droit commun dans la gestion de la santé publique : étaient-ils pénalement responsables de la contamination de lots de sang par le virus du sida ? Le Premier ministre Laurent Fabius et la ministre des Affaires sociales Georgina Dufoix ont été relaxés ; le secrétaire d'État à la santé Edmond Hervé a été condamné mais dispensé de peine. Cette malheureuse affaire met en lumière les tares de toute justice politique ou qui apparaît telle dès lors qu'elle doit se prononcer en matière pénale. Outre les délais, excessivement longs, l'interdiction de la constitution de partie civile et la distinction des volets ministériel et non-ministériel, source de complexité, la question centrale est de savoir si l'instrument est adapté à son but. Dans l'affaire du sang contaminé, la responsabilité pénale a été recherchée parce que la responsabilité politique n'était plus d'actualité : dix ou quinze ans après les faits, la démission était sans objet. Or il est inconcevable d'imaginer une responsabilité politique *ex post facto* (voudrait-on ressusciter l'infamie ?). Pourtant, la dimension politique était principalement en cause : les ministres ont peut-être fait preuve d'incompétence, mais il ne s'agit pas là d'une incrimination pénale.

115 La suppression souhaitable du privilège de juridiction. — Pour des raisons en partie psychologiques – il faut que les justiciables aient le sentiment que la justice a été rendue – il est sans doute nécessaire de supprimer le privilège de juridiction des ministres et de confier les attributions de la Cour de justice de la République aux juridictions répressives ordinaires, à condition de prévoir un filtre avant toute poursuite pour éviter les abus. Les exigences de simplicité, de célérité et la confiance dans la justice commandent aujourd'hui cette solution. En conséquence, le projet de loi constitutionnelle adopté en Conseil des ministres le 13 mars 2013 modifiait l'article 68-1 de la Constitution et supprimait l'article 68-2, donc la Cour de justice. Il disposait que les ministres, pour les actes commis dans l'exercice de leurs fonctions, sont responsables dans les conditions du droit commun, sauf à noter que les poursuites doivent être autorisées par une commission des requêtes composée de sept magistrats (trois de la Cour de cassation, deux du Conseil d'État et deux de la Cour des comptes), le tribunal correctionnel et la cour d'appel de Paris étant seuls compétents pour examiner l'affaire. Mais le projet n'a pas abouti : le président de la République a renoncé à convoquer le Congrès en juillet 2013 parce que la majorité des 3/5ᵉ des parlementaires semblait hors de portée. Moyennant quelques ajustements, l'essentiel de la réforme se retrouvait dans les deux projets de loi constitutionnelle voulus par E. Macron les 9 mai 2018 et 28 août 2019 : aucun des deux textes n'a été approuvé par le Parlement.

Section III
La solidarité ministérielle

116 La solidarité ministérielle signifie que le Gouvernement est un être collectif doué d'unité. Le Gouvernement n'est pas une simple juxtaposition de ministres placés à la tête de départements ministériels et indépendants les uns des autres au plan hiérarchique, c'est un collège qui rassemble les ministres dans un but commun. La solidarité du Gouvernement se manifeste lors du Conseil des ministres ; elle reçoit une double traduction juridique et politique par la règle du contreseing et par la responsabilité collective du Gouvernement devant le Parlement.

I | Le Conseil des ministres

117 La présidence du Conseil des ministres. — On sait que le président de la République le préside (article 9), ce qui lui donne compétence pour le réunir et pour déterminer son ordre du jour, et qu'il signe les ordonnances et décrets délibérés en Conseil des ministres (article 13), à quoi s'ajoutent les projets de loi (article 39). À titre exceptionnel, le Premier ministre supplée le chef de l'État (article 21, alinéa 4). La délégation doit être « expresse » et l'ordre du jour reste fixé par le président. Traditionnellement, le Conseil des ministres a lieu chaque semaine – réserve faite d'une partie du mois d'août – le mercredi matin au palais de l'Élysée. Il est rare qu'il soit « délocalisé » ou qu'il se tienne un autre jour de la semaine. Au début de son septennat, V. Giscard d'Estaing l'avait réuni trois fois en dehors de Paris ; N. Sarkozy en a fait de même dans les premiers mois de son quinquennat (le 7 septembre 2007 à Strasbourg, le 31 octobre 2007 à Ajaccio). Le Conseil des ministres n'est pas toujours convoqué un mercredi : il s'est ainsi tenu le mardi 7 mai 2013 pour ne pas troubler les commémorations du 8 mai. Un Conseil des ministres exceptionnel a été convoqué dans la nuit du vendredi 13 au samedi 14 novembre 2015 peu après les attentats de Paris et Saint-Denis. Un autre a eu lieu le mardi 10 mai 2016 afin d'autoriser le recours à l'article 49, alinéa 3 de la Constitution (voir la leçon 8). Après l'attentat de Nice, un Conseil a été provoqué le mardi 19 juillet 2016. La crise sanitaire du Covid-19 a multiplié les réunions du Conseil des ministres en dehors du mercredi : ainsi le vendredi 27 mars 2020.

118 LA PARTICIPATION AU CONSEIL DES MINISTRES. — Le Conseil des ministres porte mal son nom. Présidé par le chef de l'État, il ne rassemble pas que des ministres. Le principe est que tous les ministres en sont membres de droit, y compris les ministres délégués, mais les secrétaires d'État y participent parfois, soit à titre spécial, soit à titre permanent – dans le Gouvernement de François Fillon, Laurent Wauquiez était secrétaire d'État délégué auprès du Premier ministre, chargé des fonctions de porte-parole (décret du 19 juin 2007). En tant que tel, il assistait aux réunions des conseils des ministres dont il devait rendre compte à la presse. Durant le mandat de F. Hollande, la fonction de porte-parole a été confiée à des ministres de plein exercice (N. Vallaud-Belkacem, puis S. Le Foll). Depuis 2017, c'est à nouveau un secrétaire d'État délégué auprès du Premier ministre qui est porte-parole du Gouvernement.

La participation au Conseil des ministres est prestigieuse d'un point de vue symbolique et politique mais elle n'est pas passionnante : la réunion n'est pas celle d'un « conseil » au sens d'un organe délibérant. Le Conseil des ministres ne discute pas, il entérine l'ordre du jour. Celui-ci est divisé en trois parties : la partie A est vouée aux lois, ordonnances et décrets ; la partie B aux mesures individuelles ; la partie C aux communications des ministres. Pour rendre la réunion plus vivante, une partie D a été instituée sous la présidence de Nicolas Sarkozy : elle doit permettre un débat informel. Il reste que le Conseil des ministres n'est pas un forum de discussions mais une réunion d'information et une manifestation de la solidarité ministérielle : tous les ministres présents sont réputés avoir approuvé les mesures délibérées en Conseil des ministres, sauf à présenter leur démission en cas de désaccord grave (ainsi Jean-Pierre Chevènement en 1991, opposé à l'intervention française en Irak lors de la première guerre du Golfe, ou Christiane Taubira en janvier 2016, hostile à l'inscription de la déchéance de nationalité dans la Constitution). Le Conseil des ministres manifeste l'unité et la discipline nécessaires à la mise en œuvre de la politique gouvernementale.

II | Le contreseing

119 L'article 22 de la Constitution. — Le contreseing mentionné à l'article 19 est familier : les actes du président, sauf exception, sont contresignés par le Premier ministre et, « le cas échéant », par les ministres « responsables ». Les actes du Premier ministre font également l'objet d'un contreseing de la part des ministres : l'article 22 dispose que « les actes du Premier ministre sont contresignés, le cas échéant, par les ministres chargés de leur exécution ». Deux précisions doivent être apportées.

En premier lieu, expression de la solidarité ministérielle, la règle du contreseing est générale : il n'y a pas ici d'équivalent à l'article 19 qui établirait une liste des actes du Premier ministre dispensés du contreseing. On ajoutera cependant que toute une série de « propositions » primo-ministérielles faites au président de la République ne réclament pas de contreseing : la nomination des ministres (article 8, alinéa 2), les sessions extraordinaires du Parlement (article 29), les lois constitutionnelles (article 89). D'une part on peut hésiter à qualifier d'« actes », fussent-ils préparatoires, ces « propositions ». D'autre part ces actes, s'ils sont tels, n'appellent pas d'exécution de la part des ministres. D'ailleurs, les propositions en cause sont suivies de décrets présidentiels qui réclament souvent le contreseing, en général du seul Premier ministre. En ce sens, la saisine du Conseil constitutionnel (articles 54 et 61) n'exige aucune mesure d'exécution, donc aucun contreseing. Il en va de même de la décision de réunir une commission mixte paritaire (article 45, alinéa 2) ou de solliciter le Sénat pour l'approbation d'une déclaration de politique générale (article 49, alinéa 4). Ainsi que le Conseil d'État a eu l'occasion de le souligner, si la plupart des actes du Premier ministre demandent une exécution par les ministres concernés, certains font l'économie de mesures réglementaire ou individuelle d'application (CE Ass., 10 juillet 1981, *Union patronale des Hauts-de-Seine*, n° 20.836, *Rec.*, p. 305). De façon générale, ces actes sont assimilés à des actes de Gouvernement : le défaut de contreseing ne serait pas sanctionné par le juge administratif qui se déclare incompétent (CE, 26 février 1992, *Allain*, n° 109 795, *Rec.*, p. 659). Par ailleurs, dans certaines hypothèses, le Premier ministre est le ministre chargé de l'exécution : sa seule signature est suffisante (CE, 3 décembre 1980, *SNESUP*, n° 15.026, *Rec.*, p. 454).

En second lieu, l'article 22 évoque les « ministres chargés de leur exécution [celle des actes du Premier ministre] », tandis que l'article 19 mentionne les « ministres responsables ». Selon la jurisprudence du Conseil d'État, ce ne sont pas les mêmes. Les ministres « responsables sont ceux auxquels incombent, à titre principal, la préparation et l'application des décrets dont il s'agit » (CE Sect., 10 juin 1966, *Pelon*, n° 63.563, *Rec.*, p. 384) ; les ministres visés à l'article 22 sont ceux qui ont « compétence pour signer ou contresigner les mesures réglementaires ou individuelles que comporte nécessairement l'exécution du décret » (CE, 27 avril 1962, n° 50.032, *Sicard*, *Rec.*, p. 280). Autrement dit, la compréhension des ministres « responsables » est plus restrictive que celle des ministres « chargés de l'exécution » : le ministre responsable sera souvent unique puisque « principal », à lui appartient la conception intellectuelle de la décision. Les circonstances de l'arrêt *Pelon* sont instructives : les requérants demandaient l'annulation d'un décret fixant la rémunération des personnels des établissements supérieurs à l'étranger (telle l'École française de Rome) au motif que le ministre des Affaires étrangères n'avait pas apposé son contreseing. Ils sont déboutés au motif que seul le ministre de l'Éducation nationale était « responsable » au sens de l'article 19, alors même que le ministre des Affaires étrangères patronnait certains de ces établissements. La formule du Conseil d'État a été reprise par le Conseil constitutionnel dans sa décision n° 2000-21 REF du 25 juillet 2000 *Hauchemaille* : le ministre des Affaires étrangères et celui de la justice n'avaient pas à contresigner le décret n° 2000-655 du 12 juillet décidant de soumettre au référendum le projet de loi constitutionnelle sur le quinquennat car ils n'étaient pas « responsables » au sens de l'article 19 de la Constitution. Seul le ministre de l'Intérieur l'était.

120 Dans tous les cas, le contreseing associe les ministres au Premier ministre, gage de la solidarité du Gouvernement : les ministres manifestent leur accord et prennent l'engagement d'assurer l'exécution de l'acte en cause.

III | La responsabilité collective devant le Parlement

121 La démission du Gouvernement. — La manifestation ultime de la solidarité ministérielle réside dans la responsabilité politique du Gouvernement devant le Parlement ou plutôt devant l'Assemblée nationale (voir la leçon 8). Si la Chambre basse, dans les termes de l'article 49, désapprouve le programme du Gouvernement ou une déclaration de politique générale, ou si elle vote une motion de censure, le cabinet est contraint de démissionner. L'article 50 est net : le Premier ministre doit remettre « la démission du Gouvernement » au président de la République. Nulle distinction parmi les membres du Gouvernement : tous démissionnent. Tel fut le cas le 5 octobre 1962 : dans la foulée d'une motion de censure victorieuse, Pompidou présente la démission de son équipe à de

Gaulle, lequel l'acceptera le 28 novembre – dans l'intervalle, le Gouvernement avait été maintenu en fonctions pour l'expédition des affaires courantes. La responsabilité politique mise en cause devant le Parlement est toujours collective ; la Constitution de 1958 s'écarte sur ce point de l'article 6 de la loi constitutionnelle du 25 février 1875 qui disposait que « Les ministres sont solidairement responsables devant les Chambres de la politique générale du Gouvernement, et individuellement de leurs actes personnels ». Rien de tel aujourd'hui : pour renforcer la cohésion du cabinet, le Parlement ne saurait mettre en cause un ministre *ut singuli*. Cela ne signifie pas que la responsabilité politique cesse d'être individuelle : les démissions (volontaires ou non) prouvent le contraire – mais elles ne sont plus provoquées par le Parlement. Il reste que le rôle réservé à ce dernier met l'accent sur une des caractéristiques de la Ve République : elle n'a jamais cessé d'être un régime parlementaire, fût-il le plus original de son espèce (voir la leçon 12).

Leçon 6

Les compétences du Premier ministre et du Gouvernement

122 La lecture de la Constitution provoque l'embarras : le texte confie des compétences tantôt au Gouvernement dans son ensemble, tantôt au Premier ministre, parfois dans la même matière, telle la procédure législative. Cependant, dans la plupart des cas, la solidarité entre le Premier ministre et le reste du Gouvernement rend la distinction vaine : d'une part le Conseil des ministres illustre leur concert or sa réunion est exigée dans un certain nombre de circonstances importantes, voire dramatiques (projets de loi, ordonnances, mise en cause de la responsabilité politique, état d'urgence), d'autre part le contreseing symbolise leur association or il est presque toujours nécessaire puisque les actes du Premier ministre réclament souvent une exécution au sens de l'article 22. Les expressions « Premier ministre » et « Gouvernement » sont donc généralement indissociables, ainsi que l'illustre l'article 39 : l'initiative des lois appartient au Premier ministre, mais elle suppose une délibération du Conseil des ministres. Rares sont les hypothèses où le Premier ministre agit seul : il n'y a ainsi ni contreseing ni Conseil des ministres lorsqu'il propose des ministres au président de la République (article 8, alinéa 2) ou lorsqu'il saisit le Conseil constitutionnel (articles 54 et 61).

Section I
La mission générale du Premier ministre et du Gouvernement

123 LES ARTICLES 20 ET 21 DE LA CONSTITUTION. — La Constitution commence par le Gouvernement (article 20), qui donne son intitulé au titre III, et poursuit par le Premier ministre (article 21). L'ordre de présentation, contraire à la chronologie qui veut que la nomination du Premier ministre précède celle des autres membres du Gouvernement, se justifie dans la mesure où le Premier ministre dirige l'action du Gouvernement dont il faut connaître la mission au préalable. De ce point de vue, l'article 20 est le pendant de l'article 5.

124 LA MISSION DU GOUVERNEMENT. — L'article 20 dispose : « Le Gouvernement détermine et conduit la politique de la nation. Il dispose de l'administration et de la force armée. Il est responsable devant le Parlement [...]. » On écarte pour l'instant la responsabilité du Gouvernement qui ne précise pas sa mission. Celle-ci est volontairement très générale : « le Gouvernement détermine et conduit la politique de la nation. » Les verbes ne sont pas choisis au hasard : alors que le président de la République « veille », « garde », « garantit » (article 5), et joue ainsi un rôle conservateur, le Gouvernement « détermine » et « conduit », c'est-à-dire qu'il arrête les grandes lignes de la politique nationale et les exécute. Un rôle directeur est donc confié au Gouvernement ; il en a même le monopole sous réserve des attributions présidentielles. Pour cette raison, l'article 20 a été critiqué : il ne rendrait pas compte du réel et du rôle prépondérant joué par le président de la République. C'est pour cela, on l'a dit, que le comité Balladur proposait, en 2007, de réécrire l'article 20 : le Premier ministre ne ferait plus que « conduire » la politique de la nation, sa détermination ou sa définition appartiendrait au président, l'article 5 étant enrichi d'un nouvel alinéa. Approuvée par N. Sarkozy, cette préconisation n'a pas eu l'heur de plaire aux parlementaires, qui craignaient sans doute le passage à un régime « présidentiel ».

125 Les moyens du Gouvernement. — Pour l'exécution de sa politique, le Gouvernement a des moyens : l'administration (civile) et l'armée. Par là est affirmée la soumission des autorités civiles et militaires au pouvoir politique désigné, au moins indirectement, par le suffrage universel : les ministres sont à la tête des administrations civiles et militaires ; celles-ci leur doivent obéissance car elles leur sont soumises en vertu du principe hiérarchique. La direction de l'administration et de la force armée place d'ores et déjà le Gouvernement en concurrence avec le président de la République. On se rappelle que celui-ci « nomme aux emplois civils et militaires » (article 13) et qu'il est « chef des armées » (article 15). La Constitution organise elle-même la concurrence, ou plutôt la collaboration, entre les deux têtes de l'exécutif. La dyarchie exécutive est consignée dans le texte ; elle suppose un partage des tâches entre le président et le Gouvernement dirigé par le Premier ministre. Car la collaboration est redoublée par l'article 21, qui précise les compétences du Premier ministre et qui assure la prééminence de ce dernier.

126 Le Premier ministre, chef du Gouvernement. — Bien que de Gaulle ait contesté l'expression « chef du Gouvernement », on doit la retenir à la lecture de l'article 21 : « Le Premier ministre dirige l'action du Gouvernement. » S'il est vrai que les ministres, une fois nommés, ne sont pas subordonnés au Premier ministre – qu'ils ne sont pas soumis à son pouvoir hiérarchique – il reste que le Premier ministre occupe une place éminente. Le protocole l'illustre : lors des cérémonies publiques, le Premier ministre obtient le second rang dans l'ordre de préséance (décret n° 89-655 du 13 septembre 1989, article 2). Plus significatif, on sait qu'il est à l'origine de la nomination des ministres et de leur destitution (article 8, alinéa 2). Mais le Premier ministre est surtout *leader* par les missions personnelles que lui confie l'article 21 : en dehors de la présidence de tel ou tel conseil, il est « responsable de la défense nationale », il « assure l'exécution des lois », il « exerce le pouvoir réglementaire et nomme aux emplois civils et militaires ». Autrement dit, le Premier ministre est la véritable autorité *exécutive* de la Ve République : au sens littéral, le pouvoir exécutif est celui qui exécute ou applique les lois votées par le pouvoir législatif – c'était le sens premier reçu au XVIIIe siècle, qui s'est atténué aujourd'hui car le pouvoir « exécutif » fait plus qu'exécuter, mais qui n'a pas disparu puisque le pouvoir exécutif continue à exécuter les lois. Or cette prérogative appartient au Premier ministre et non au président de la République. Celui-ci n'exécute pas les lois, ce qui ne signifie pas qu'il ne joue pas un rôle capital au sein du pouvoir « exécutif » *lato sensu* et, plus largement, au sein de l'État. Le président intervient notamment en matière militaire, réglementaire et de nomination aux emplois publics. Mais ces compétences sont également celles du Premier ministre. Loin de repousser la dyarchie exécutive, la Constitution l'organise sciemment.

Section II
La dyarchie exécutive

127 DYARCHIE ET SUBSTITUTION D'UNE AUTORITÉ À UNE AUTRE. — Le terme « dyarchie » convient parfaitement à la Ve République. Tous les régimes parlementaires sont caractérisés par le « dualisme » de l'exécutif (qui les distingue de l'unité de l'exécutif qui prévaut par exemple aux États-Unis), dualisme qui se transforme parfois en « bicéphalisme » lorsque le chef de l'État sort de la réserve qui est la sienne en temps ordinaires – il incarne la nation dans des moments difficiles (George VI en 1940) ou il choisit le chef du Gouvernement alors qu'aucune majorité parlementaire nette n'est sortie des urnes. Mais la Ve République va plus loin : elle connaît une véritable « dyarchie », c'est-à-dire l'association de deux autorités de premier plan. La « dyarchie » est souvent synonyme de concurrence ou de partage. Mais la dyarchie peut aussi signifier complémentarité entre le Gouvernement et le président ou même substitution du Gouvernement au président afin d'assurer la continuité de l'État dont le président est garant. D'une part le Gouvernement convoque les électeurs pour l'élection présidentielle, saisit le Conseil constitutionnel pour faire constater l'empêchement du président et assure l'intérim du président de la République lorsque le président du Sénat est lui-même empêché (article 7). D'autre part le Premier ministre supplée le président de la République dans la présidence de divers conseils et comités. L'article 21 désigne les conseils et comités de défense de l'article 15, ainsi que le Conseil des ministres. Dans cette dernière hypothèse, l'alinéa 4 insiste sur le caractère « exceptionnel » de cette suppléance et l'entoure de garde-fous : la délégation doit être « expresse » (et non tacite) et elle doit mentionner « un ordre du jour déterminé », c'est-à-dire que le président reste maître de l'ordre du jour, même lorsqu'il ne préside pas physiquement le conseil. Or la fixation de l'ordre du jour est d'autant plus cruciale que certains actes réclament une délibération en Conseil des ministres (les projets de loi, les ordonnances de l'article 38, certains décrets). C'est pourquoi la suppléance est rare ; elle a joué six fois sous la Ve République ; elle sert lorsque le président est hospitalisé ou accomplit un long voyage à l'étranger (les moyens de transport modernes rendent aujourd'hui cette hypothèse improbable). Des interventions chirurgicales ont justifié le recours à l'article 21, alinéa 4 en 1964 (De Gaulle), en 1992 et 1994 (Mitterrand). Il en fut de même de l'accident vasculaire cérébral qui a frappé J. Chirac le 2 septembre 2005. Le voyage de Ch. de Gaulle en Amérique du Sud en 1964 restera anecdotique.

128 DYARCHIE ET INFORMATION D'UNE AUTORITÉ PAR UNE AUTRE. — La dyarchie emporte également information d'une autorité par l'autre, en général du Premier ministre par le président de la République. Lorsqu'il agit au titre de ses pouvoirs propres, ceux dispensés du contreseing, le président est parfois requis d'en avertir le Premier ministre. Ainsi la dissolution de l'Assemblée nationale (article 12) et la décision de recourir aux pouvoirs exceptionnels (article 16) exigent une « consultation » du Premier ministre. Celui-ci est informé personnellement par le président : il ne peut contrarier la volonté présidentielle puisqu'il n'y a pas de proposition ou de contreseing, mais il est prévenu, à tout le moins, des actes les plus graves pour la vie de la nation. Ces actes prennent soin d'indiquer dans leurs visas que le chef du Gouvernement (sans compter les présidents des Chambres) a été officiellement consulté – la décision du 23 avril 1961 ou le décret du 21 avril 1997 l'attestent.

S'agit-il encore de dyarchie ? Le Premier ministre exerce-t-il ici un quelconque « pouvoir » (*archè*) ? La réponse serait plutôt négative. Dans le même sens, dans les hypothèses de substitution, on peut douter que « deux » autorités agissent ensemble. La remarque vaut aussi pour les prérogatives identiques et parallèles confiées à l'une et à l'autre telle la saisine du Conseil constitutionnel (articles 54 et 61). Bref, la véritable dyarchie est révélée par la proposition et/ou par le contreseing. Ils sont au cœur du partage des compétences entre le président de la République et le Gouvernement dirigé par le Premier ministre.

129 DYARCHIE, PROPOSITION ET CONTRESEING. — La proposition émanée du Gouvernement ou du Premier ministre ne s'accompagne pas toujours du contreseing. Ainsi en matière de référendum (article 11). Le « Gouvernement » est à l'origine de la proposition : cela suppose une délibération du Conseil des ministres. En revanche, le décret présidentiel subséquent ne sera pas contresigné. Tel fut le cas du décret n° 62-1127 du 2 octobre 1962 : de Gaulle décidait de convoquer les électeurs au sujet de l'élection du président de la République au suffrage universel direct. Le décret était précédé d'une lettre du Premier ministre, Georges Pompidou, datée du même jour et ainsi rédigée : « Conformément aux délibérations du Conseil des ministres de ce jour, j'ai l'honneur de vous proposer, au nom du Gouvernement [...]. » Sur le fondement de cette proposition faite par le Gouvernement, une motion de censure fut débattue et votée par l'Assemblée nationale le 5 octobre, provoquant la démission du cabinet. La responsabilité du Gouvernement a été accentuée par la loi constitutionnelle du 4 août 1995 qui lui a enjoint de faire une déclaration devant chaque assemblée parlementaire suivie d'un débat. Par ailleurs, la loi constitutionnelle du 28 mars 2003 a inséré un article 72-4 relatif aux référendums ultramarins : la procédure est identique à celle de l'article 11, sauf que le décret présidentiel n'échappe pas au contreseing. Les décrets n° 2009-1405 et n° 2009-1406 du 17 novembre 2009, relatifs à la consultation des électeurs de la Guyane et de la Martinique, portent la signature du président de la République et le contreseing du Premier ministre, du ministre de l'Intérieur et du ministre de l'Outre-mer, érigés en ministres « responsables », c'est le mot de l'article 19. Quant à l'article 89, s'il réclame une proposition du « Premier ministre », la précision est sans enjeu puisque les projets de loi, y compris constitutionnels, sont délibérés en Conseil des ministres en vertu de l'article 39.

Plus que la proposition, le contreseing illustre la collaboration entre le président et le Premier ministre, voire les autres ministres. Si la proposition est rare, le contreseing est général. En effet, à l'exception des actes énumérés à l'article 19, tous les actes du président sont en principe contresignés. Le contreseing du Premier ministre est toujours nécessaire ; celui des ministres responsables est réclamé « le cas échéant ». Pour en mesurer la portée, il suffit d'établir la liste de tous les décrets présidentiels qui ne sont pas exceptés du contreseing. Celui du Premier ministre est seul demandé en ce qui concerne la nomination et la révocation des ministres (article 8, alinéa 2), une nouvelle délibération de la loi (article 10, alinéa 2), l'ouverture et la clôture d'une session extraordinaire du Parlement (article 30) ou encore la convocation du Congrès en vue d'une révision constitutionnelle (article 89, alinéa 3). Le contreseing du Premier ministre est complété par celui des ministres responsables dans les autres cas : la promulgation des lois (article 10, alinéa 1er), l'accréditation des ambassadeurs (article 14), la grâce (article 17), la ratification des traités (article 52), l'initiative des lois constitutionnelles (article 89). Cette double énumération suffit à prouver la collaboration étroite et incessante entre le président et les ministres, à commencer par le premier d'entre eux.

130 MATIÈRES COMMUNES ET COMPÉTENCES PARTAGÉES. — Comment pourrait-il en être autrement alors que les articles 5, 13 et 15 d'un côté, 20 et 21 de l'autre portent sur les mêmes matières et attribuent des compétences semblables ? Si le président est « garant de l'indépendance nationale et de l'intégrité du territoire » (article 5), s'il est le « chef des armées » (article 15), s'il « signe les ordonnances et décrets délibérés en Conseil des ministres » et nomme aux emplois publics (article 13), le Gouvernement « dispose de l'administration et de la force armée » (article 20) tandis que le Premier ministre est « responsable de la défense nationale » et qu'il « exerce le pouvoir réglementaire et nomme aux emplois civils et militaires » (article 21), sous réserve des dispositions de l'article 13. L'expression « domaine réservé » est donc à proscrire : la diplomatie et la défense ne sont en rien le monopole du président de la République. Au contraire, ici plus qu'ailleurs, la Constitution veille à associer les deux têtes de l'exécutif. On sait par ailleurs que la déclaration de guerre est l'apanage du Parlement (article 35) et que seule une loi permet la ratification d'un traité de paix (article 53).

131 LES AFFAIRES MILITAIRES. — Les affaires militaires sont examinées en conseil de défense : le président et le Premier ministre en sont nécessairement membres puisque l'un le préside (article 15), tandis que l'autre peut suppléer le chef de l'État (article 21). Dans sa formation plénière, il comprend cinq autres ministres (article R. 1122-2 du code de la défense). Seuls la pratique et les textes postérieurs à la Constitution ont donné l'avantage au président. L'emploi de l'arme atomique en fournit un excellent exemple. Le décret n° 96-520 du 12 juin 1996, lui-même héritier du décret n° 64-46 du 14 janvier 1964, a été pour l'essentiel codifié aux articles R. 1411-1 et suivants du code de la défense. Le président de la République est certes compétent pour donner « l'ordre d'engagement » (article R. 1411-5). Mais le Premier ministre et le ministre de la Défense ne sont pas des personnages effacés : le chef du Gouvernement est chargé de l'application des décisions arrêtées en conseil de défense, le ministre de la Défense est responsable de l'organisation et de la préparation des forces nucléaires (articles R.1411-2 et 3). De façon générale, la collégialité est de mise. C'est à cet égard que l'article 16 tranche. Pour le reste, l'harmonie et la coordination sont les maîtres-mots.

132 MESURES RÉGLEMENTAIRES ET INDIVIDUELLES. — La Constitution est nettement plus précise quand elle s'intéresse aux mesures réglementaires et individuelles. Les articles 13 et 21 articulent un partage entre le président et le Premier ministre : nulle part ailleurs il n'est effectué avec autant de soin. D'un mot, le Premier ministre jouit d'une compétence de principe, tandis que le président dispose d'une compétence d'exception. L'article 21 indique que le pouvoir réglementaire et de nomination aux emplois publics appartient au Premier ministre « sous réserve » des dispositions de l'article 13. Cette manière de procéder figure aussi à l'article 19 : les actes du président sont en principe contresignés, à l'exception d'une liste limitative. En bonne logique, les exceptions sont peu nombreuses. La pratique ne contredit pas la syntaxe : le Premier ministre signe 90 % des décrets réglementaires, le président 10 %. Malgré la jurisprudence *Meyet* (CE, 10 septembre 1992, voir la leçon 4), le Premier ministre est l'autorité réglementaire de droit commun, d'autant qu'il est à peine concurrencé par les ministres. Ces derniers ont une compétence réglementaire résiduelle, qui résulte soit de leur pouvoir hiérarchique pour organiser les services placés sous leurs ordres ou donner des instructions aux agents du ministère, soit d'une délégation expresse. Sous la Ve République, la plupart des décrets réglementaires sont signés par le Premier ministre et contresignés, si nécessaire, par les ministres chargés de l'exécution.

Le propos doit cependant être nuancé pour les nominations aux emplois publics : si la Constitution accorde une prérogative identique au président et au Premier ministre (« il nomme aux emplois civils et militaires »), le président est mieux loti. Il l'est à un tel point que le juge et la doctrine considèrent qu'il a ici une compétence de droit commun (Conseil constitutionnel, décision n° 92-305 DC du 21 février 1992, considérant 23) et que le terme décret est synonyme de décret « du président de la République » (Conseil d'État, 20 décembre 2006, *Mathieu*, n° 278159). Le juge avait quelques raisons d'avantager le chef de l'État. Le troisième alinéa de l'article 13 établit une liste d'emplois pourvus en Conseil des ministres, qui ne sont pas soumis à la procédure de l'alinéa 5, tandis que le quatrième alinéa ajoute que cette liste sera complétée par une loi organique – tel fut l'objet de l'article 1er de l'ordonnance n° 58-1136 portant loi organique du 28 novembre 1958. En outre, selon l'article 2 de cette ordonnance, le président nomme par décret simple, c'est-à-dire non délibéré en Conseil des ministres, à toute une série d'emplois. Cet article est sans doute inconstitutionnel : l'article 13, alinéa 4 de la Constitution habilite le législateur organique à déterminer « les autres emplois auxquels il est pourvu en Conseil des ministres ». De ce point de vue, seul l'article 1er de l'ordonnance respecte l'habilitation ; l'article 2 l'outrepasse ; mais aucun remède ne semble envisageable, pas même au moyen d'une question prioritaire de constitutionnalité. Au total, on compte chaque année environ 5 000 décrets individuels revêtus de la signature du président.

L'article 13, alinéa 4 de la Constitution, complété par l'article 3 de l'ordonnance, prévoit par ailleurs que le président peut déléguer son pouvoir de nomination à deux conditions : d'une part le Premier ministre en est le bénéficiaire exclusif (puisque les ministres n'ont pas de compétence réglementaire générale), d'autre part la délégation ne saurait porter sur les emplois pourvus en vertu de l'article 13, alinéa 3 de la Constitution et des articles 1 et 2 de l'ordonnance. Il est remarquable que la loi organique interdise la délégation pour des emplois (ceux de l'article 2) qui n'obéissent pas à la procédure du décret en Conseil des ministres, alors que seule la liste des emplois pourvus en Conseil des ministres devrait être étoffée par elle. En tout état de cause, la délégation a été très faible. À titre d'exemple, les directeurs et présidents du conseil d'administration des Instituts régionaux d'administration (IRA) sont nommés par le Premier ministre depuis le décret n° 2000-1031 du 18 octobre 2000. On note que le pouvoir de nomination du Premier ministre et des ministres tient largement au maintien en vigueur de « dispositions particulières, législatives ou réglementaires » (article 4 de l'ordonnance). Dans les faits, le président de la République nomme à plus de 70 000 emplois publics, les plus prestigieux, dont un gros millier en Conseil des ministres, les autres emplois étant du ressort du Premier ministre, des ministres et des autorités déconcentrées.

133 LA PLACE CENTRALE OCCUPÉE PAR LE PREMIER MINISTRE. — Le Premier ministre et les services de Matignon sont au cœur de la machine administrative de la France. Parmi tous les membres du Gouvernement, seul le Premier ministre est habilité à prendre des décrets, qu'ils fussent réglementaires ou individuels. Le président de la République n'est pas marginalisé, loin de là, mais il ne dispose ni de la compétence ni des moyens qui en feraient le chef de l'administration. Le rapport des forces politiques a certes avantagé le président, il n'en reste pas moins, aux termes de la Constitution, que le Premier ministre et le Gouvernement ont la haute main sur l'administration civile et militaire du pays.

Les relations avec le Parlement illustrent le rôle central réservé au Premier ministre et au Gouvernement. Le président n'est pas absent : il peut demander une nouvelle délibération de la loi (article 10) et réunir le Parlement en session extraordinaire (article 30), quoique le contreseing ministériel soit exigé. Il ne l'est pas dans deux circonstances : les messages au Parlement (article 18) et la dissolution de l'Assemblée nationale (article 12). Or l'article 18 précise que le président n'a pas accès aux Chambres : ses messages sont lus par un autre que lui. Cette affirmation est toujours exacte, bien que, depuis 2008, le président soit autorisé à prendre la parole devant le Congrès, c'est-à-dire devant les deux assemblées parlementaires réunies. En d'autres termes, le président peut se présenter devant le Parlement convoqué à Versailles, mais il ne saurait pénétrer dans les hémicycles du palais Bourbon et du palais du Luxembourg. C'est le privilège exclusif des ministres. L'article 31 de la Constitution dispose en effet que les ministres « ont accès aux deux assemblées » et qu'ils « sont entendus quand ils le demandent ». La lecture croisée des articles 18 et 31 met en valeur la nature parlementaire de la Ve République : un régime parlementaire tient au lien intime noué entre le Parlement et le Gouvernement.

Section III
Les relations avec le Parlement

134 Le titre III est un des plus brefs de la Constitution et renseigne peu sur les relations entre le Gouvernement et le Parlement. Il faut donc se tourner vers le titre IV consacré au Parlement (où se trouve l'article 31) et surtout vers le titre V « Des rapports entre le Parlement et le Gouvernement ».

I | La réunion des assemblées parlementaires

135 Publicité des séances et jours de séance. — Le Gouvernement intervient ici à deux égards. D'une part le Premier ministre peut demander aux assemblées d'écarter la règle de la publicité des séances et de se réunir en comité secret (article 33). Selon la décision du Conseil constitutionnel n° 59-2 DC du 24 juin 1959, les Chambres ne sont pas liées par la demande, elles se prononcent sur « l'opportunité de cette procédure ». Cette voie n'a jamais été empruntée, après l'échec d'une initiative le 19 décembre 1986 à l'Assemblée nationale, et c'est heureux : la publicité est le seul moyen de contrôler l'action des parlementaires dans un régime représentatif. L'hypothèse est distincte de celle où les Chambres se réunissent en formation restreinte : tel fut le cas durant l'épidémie de Covid-19 – la Conférence des présidents de l'Assemblée nationale a ainsi décidé, le 17 mars 2020, que chaque groupe serait représenté uniquement par son président et deux députés. D'autre part, le Premier ministre peut augmenter le nombre de jours de séance, soit au cours de la session ordinaire où il est en mesure de « décider la tenue de jours supplémentaires de séance » (article 28), soit en provoquant une session extraordinaire (article 29) – dans cette hypothèse, le Premier ministre (ou la majorité des députés) doit cependant obtenir l'accord du président de la République en vertu d'une lecture « présidentialiste » de l'article 30 qui confie au chef de l'État le soin d'ouvrir et de clore les sessions extraordinaires. Le président a imposé ses vues : sa compétence n'est pas liée, il autorise ou refuse discrétionnairement les sessions extraordinaires. Il y a donc une grande différence entre l'article 28 et l'article 29 : autant les jours supplémentaires de séance sont décidés librement par le seul Premier ministre (ainsi que l'a confirmé le Conseil constitutionnel dans ses décisions n°s 95-366 et 95-368 des 8 novembre et 15 décembre 1995), autant la session extraordinaire réclame une convergence de vues entre le Premier ministre et le président. Ces deux articles sont cependant apparentés en tant qu'ils nient toute autonomie au Parlement : il ne peut pas plus s'opposer à des jours supplémentaires de séance qu'à une session extraordinaire, il a seulement la faculté d'arrêter de son côté des jours supplémentaires ou de proposer l'organisation d'une session extraordinaire. La « rationalisation » du parlementarisme est à l'œuvre ; elle est encore plus marquée lors de la procédure législative.

II | La procédure législative

136 La rationalisation du parlementarisme. — Sur ce point, la rupture a été complète avec les IIIe et IVe Républiques. Michel Debré était un partisan convaincu de la rationalisation du parlementarisme qui vise à rendre plus difficile la mise en cause du Gouvernement par le Parlement et qui veut renforcer l'efficacité de l'action ministérielle en donnant au Gouvernement les moyens de faire adopter ses projets par les assemblées. Le but initial de la rationalisation du parlementarisme n'est pas d'abaisser le Parlement mais elle y conduit parce qu'elle est synonyme de domestication du travail parlementaire. Le Gouvernement est d'autant plus fort qu'il est difficile à renverser et qu'il est maître de la procédure législative, ce qui lui donne l'assurance que sa politique ne sera pas paralysée par les Chambres.

137 L'initiative des lois et la fixation de l'ordre du jour. — L'initiative des lois n'est pas réservée aux parlementaires mais partagée entre eux et le Premier ministre (ou le Gouvernement). Cela vaut pour les lois constitutionnelles : on se rappelle que l'initiative des révisions constitutionnelles, au titre de l'article 89, est partagée (appartient « concurremment ») entre le pouvoir exécutif et le Parlement – « pouvoir exécutif » car les deux têtes de l'exécutif sont associées, le président formulant un projet sur « proposition du Premier ministre ». Cela vaut aussi pour les lois référendaires : on l'a souligné pour la réforme de 1962 tendant à l'élection du chef de l'État au suffrage universel direct, le président ne prend l'initiative d'un référendum qu'à la suite d'une proposition du Gouvernement ou des deux assemblées. Cela vaut encore pour les ordonnances de l'article 38 : elles supposent une demande faite par le Gouvernement au Parlement. Enfin, et surtout, cela vaut pour les lois ordinaires. L'article 39 partage inégalement l'initiative entre le Premier ministre et les parlementaires. « Inégalement » plus que « concurremment » – alors que ce terme est retenu par l'article 39 – parce que le Gouvernement a la maîtrise de l'ordre du jour des assemblées et peut inscrire prioritairement ses projets, n'abandonnant qu'une portion congrue aux deux Chambres (article 48). S'il n'y avait qu'un article à retenir en ce qui concerne les relations entre le Gouvernement et le Parlement, ce serait celui-ci. En effet, l'article 48 donnait (et donne encore en partie, malgré la loi constitutionnelle du 23 juillet 2008) l'assurance au Gouvernement que ses projets de lois seront examinés, tandis que ne seront retenues que les propositions de lois qui auront été « acceptées par lui ». Autrement dit, les assemblées n'avaient plus la maîtrise de leurs débats : elles ne pouvaient légiférer que sur les textes préparés par le Gouvernement ou acceptés par lui. Le Parlement était donc ligoté, et le reste en partie, par l'ordre du jour prioritaire confié au Gouvernement. La mesure était tellement radicale que ses inconvénients ont motivé une première révision constitutionnelle, d'ampleur limitée, le 4 août 1995 : le dernier alinéa de l'article 48 disposait qu'« une séance par mois est réservée par priorité à l'ordre du jour fixé par chaque assemblée ». Le monopole du Gouvernement était à peine ébréché ; la liberté accordée aux assemblées était modeste (d'où la loi constitutionnelle du 23 juillet 2008 : voir la leçon 8), d'autant que le Gouvernement avait et a toujours d'autres moyens pour contrecarrer les initiatives parlementaires.

138 LA MAÎTRISE DE LA PROCÉDURE LÉGISLATIVE. — En effet, la maîtrise de l'ordre du jour n'est qu'une illustration parmi d'autres de la maîtrise de l'ensemble de la procédure législative par le Gouvernement. Celui-ci a d'abord la faculté de circonscrire la procédure législative à son objet législatif. Expliquons : l'article 34 de la Constitution détermine les matières qui sont du domaine de la loi, les autres matières étant de nature réglementaire. Or le Gouvernement a les moyens de faire respecter cette frontière, arme essentielle pour s'assurer que le Parlement ne sortira pas de ses compétences et ne grignotera pas celles du Gouvernement. D'une part l'article 37, alinéa 2 permet au Gouvernement de modifier par décret des « textes de forme législative » qui seraient intervenus après 1958 dans le domaine réglementaire : il faut cependant que le Conseil constitutionnel ait reconnu le caractère réglementaire du texte – on en a eu un exemple avec la loi du 23 février 2005 imposant aux programmes scolaires de reconnaître le rôle positif de la présence française outre-mer (décision n° 2006-23 L du 31 janvier 2006). D'autre part l'article 41 permet au Gouvernement de défendre le domaine réglementaire au cours de la procédure législative : le texte « de forme législative » n'a pas encore été voté et le Gouvernement oppose l'irrecevabilité. En cas de contestation des présidents des assemblées, le Conseil constitutionnel doit statuer sous huit jours. Par ces deux articles, on saisit quelle était la mission première du Conseil dans l'esprit des Constituants en 1958 : être au service du Gouvernement pour le protéger contre tout empiétement parlementaire prenant la forme d'une loi. C'est aussi pourquoi le Premier ministre peut saisir le Conseil pour qu'il opère un contrôle de constitutionnalité des lois (article 61, alinéa 2).

L'intervention du Gouvernement ne se limite pas à la seule défense du domaine réglementaire. Plus profondément, il pilote la procédure législative. Il désigne les commissions parlementaires spéciales compétentes pour examiner les projets et propositions de loi (article 43), il a le droit d'amendement et le contrôle des amendements parlementaires (article 44), il réunit une commission mixte paritaire en cas de désaccord entre les deux Chambres, reste maître de soumettre le compromis aux assemblées et d'accepter les amendements sur ce texte (article 45), etc. La maîtrise du Gouvernement n'efface pas cependant, au moins en principe, sa subordination existentielle au Parlement – celui-ci est théoriquement libre de renvoyer un cabinet n'ayant plus sa confiance.

III | La responsabilité politique du Gouvernement

139 Responsabilité politique et régime parlementaire. — La responsabilité politique du Gouvernement devant les assemblées prouve le caractère parlementaire d'un régime, ce qui est assurément le cas de la Ve République. En temps ordinaire, le Gouvernement et le Parlement vivent en bonne intelligence puisque le premier est issu du second. Leurs relations sont pacifiques et faites de confiance réciproque. Une sorte de contrat majoritaire a été noué lorsque le Gouvernement est venu présenter à l'Assemblée nationale son programme ou une déclaration de politique générale (article 49, alinéa 1er) – la présentation du programme a lieu peu après la formation du Gouvernement (même si la pratique a considéré qu'il ne s'agissait pas d'une obligation juridique), tandis que la déclaration de politique générale est le plus souvent la conséquence d'une crise nationale ou internationale qui conduit le Gouvernement à préciser sa position (ainsi le 16 janvier 1991 à propos de la participation à la première guerre du Golfe). Sous la Ve République, il s'agit en général d'une formalité en raison du fait majoritaire qui assure au Gouvernement le soutien d'une majorité parlementaire homogène.

140 LA MISE EN CAUSE DE LA RESPONSABILITÉ DU GOUVERNEMENT. — Mais il peut arriver que le Gouvernement ne jouisse pas ou ne jouisse plus de la confiance de la majorité des députés : si le programme du Gouvernement est rejeté, si sa déclaration de politique générale est désapprouvée ou si le Gouvernement fait l'objet d'une motion de censure, ainsi le cabinet de Georges Pompidou en 1962, le Premier ministre doit présenter la démission collective du Gouvernement (article 50). On l'a dit, le sort du Premier ministre et des ministres n'est pas dissocié : on tient là une preuve de la solidarité du Gouvernement. Cette précision permet de comprendre que les expressions « Premier ministre » et « Gouvernement » coïncident : l'article 49 dispose que « le Premier ministre [...] engage [...] la responsabilité du Gouvernement », mais cela ne dissocie pas le Premier ministre des autres membres du Gouvernement. En effet, le Premier ministre agit « après délibération du Conseil des ministres », ce qui souligne que l'ensemble de l'équipe ministérielle soutient l'action du chef de Gouvernement et se tient prête à assumer avec lui les conséquences d'un échec éventuel (voir la leçon 8).

Leçon 7
Le Parlement bicaméral

141 Éloge de la lenteur. — En France, sous la Ve République, le Parlement est bicaméral, c'est-à-dire qu'il est composé de deux Chambres. Mais, avant de présenter les traits distinctifs du bicamérisme, il convient de proposer une première définition du Parlement. L'étymologie enseigne qu'un Parlement est une institution où l'on parle, où l'on discute, où l'on palabre. D'où l'expression « assemblée parlementaire » : contrairement à l'exécutif, un Parlement est toujours une institution collective, qui comprend quelques dizaines de membres, le plus souvent plusieurs centaines de membres. Cette dimension collective est souvent passée sous silence de nos jours ; elle est pourtant capitale ; par définition, l'action du Parlement n'est pas placée sous le signe de la rapidité, mais de la lenteur (on préfère souvent le terme « réflexion »), conséquence inévitable d'une délibération à plusieurs. Le Parlement a beau statuer parfois en urgence, ou de manière accélérée, il lui faudra plus de temps pour agir que l'exécutif incarné dans un homme ou dans un groupe réduit d'hommes. L'explication tient à la masse des parlementaires, elle tient aussi à la structure du Parlement : le bicamérisme constitue un frein à la décision hâtive – c'est même sa raison d'être.

142 La qualité parlementaire d'une assemblée. — Il reste cependant à distinguer les assemblées parlementaires des autres assemblées prévues par la Constitution. Pour quelle raison le Conseil économique, social et environnemental (CESE), le Conseil d'État ou la Cour des comptes n'auraient-ils pas la qualité parlementaire ? Quelle est la ligne de partage ? En premier lieu, il faut tenir compte du caractère juridictionnel de telle ou telle institution : c'est pourquoi le doute n'est pas de mise en ce qui concerne la Cour de cassation – elle n'est pas une assemblée *parlementaire*, tout comme le Conseil d'État ou la Cour des comptes dans leur dimension contentieuse, parce que la fonction juridictionnelle ne saurait être confondue avec la fonction parlementaire. En deuxième lieu, et sans trop anticiper sur les développements à venir (leçon 8), le critère de la distinction se trouve dans la capacité décisionnaire du Parlement en matière législative. En effet, le CESE, le Conseil d'État ou la Cour des comptes (dont le rôle a été revalorisé en 2008 par l'article 47-2 de la Constitution) ont ici des attributions exclusivement consultatives : bien que l'avis donné par eux soit parfois obligatoire, l'autorité décisionnaire est le Parlement. Le CESE, objet du titre XI de la Constitution, complété par l'ordonnance n° 58-1360 du 29 décembre 1958 modifiée, est composé de 233 membres issus du monde socio-professionnel (patronat, syndicats, associations) ; une partie est désignée en Conseil des ministres. Saisi par le Gouvernement et, depuis 2008, par le Parlement dans les matières économique, sociale et environnementale, le CESE peut aussi être saisi par la voie d'une pétition qui doit rassembler plus de 500 000 signatures (une tentative a échoué en février 2013 au sujet du mariage « ouvert aux personnes de même sexe »). L'avis est librement demandé, sauf pour les lois de programmation à caractère économique, social ou environnemental où il est obligatoire (article 70 de la Constitution et article 2 de l'ordonnance précitée). Le CESE aurait fait l'objet d'un bouleversement radical si les projets de loi constitutionnelle de 2018 et 2019 avaient été adoptés. Dans le texte du 9 mai 2019, le CESE aurait été rebaptisé « Chambre de la société civile » : composée de 155 membres au plus, celle-ci aurait été compétente pour examiner des pétitions aux conditions assouplies, tandis qu'elle aurait été consultée obligatoirement sur tous les projets de loi de nature économique, sociale ou environnementale et facultativement dans les autres cas (il était même précisé que son avis était recueilli avant celui émis par le Conseil d'État), voire sur les propositions de loi à la demande des assemblées parlementaires. Dans le texte du 28 août 2019, le CESE s'appelait « Conseil de la participation citoyenne » : l'essentiel du projet de 2018 était maintenu, un accent nouveau étant mis sur la convocation, à son initiative ou à celle du Gouvernement, de conventions de citoyens tirés au sort sur le modèle de celle voulue en 2019 par le président de la République au sujet de la transition écologique. Par ailleurs, on aura l'occasion de le réaffirmer plus loin, les autres compétences du Parlement ne suffisent pas à conférer le label parlementaire. Ainsi la responsabilité politique du Gouvernement n'est pas toujours l'apanage des deux Chambres (lorsque le Parlement est bicaméral), or les deux assemblées sont dites parlementaires. Il serait en outre erroné de croire que l'élection (et l'idée de représentation qu'on lui associe) fasse le Parlement : la Chambre des Lords britannique n'est pas élue – lui contestera-t-on le caractère parlementaire ?

Une assemblée parlementaire est une assemblée qui, d'une manière ou d'une autre, parfois de façon marginale, vote et adopte (ou repousse) la loi. En ce sens, le Conseil de la République de la IVe République ou le Sénat de la Ve République ont une nature parlementaire, quand bien même l'Assemblée nationale aurait le pouvoir du dernier mot, autrement dit la faculté de trancher seule en dernier ressort – car elle ne l'a pas à l'égard de toutes les lois ou car elle ne peut imposer sa volonté qu'à des majorités renforcées en cas de résistance de la Chambre haute.

Section I
Le choix du bicamérisme

143 L'ASSEMBLÉE NATIONALE ET LE SÉNAT. — Ainsi que l'indique l'article 24 de la Constitution, le Parlement est composé de deux Chambres, l'Assemblée nationale et le Sénat. La Ve République a donc fait le choix du bicamérisme et il est raisonnable d'affirmer que celui-ci n'est plus contesté en France. Le monocamérisme a pourtant été choisi au début de la Révolution française (Constituante, Législative, Convention nationale) ; ayant la faveur des républicains, il a encore triomphé en 1848 ; abandonné à titre de compromis avec les partisans de la monarchie en 1875, il était retenu en 1946 dans le premier projet de Constitution, repoussé par référendum le 5 mai. Le second projet, qui sera adopté en septembre, se ralliera au bicamérisme, mais à un bicamérisme édulcoré. Il en reste quelque chose dans le bicamérisme de la Ve République dont on peut soutenir qu'il est un moyen terme entre la formule de la IIIe République et celle de la IVe République. Il est foncièrement inégalitaire, mais il n'en réserve pas moins un rôle important au Sénat. L'existence même de celui-ci a rarement été contestée depuis 1958 : seul le référendum de 1969, voulu par de Gaulle, envisageait une transformation radicale qui aurait retiré sa qualité parlementaire au Sénat. Celui-ci aurait perdu l'initiative des lois et n'aurait rendu que des « avis », au sens strict. S'il a pu être qualifié en 1998 d'« anomalie parmi les démocraties » par Lionel Jospin, alors Premier ministre, les critiques de la gauche ont connu une atténuation évidente dès lors qu'il lui est apparu qu'elle pouvait devenir majoritaire au sein de la Chambre haute – ce fut le cas entre 2011 et 2014. À ce propos, les expressions « Chambre basse » et « Chambre haute » mériteraient d'être abandonnées, sauf pour des besoins rhétoriques ou polémiques : elles illustrent une époque bien éloignée de la nôtre, où les deux assemblées représentaient une société d'ordres (les Lords ou les Pairs d'un côté, le commun ou le tiers de l'autre) et n'étaient pas élues au suffrage universel. Aux Pays-Bas, il est judicieusement question de la « première » et de la « seconde » Chambre.

144 LES ARGUMENTS EN FAVEUR DU BICAMÉRISME. — Il est manifeste que le débat entre monocamérisme et bicamérisme a tourné court en 1958. Le bicamérisme s'est imposé avec la force de l'évidence, lui qui avait été d'abord repoussé en 1946. Plusieurs raisons à cela. D'un côté de Gaulle avait dit, dès le discours de Bayeux le 16 juin 1946, sa faveur pour un Parlement bicaméral ; Michel Debré était d'ailleurs membre du Conseil de la République (« sénateur » de l'Indre), or celui-ci n'avait pas ménagé son soutien à de Gaulle en mai et juin 1958. De l'autre côté les avantages du bicamérisme avaient tellement convaincu sous la IVe République que la loi constitutionnelle du 7 décembre 1954 avait largement rééquilibré les pouvoirs entre les deux Chambres au profit du Conseil de la République. Ces avantages seraient au nombre de trois : le bicamérisme empêche les lois liberticides ; il améliore la qualité technique des lois ; il assure une meilleure représentation du pays. Les deux premiers sont souvent confondus : le travail conjugué de deux assemblées accouche de « bonnes » lois, au plan tant politique que juridique. Le souvenir de la Convention nationale en 1792-1794, chargée de tous les péchés du terrorisme révolutionnaire, hante les consciences ; c'est d'ailleurs pour ce motif que la Constitution de l'an III (1795) mettra en place deux Chambres, le Conseil des Cinq-cents et le Conseil des Anciens. La deuxième Chambre est donc un *check*, comme disent les Américains, un moyen de contrôler et de tempérer les ardeurs parfois dangereuses de la première. La discussion est ralentie, l'enthousiasme a le temps de se modérer, bref le bicamérisme introduit de la sagesse et de la mesure. De ce point de vue, il évite – ou cherche à éviter – les lois qui porteraient atteinte aux droits et libertés des citoyens, tandis que le double examen d'un projet de loi ne peut que profiter à sa qualité technique. Dans le discours de Bayeux, de Gaulle recommandait le bicamérisme parce que « le premier mouvement d'une telle assemblée [unique] ne comporte pas nécessairement une clairvoyance et une sérénité entières ». D'où le thème redondant du Sénat comme « Chambre de réflexion ».

145 Le bicamérisme permettrait en outre une représentation différenciée du pays, ce qui se marquerait par le mode de désignation des uns et des autres.

Section II
Bicamérisme et représentation

146 UNE REPRÉSENTATION DIFFÉRENCIÉE DU PAYS. — Le monocamérisme aurait les défauts de ses qualités : si la Chambre unique « représente » le peuple souverain par définition un, il ne représente ses membres que dans leur face civique. C'est oublier que les membres de la communauté sont également enracinés dans un territoire (un Rémois n'a pas exactement les mêmes intérêts qu'un Nantais), qu'ils ne sont pas tous dans la même situation familiale (certains sont célibataires, d'autres mariés ou concubins, avec ou sans enfants), qu'ils exercent des professions très diverses, etc. De la sorte, le bicamérisme, loin d'affaiblir la représentation une d'un peuple un, enrichirait la notion : il permettrait de représenter le pays *autrement*, en ayant égard à la dimension économique, sociale ou familiale de la vie de ses habitants ou de ses ressortissants.

L'article 24, alinéa 4 de la Constitution de 1958 dispose en conséquence que le Sénat « assure la représentation des collectivités territoriales de la République ». Jusqu'à la loi constitutionnelle du 23 juillet 2008 et aux élections législatives de 2012, il avait de surcroît le monopole de la représentation des Français établis hors de France. Désormais, aux termes du dernier alinéa de l'article 24, ces derniers sont représentés tant à l'Assemblée nationale qu'au Sénat : onze députés et douze sénateurs sont désignés par les Français de l'étranger, ce qui a conduit à la création de onze nouvelles circonscriptions législatives qui ont parfois la taille d'un continent (la première circonscription est ainsi formée du Canada et des États-Unis d'Amérique). La représentation exclusive des collectivités territoriales n'est pas sans conséquences : l'article 39, alinéa 2 de la Constitution indique que « les projets de loi ayant pour principal objet l'organisation des collectivités territoriales sont soumis en premier lieu au Sénat ». Logiquement, le Sénat a perdu en 2008 sa priorité dans l'examen des « projets de loi relatifs aux instances représentatives des Français établis hors de France ». La priorité n'est pas un vain mot : le Conseil constitutionnel n'hésite pas à censurer une loi qui, touchant à l'organisation des collectivités territoriales, aurait été d'abord déposée sur le bureau de l'Assemblée nationale. La décision n° 2011-632 DC du 23 juin 2011 l'a rappelé : « Considérant que le projet de loi déposé sur le bureau de l'Assemblée nationale, première assemblée saisie, avait pour unique objet de fixer le nombre des conseillers territoriaux composant l'assemblée délibérante de chaque département et de chaque région ; qu'au nombre des règles d'organisation des collectivités territoriales figure la fixation des effectifs de leur assemblée délibérante ; qu'ainsi, c'est à tort que le projet de loi dont est issue la loi déférée n'a pas été soumis en premier lieu au Sénat ; qu'en conséquence, cette dernière a été adoptée selon une procédure contraire à la Constitution. » De son côté, comme l'adjectif le souligne, l'Assemblée *nationale* représente la nation dans son ensemble, sans égard à la structure décentralisée de la République. C'est d'ailleurs pour cette raison que l'élection des députés obéit à un critère démographique entendu plus strictement qu'à l'endroit des sénateurs (voir *infra*). D'une certaine manière, la priorité de l'Assemblée nationale en matière de lois de finances et de financement de la sécurité sociale (article 39, alinéa 2) tient à cette conception de la représentation : depuis les origines du Parlement bicaméral, la Chambre basse lève l'impôt ou se prononce à tout le moins la première en matière fiscale parce qu'elle représente toute la nation, pas seulement une classe ou un ordre privilégié.

147 UNE DOUBLE ACCEPTION DE LA REPRÉSENTATION. — Il faut cependant préciser que cette acception de la représentation est historiquement tardive. À partir de la Révolution française, et pendant plus d'un siècle, représenter signifie « vouloir pour la nation », selon la formule célèbre de Barnave, député de la Constituante, c'est-à-dire que les représentants sont chargés d'exprimer la volonté souveraine de la nation ou du peuple sous forme de lois. En effet, la loi est l'expression de la volonté générale, aux termes de l'article 6 de la Déclaration de 1789, qu'elle soit adoptée directement par le « peuple » ou par le truchement de représentants. Dans ces conditions, on comprend mieux que le roi fût érigé en représentant : il participait à la confection de la loi par le veto que lui accordait la Constitution de 1791. La représentation se définit ainsi par une activité, non par la source des pouvoirs : le mode de désignation est indifférent à la qualité de représentant ; un roi héréditaire l'est tout autant qu'une Chambre élue au suffrage universel dès lors que l'un et l'autre légifèrent. Une rupture se produisit au début de la IIIe République. Un article de Léon Duguit, professeur de droit public à Bordeaux, sert de repère : intitulé « L'élection des sénateurs », publié dans la *Revue politique et parlementaire* en 1895, il souligne que la représentation cesse d'être associée à l'édiction de la loi pour correspondre à une dévolution du pouvoir, du moins dans un régime républicain. Pour dire les choses rapidement, le représentant n'est plus celui qui fait la loi, mais celui qui est élu au suffrage universel. Un roi héréditaire ne saurait être qualifié de représentant, pas plus des sénateurs inamovibles (ainsi ceux de la IIIe République, nommés à vie par leurs pairs). L'onction du suffrage universel est devenue une condition nécessaire pour prétendre représenter le peuple ou la nation. Plus loin, et cela va de pair avec le succès de l'idéologie démocratique, seul le suffrage universel *direct* fait le représentant de la nation. Tel est le cas des députés. Tel n'est pas le cas des sénateurs : élus au suffrage universel *indirect*, qui a pour effet mécanique d'altérer les leçons de la démographie, ils sont tout au plus des représentants des collectivités territoriales.

Pourtant, il y a de fortes raisons de contester cette affirmation, qui est celle de la Constitution : dès lors que le Sénat légifère, il exprime la volonté générale, il est donc représentant de la nation au même titre que l'Assemblée nationale. Car les deux acceptions de la représentation ne se sont pas succédé : elles cohabitent depuis un gros siècle. (Pour introduire une nuance, on dira que la première acception a partie liée à la représentation, la seconde à la *représentativité*.) Il serait plus conforme à l'air du temps de soutenir qu'est représentant celui qui, élu au suffrage universel, sans plus de précision, participe à l'élaboration de la loi. Mais il serait surtout plus respectueux des enseignements de l'histoire et de la rigueur du droit d'établir qu'une assemblée parlementaire se définit par une compétence législative indifférente à son mode d'acquisition ; c'est d'ailleurs pourquoi il faudrait bannir l'expression « élections législatives » si elle est réservée à l'élection des députés. Le Sénat pourrait faire une place à un élément corporatif, il ne cesserait pas de représenter la nation. De longue date, des hommes politiques et des juristes ont imaginé introduire dans la deuxième Chambre des « représentants des organisations économiques, familiales, intellectuelles » (discours de Bayeux). De Gaulle traduisait en 1946 une revendication ancienne exprimée tout au long de la IIIe République, notamment par Duguit. Si l'assemblée ainsi composée continue à légiférer, elle sera encore représentante de la nation dès lors que celle-ci exprime sa volonté par des lois. La différence est nette avec le projet du même de Gaulle en 1969 de fusionner le Sénat et le

Conseil économique et social : l'essentiel n'était pas tant que le nouveau Sénat aurait fait une place à des syndicalistes, à des personnalités qualifiées ou à des membres d'associations – plutôt que l'assemblée était ravalée au rang d'institution consultative. Il reste qu'à l'époque, les sénateurs, Gaston Monnerville en tête, avaient protesté contre le projet de réforme au nom de l'origine élective des sénateurs. C'est la preuve qu'aujourd'hui un « représentant » ne peut s'affranchir de l'élection : le Premier ministre ou le Conseil constitutionnel veulent pour la nation, mais ils ne sont pas élus au suffrage universel. Le sens commun n'y voit pas des représentants.

Section III
La désignation des parlementaires et leur mandat

148 La désignation des parlementaires français est originale parmi les démocraties occidentales : d'une part les députés sont élus au suffrage universel direct, les sénateurs au suffrage universel indirect, alors que le suffrage direct sert presque partout pour les deux Chambres d'un Parlement bicaméral ; d'autre part les uns sont élus au scrutin majoritaire, les autres pour partie au scrutin majoritaire et pour partie à la représentation proportionnelle, alors qu'il est fréquent en Occident que le mode de scrutin soit le même pour les deux Chambres.

I | L'ÉLECTION DES DÉPUTÉS

149 MODE DE SCRUTIN ET DURÉE DU MANDAT. — Depuis 1958, les députés sont élus au suffrage (universel) direct : aucun intermédiaire ne s'interpose entre les électeurs et les candidats, aucun filtre ne nuance la volonté des électeurs. L'adjectif « universel » est éludé par l'article 24 de la Constitution puisque l'article 3 dispose en toute hypothèse que « Le suffrage peut être direct ou indirect dans les conditions prévues par la Constitution. Il est toujours universel, égal et secret ». Sous réserve des élections législatives de 1986, les députés ont toujours été élus au scrutin uninominal majoritaire pour un mandat de cinq ans. Aux termes de l'article 25, alinéa 1er de la Constitution, il appartient à une loi organique de déterminer « la durée des pouvoirs de chaque assemblée », ainsi que « le nombre de ses membres » et « les conditions d'éligibilité » (dont il n'y a rien à dire de remarquable : elles coïncident avec les conditions pour être électeur depuis la loi organique n° 2011-410 du 14 avril 2011, soit 18 ans, alors que l'âge requis était naguère de 23 ans). Le mandat de cinq ans est dans la moyenne de ce qui s'observe ailleurs ou de ce qui s'observait autrefois en France : il est ou était le plus souvent de quatre, cinq ou six ans. Dès lors qu'il est « à temps », il doit éviter une longueur excessive qui ne met pas les électeurs en mesure d'exercer leur contrôle de façon suffisamment rapprochée mais aussi une brièveté dommageable à la conduite des affaires publiques – lorsque le mandat est de deux ans, comme à la Chambre des représentants des États-Unis, les députés sont perpétuellement en campagne électorale pour assurer leur réélection. On imagine quelles seraient les conséquences fâcheuses d'un mandat réduit à une année, comme le prévoyait la Constitution de 1793. La durée de cinq ans – qui correspond à une législature, sauf dissolution de l'Assemblée nationale par le président de la République – a pris un relief particulier depuis le passage du septennat au quinquennat présidentiel. Depuis 2002, le président et les députés sont élus la même année et pour la même durée : destinée à éviter la cohabitation, la réforme a eu pour effet, tant que le président et les députés accompliront l'intégralité de leur mandat, de resserrer l'emprise du chef de l'État sur la majorité parlementaire. Plus que jamais, le président de la République a fait du Premier ministre un « collaborateur ».

150 LE PLAFOND DE 577 DÉPUTÉS. — Les députés sont aujourd'hui 577 ; le territoire national est divisé en 566 circonscriptions, soit 539 en métropole, 27 en outre-mer (dont 19 dans les départements d'outre-mer et 8 dans les collectivités d'outre-mer), tandis que le reste du monde est divisé en 11 circonscriptions. Depuis la loi constitutionnelle du 23 juillet 2008 (article 24, alinéa 3), le nombre de 577 circonscriptions forme un plafond, c'est-à-dire qu'il faudrait modifier la Constitution pour augmenter le nombre de sièges. L'intention du constituant était d'éviter les assemblées pléthoriques, au moment où l'on envisageait par ailleurs la division par deux du nombre des conseillers régionaux et généraux avec la création du conseiller territorial. Le président E. Macron désirait aller plus loin et réduire sensiblement le nombre de députés : un projet de loi organique du 23 mai 2018 suggérait 404, celui du 28 août 2019 retenait 433. Heureusement, ces textes n'ont pas été adoptés : ils sont à nos yeux démagogiques, charrient une philosophie de l'efficacité (prétendue) à tout crin et nuisent au maillage du territoire.

151 LES CIRCONSCRIPTIONS LÉGISLATIVES. — La carte des circonscriptions a été redessinée il y a dix ans. Un tel « redécoupage » était nécessaire parce que la répartition des sièges, avant les élections de 2012, était assise sur les données démographiques issues du recensement de 1982 ! En conséquence, les inégalités de population entre les circonscriptions s'étaient creusées, à tel point que l'égalité du suffrage proclamé par l'article 3 de la Constitution était ébranlée : la deuxième circonscription du Val-de-Marne rassemblait cinq fois plus d'habitants que chacune des deux circonscriptions de la Lozère. Le Conseil constitutionnel s'en était ému à plusieurs reprises (délibération du 7 juillet 2005, vœux du président Mazeaud le 3 janvier 2006, observations du 29 mai 2008), menaçant implicitement d'annuler les élections législatives en bloc si le législateur n'agissait pas. Le pas fut franchi avec l'ordonnance n° 2009-935 du 29 juillet 2009 ratifiée par la loi n° 2010-165 du 23 février 2010 – dans le même temps, l'ordonnance n° 2009-936 du 29 juillet 2009 délimitant les circonscriptions de l'étranger était ratifiée par la loi n° 2011-411 du 14 avril 2011. Des gages avaient été donnés pour éviter tout « charcutage » électoral profitant *indûment* à la majorité en place (car la majorité s'octroie toujours un bénéfice) : la loi constitutionnelle du 23 juillet 2008 avait modifié l'article 25 de la Constitution et prévu la réunion d'une commission « indépendante » chargée de se prononcer par avis public sur tout redécoupage des circonscriptions législatives et sur toute répartition nouvelle des sièges de députés et de sénateurs. La loi organique n° 2009-38 du 13 janvier 2009 précisait que la mission des membres de la commission serait incompatible avec le mandat parlementaire et que le président de la commission serait nommé par le président de la République selon la procédure de l'article 13, alinéa 5 de la Constitution. Yves Guéna fut proposé par N. Sarkozy ; sa désignation fut acceptée par les commissions compétentes du Parlement le 8 avril 2009. En outre, la loi n° 2009-39 du 13 janvier 2009 précisait que la commission comprendrait cinq autres membres nommés pour un mandat de six ans non renouvelable : un conseiller d'État, un magistrat de la Cour de cassation, un magistrat de la Cour des comptes et deux personnalités qualifiées, en l'espèce deux professeurs de droit. La commission a émis un premier avis le 23 juin 2009, suggérant des modifications au Gouvernement, puis un second le 30 juin, maintenant quelques critiques. C'est après avis du Conseil d'État le 24 juillet qu'intervinrent les deux ordonnances du 29 juillet.

Quels principes ont-ils dominé la réforme ? Le Conseil constitutionnel en avait indiqué ou avalisé quatre dans sa décision n° 2008-573 DC du 8 janvier 2009. En premier lieu, les députés doivent être élus « sur des bases essentiellement démographiques » puisqu'ils représentent la nation et qu'ils sont élus au suffrage direct. On verra que la formule n'est pas la même pour ce qui concerne le Sénat. En second lieu, une atténuation est acceptée au nom de l'intérêt général et « dans une mesure limitée ». Autrement dit, les circonscriptions n'ont pas à être rigoureusement égales (contrairement aux États-Unis par exemple où la stricte égalité arithmétique n'exclut pas le *gerrymandering*). Des écarts sont tolérés à la condition d'être faibles. En troisième lieu, la circonscription doit correspondre à un territoire continu, sous réserve de rares dérogations. Ainsi les îles Saint-Barthélemy et Saint-Martin (Antilles) sont-elles regroupées pour ne former qu'une seule circonscription en raison de la faiblesse de leur population. En quatrième lieu, le critère démographique s'applique aussi aux collectivités ultra-marines (et aux circonscriptions de l'étranger) : il ne contraint pas à ériger toute collectivité de ce type en circonscription législative, sauf éloignement particulier, ce qui justifie qu'un député soit élu à Saint-Pierre-et-Miquelon. Au final, le redécoupage opéré en 2010 et appliqué pour la première fois en

2012 a été salutaire : s'il a avantagé l'UMP, il ne l'a pas fait dans des proportions scandaleuses et il n'a d'ailleurs pas empêché la victoire de la gauche en 2012. Désormais, l'écart de population entre les deux extrêmes est de un à deux : la circonscription la plus peuplée l'est deux fois plus que la circonscription la moins peuplée.

152 UN SCRUTIN UNINOMINAL, MAJORITAIRE, À UN OU DEUX TOURS. — Le scrutin est uninominal, majoritaire et il est susceptible d'un deuxième tour. Il est uninominal dans la mesure où les candidatures sont individuelles : chaque circonscription désigne un député, et un seul, qui s'est présenté sur son nom. L'article 25 de la Constitution, complété par une loi organique, précise cependant qu'un suppléant est élu en même temps et de façon solidaire : il a pour vocation de remplacer le député dont le siège serait devenu vacant (démission, décès, etc.). Le suppléant achève le mandat en cours, sauf dans une circonstance, objet de la loi constitutionnelle du 23 juillet 2008 qui a ajouté un membre de phrase au deuxième alinéa de l'article 25. Sans qu'il soit mis fin à l'incompatibilité entre mandat parlementaire et fonction ministérielle, il est désormais entendu qu'un parlementaire qui accepterait d'entrer au Gouvernement retrouvera son siège à la fin de son activité ministérielle. Le remplacement est donc « temporaire ». Le dispositif, recommandé en 1993 par le comité Vedel, a des vertus : il incite les parlementaires à accepter des responsabilités ministérielles car ils sont assurés de regagner les bancs de leur assemblée, il écarte les démissions de complaisance de la part de suppléants et donc les élections législatives partielles. La loi organique n° 2009-38 du 13 janvier 2009 a été cependant amputée par la décision du Conseil constitutionnel n° 2008-572 DC du 8 janvier 2009 : le projet de loi organique permettait à l'ancien ministre de renoncer à son siège dans le délai d'un mois et à rendre son remplacement définitif. Cette faculté lui a été refusée : le remplacement étant « temporaire », le député retrouve automatiquement son siège. S'il ne le souhaite pas, il ne lui reste plus qu'à démissionner et à provoquer une élection partielle (Jérôme Cahuzac a renoncé à son siège en avril 2013, ce qui a conduit à l'organisation d'une élection législative partielle dans la troisième circonscription du Lot-et-Garonne, les 16 et 23 juin).

Le scrutin uninominal est l'antithèse du scrutin de liste où plusieurs candidats sont rassemblés sur une même liste, tout ou partie d'entre eux étant le cas échéant proclamés élus. Le scrutin uninominal se conjugue nécessairement avec le scrutin majoritaire, puisqu'une représentation proportionnelle suppose au moins deux postes à pourvoir dans une même circonscription, tandis que le scrutin de liste emporte en général la représentation proportionnelle, mais tolère le scrutin majoritaire (ainsi la désignation des grands électeurs présidentiels aux États-Unis). Le scrutin majoritaire signifie que le candidat arrivé en tête est élu. Il connaît cependant des variantes. En France, à l'inverse des pays anglo-saxons, il envisage un deuxième tour. L'expression semble inutilement complexe mais elle est plus exacte qu'« à deux tours ». En effet, comme pour l'élection présidentielle, le premier tour est suffisant toutes les fois que le candidat arrivé en tête réunit une majorité absolue des suffrages exprimés (et aussi un quart des inscrits). Dans le cas contraire, un deuxième tour est organisé. Peuvent y accéder tous les candidats ayant obtenu un total de voix supérieur à 12,5 % des inscrits. À l'inverse de l'élection présidentielle, cette fois-ci, un duel n'est donc pas provoqué : les triangulaires sont possibles (une quarantaine en 2012), voire les quadrangulaires (le dernier exemple remonte à 1973). Plus l'abstention est forte, moins les triangulaires sont nombreuses puisque le seuil est arrêté sur la base des électeurs inscrits et non des suffrages exprimés.

153 EFFETS DU SCRUTIN MAJORITAIRE À DEUX TOURS. — Le scrutin majoritaire amplifie toujours les résultats, c'est-à-dire que les sièges obtenus ne sont pas proportionnels aux voix récoltées, mais la perspective d'un second tour atténue la brutalité du tour unique. Si le bipartisme est lié au scrutin majoritaire à un tour parce que les candidats d'une même sensibilité politique se regroupent dans de vastes formations pour l'emporter au niveau national, en revanche, le scrutin majoritaire à deux tours favorise la formation de deux camps qui ne coïncident pas avec les contours des partis. Ainsi, le parti socialiste, le parti communiste, les Verts, s'ils n'ont pas conclu un accord avant le premier tour, appliquent souvent « la discipline républicaine » qui veut que le candidat le moins bien placé se désiste en faveur du mieux placé afin de faire triompher les couleurs de la gauche plutôt que celle de la droite. Le même phénomène était observé lorsque le RPR et l'UDF n'avaient pas réuni leurs forces dans l'UMP (devenue Les Républicains en 2015) : il est vrai que l'accord était généralement antérieur au premier tour et que les circonscriptions avaient été préalablement réparties entre les candidats de l'un et de l'autre parti. L'adage « Au premier tour on choisit, au second tour on élimine » se vérifie : il permet à toutes les nuances politiques de concourir, il autorise le vote marginal, perdu ou protestataire, mais il incite aussi au rassemblement des forces entre les deux tours – si les chances de succès paraissent minces, la préférence sera donnée au candidat idéologiquement le moins éloigné de ses propres convictions. La formation d'un « front républicain » le prouve avec éclat : les partis dits « de Gouvernement » mettent tout en œuvre pour éliminer les extrêmes. Absent du deuxième tour le 23 juin 2013 dans la troisième circonscription du Lot-et-Garonne, le parti socialiste avait invité ses électeurs à voter en faveur du candidat UMP pour écarter celui du Front national. Un tel « front républicain » n'a pas joué en 2017 tant LREM a écrasé la gauche comme la droite ; les élections de 2022 permettront de savoir si le paysage politique a été durablement modifié.

154 LA REPRÉSENTATION PROPORTIONNELLE. — On l'a dit, une exception a eu lieu en 1986 : la VIIIe législature a été désignée à la représentation proportionnelle à la plus forte moyenne dans le cadre des départements. En 1985, le Gouvernement de Laurent Fabius, voulant atténuer ou conjurer la défaite annoncée, avait délaissé le scrutin majoritaire. La manœuvre n'a pas porté ses fruits : elle n'a pas empêché la constitution d'une majorité absolue de députés RPR et UDF, tandis qu'elle a ouvert l'hémicycle à trente-cinq membres du Front national. Très rapidement, le Gouvernement de Jacques Chirac a rétabli le scrutin majoritaire, lequel n'a pas été un obstacle à la victoire, certes étriquée, du parti socialiste en 1988 (IXe législature). Si la droite est très attachée au scrutin majoritaire, le parti socialiste a bien du mal à s'en priver car il est parfaitement conscient des bénéfices qu'il en retire en tant que parti dominant à gauche. Il a été plusieurs fois question d'introduire une « dose » de représentation proportionnelle, à la hauteur de 10, 15 ou 20 % des sièges, mais les divers projets n'ont jamais abouti. La commission de rénovation et de déontologie de la vie publique présidée par Lionel Jospin en 2012 avait suggéré 10 % et un scrutin de liste à un tour dans une circonscription unique, sans exigence de seuil. Cette proposition n'a pas plus prospéré. Réclamée par tous les partis minoritaires, notamment les Verts, le Modem ou le Front national, la représentation proportionnelle serait surtout précieuse à ce qui est devenu le « Rassemblement national » car il est isolé. En sens inverse, les Verts s'accommodaient du scrutin majoritaire dès lors qu'ils parvenaient à nouer des accords préélectoraux avec le parti socialiste : la candidature commune dès le premier tour était une sorte de succédané à la « dose » de représentation proportionnelle. Le même phénomène a été observé en 2017 au profit du Modem qui avait obtenu des circonscriptions « réservées » de la part de LREM. La « discipline républicaine » joue un rôle comparable mais elle suppose d'arriver en tête à l'issue de la lutte fratricide du premier tour. Pour toutes ces raisons, les partis minoritaires aimeraient modifier la législation électorale. Les espoirs ont été encore déçus durant le quinquennat d'Emmanuel Macron : le projet de loi constitutionnelle du 9 mai 2018 envisageait que 61 députés sur 404 fussent élus à la représentation proportionnelle (sans oublier les onze députés des Français de l'étranger), soit près de 18 % de l'ensemble ; le projet de loi constitutionnelle du 28 août 2019 allait plus loin en prévoyant une telle élection pour 87 députés sur 433 (et les onze députés des Français de l'étranger), soit près de 23 %. Dans les deux cas, le territoire national formait une seule circonscription et les listes en présence devaient obtenir au moins 5 % des suffrages pour obtenir des sièges.

II | L'ÉLECTION DES SÉNATEURS

155 MODE DE SCRUTIN ET DURÉE DU MANDAT. — Les sénateurs, au nombre de 348, sont élus au suffrage universel indirect pour une durée de six ans – leur éligibilité se distingue aujourd'hui à peine de celle des députés : les candidats doivent être âgés de 24 ans, au lieu de 30 ans avant 2011 et de 35 ans avant 2004, la différence entre les deux Chambres étant le moyen traditionnel de rendre la Chambre haute plus expérimentée et censément plus avisée. Le nombre des sénateurs est nettement plus faible que celui des députés : il s'agit là encore d'un principe assez commun du bicamérisme. L'écart est sans incidence lorsque les assemblées sont parfaitement autonomes et ne se réunissent jamais (ainsi aux États-Unis) ; il prend toute son importance chaque fois que les Chambres sont réunies et que le vote a lieu par tête, ce qui est presque toujours le cas : la Chambre basse est avantagée. L'article 68 de la Constitution érige le Parlement en Haute Cour, l'article 89 en Congrès : la majorité requise est des deux tiers dans un cas, des trois cinquièmes dans l'autre. Dans cette dernière hypothèse, des députés unanimes seraient en mesure d'imposer leur volonté à des sénateurs unanimes d'une opinion contraire. Bien sûr, les clivages politiques rendent ce scénario improbable, mais il éclaire le rapport de force entre les deux Chambres. Comme pour les députés, la loi constitutionnelle du 23 juillet 2008 a fait du nombre de 348 sénateurs, atteint en 2011, un plafond qui ne pourrait être modifié à la hausse qu'en révisant la Constitution. Sous cette réserve, toute modification de la répartition des sièges de sénateurs ne peut se faire qu'à somme nulle. Il en va de même si la législation organique diminuait le nombre de sièges de sénateurs : durant le quinquennat d'E. Macron, il avait été proposé sans succès de passer à 244 sièges en 2018, puis 261 en 2019. En revanche, contrairement aux députés, la durée du mandat des sénateurs a été bouleversée : de neuf ans autrefois, elle a été fixée à six ans depuis la loi organique n° 2003-696 du 30 juillet 2003. Hier comme aujourd'hui, il est un principe inchangé : si l'Assemblée nationale est une Chambre renouvelée intégralement tous les cinq ans, le Sénat est une assemblée permanente qui fait l'objet de renouvellements partiels. Les sénateurs sont répartis en deux classes (et non plus trois) : le Sénat est renouvelé par moitié tous les trois ans. La conséquence est nette : alors que la Chambre basse traduit d'un coup la volonté des électeurs, les soubresauts de la vie électorale sont atténués à la Chambre haute puisqu'elle conserve la moitié de ses membres à chaque renouvellement partiel. Voilà qui ajoute à la pondération et à la sérénité des débats au palais du Luxembourg. En même temps, des élections sénatoriales ont lieu tous les trois ans, elles sont donc plus fréquentes que les élections législatives : les premières annoncent parfois les résultats des secondes – ainsi en 2011 et en 2012, d'autant que les élections sénatoriales de 2011 redistribuaient pour la première fois la moitié des sièges et non le tiers. L'amplification du résultat a permis la victoire de la gauche.

156 LE SUFFRAGE INDIRECT. — Le suffrage universel indirect signifie que la volonté des électeurs est filtrée par de « grands » électeurs à qui il appartient de désigner les sénateurs. Il est crucial de noter que l'élection n'est pas spéciale, comme l'est celle des grands électeurs présidentiels aux États-Unis : en France, les électeurs ne sont pas convoqués pour un objet exclusif qui serait la désignation des grands électeurs sénatoriaux. Sont tels, outre les députés et les sénateurs du département, les conseillers régionaux, les conseillers départementaux et des délégués municipaux. Lors des élections municipales, départementales, régionales ou législatives, les électeurs ne pensent sans doute pas au candidat au Sénat que favoriseront leurs élus… Il n'y a pas *un* collège électoral sénatorial puisque le scrutin a lieu dans le cadre des départements, sans oublier les douze sièges réservés aux Français de l'étranger. Les grands électeurs sont près de 150 000, dont 142 000 délégués municipaux. Ceux-ci représentent 95 % de l'ensemble. C'est pourquoi Gambetta faisait du Sénat « le grand conseil des communes de France » ou que, transposant une formule du doyen Vedel, on peut y voir « l'assemblée du seigle et de la châtaigne ».

Trois questions réclament une élucidation. Quels sont les grands électeurs ? Comment les sièges sont-ils répartis ? Comment sont-ils pourvus ? Quant à l'identification des grands électeurs, elle ne pose de difficultés qu'à l'endroit des délégués municipaux : dans chaque département, font partie du collège électoral les députés et sénateurs élus dans le département, les conseillers régionaux de la section départementale, les conseillers départementaux – et un certain nombre de délégués municipaux. Faut-il retenir tous les conseillers municipaux ? Une partie d'entre eux ? Eu égard à la masse des petites communes en France, le risque est de les surreprésenter au sein des collèges électoraux : tel était et serait le cas si chaque commune envoyait un délégué. Les leçons de la démographie seraient niées. C'est donc une échelle partiellement proportionnelle qui a été retenue : plus les communes sont peuplées, plus elles désignent de grands électeurs, sans toutefois en envoyer autant que ce que permettrait leur poids démographique. Pour les communes de moins de 9 000 habitants, les conseils municipaux désignent de un à quinze délégués élus en leur sein. Pour les communes abritant de 9 000 à 30 000 habitants, tous les conseillers municipaux sont grands électeurs. Pour les communes de plus de 30 000 habitants, non seulement tous les conseillers municipaux sont grands électeurs, mais ils désignent en outre un délégué supplémentaire par tranche de 800 habitants. La loi n° 2013-702 du 2 août 2013 a réduit la tranche de 1 000 à 800 habitants afin de renforcer le poids électoral des grandes villes. Il reste que les petites communes rurales sont avantagées dans la plupart des départements.

Le déséquilibre serait en partie corrigé si les sièges étaient répartis proportionnellement à la population de chaque département. Tel n'est pas le cas : puisque le Sénat représente les collectivités territoriales, le critère démographique est moins strict qu'à l'Assemblée nationale. Le Conseil constitutionnel se contente d'une prise en compte de la population qui réside dans les collectivités territoriales (décision n° 2000-431 DC du 6 juillet 2000). Le résultat est que l'inégalité entre les départements est flagrante, malgré son atténuation par la loi n° 2003-696 du 30 juillet 2003 : alors que le déséquilibre était dans un rapport de un à cinq avant 2003, il est encore de un à quatre aujourd'hui. Un sénateur de la Creuse est élu par 59 000 habitants, un sénateur du Var par 250 000 habitants. Dans le même sens, si les départements les moins peuplés ne désignent plus qu'un député depuis 2012, ils continuent à élire deux sénateurs. Le facteur institutionnel vient ici nuancer le facteur démographique. Le département le plus peuplé envoie seulement six fois plus de sénateurs que les départements les moins peuplés : le rapport est de un à vingt et un pour les circonscriptions législatives.

157 DUALITÉ DU MODE DE SCRUTIN. — Le mode de scrutin, enfin, n'est pas uniforme. Il est mixte ou plutôt double : selon le nombre de sénateurs alloués à chaque département, l'élection a lieu au scrutin majoritaire ou bien à la représentation proportionnelle. La législation a été remodelée à de nombreuses reprises dans la période récente. Avant 2013, les sénateurs étaient élus au scrutin majoritaire dans les départements qui désignent deux ou trois sénateurs, à la représentation proportionnelle dans les autres départements. Près de la moitié des sénateurs était élue au scrutin majoritaire (48 %), le reste à la représentation proportionnelle (52 %). L'équilibre semblait trouvé. Mais la loi du 2 août 2013 a opté pour la représentation proportionnelle dans les départements dotés de trois sénateurs et plus, de sorte que 70 % des sénateurs sont aujourd'hui élus selon ce mode de scrutin. La représentation proportionnelle est favorable à la parité, veau d'or de la vie publique contemporaine. Elle est aussi favorable à la gauche qui peut espérer gagner tels sièges de sénateur là où le scrutin majoritaire avantage les notables plutôt conservateurs qui séduisent les délégués municipaux « sans étiquette ». Cela n'a pas empêché que la droite redevienne majoritaire en septembre 2014 et qu'elle le soit restée en 2017.

158 SUPPLÉANCE. — Les règles de suppléance en sont compliquées. Là où les sénateurs sont élus au scrutin majoritaire, ils sont flanqués d'un suppléant. Son utilité est la même qu'à l'Assemblée nationale : il comble une vacance, il remplace temporairement en cas d'acceptation de fonctions ministérielles par un sénateur (voir *supra*). En revanche, là où les sénateurs sont élus à la représentation proportionnelle, ils n'ont pas un suppléant, mais un remplaçant, le premier candidat non élu qui figure sur la liste. Il est précisé que celui qui serait devenu sénateur de façon temporaire, en raison d'une entrée au Gouvernement, est replacé en première position sur la liste (article LO 320 du code électoral). S'il n'y a plus de suppléant ou de remplaçant, des élections partielles sont organisées.

III | LE MANDAT PARLEMENTAIRE

159 LA PROHIBITION DU MANDAT IMPÉRATIF (ARTICLE 27 DE LA CONSTITUTION). — Principe traditionnel du droit public français depuis la Révolution, la prohibition du mandat impératif signifie que les parlementaires n'ont pas à respecter les instructions émanées de leurs commettants ou à leur en réclamer pour agir. Tel était souvent le cas sous l'Ancien Régime : ainsi en Pologne lors de la réunion des diètes ou en France à l'occasion des États Généraux. La rupture a précisément eu lieu en juin 1789 lorsque les délégués du Tiers État ont refusé de se considérer liés par les cahiers généraux ou par leurs ordres de mission. Le mandat dit « représentatif » est synonyme de pleine liberté d'opinion et de vote durant toute la durée du mandat : le député ou le sénateur vote en conscience. Les immunités en sont la garantie (voir *infra*), tandis que la publicité des séances et des votes d'une part, le vote personnel de l'autre en sont la contrepartie ; eux seuls mettent les électeurs en mesure de vérifier si l'action de leur représentant est conforme à leurs vœux ; mais la sanction ne saurait être qu'électorale et politique à l'occasion d'une nouvelle élection, ce qui suppose que le représentant brigue à nouveau les suffrages de ses concitoyens. Même la révocation en cours de mandat (appelé *recall* aux États-Unis) n'altère pas le principe : elle écourte le mandat, elle ne contraint pas l'élu à opiner dans tel ou tel sens.

160 LA PROTECTION DU MANDAT : LES IMMUNITÉS. — L'article 26 de la Constitution est généralement interprété comme établissant une distinction entre deux types d'immunité : une immunité de fond ou irresponsabilité, et une immunité de procédure ou inviolabilité. La première interdit tout acte de poursuite, d'arrestation, de détention et de jugement à l'endroit d'un parlementaire pour « les opinions ou votes émis par lui dans l'exercice de ses fonctions ». Dans le prolongement du mandat représentatif, on veut assurer la pleine liberté d'expression du parlementaire à l'occasion des travaux parlementaires et à l'intérieur de l'hémicycle. La seconde immunité interdit toute arrestation et toute mesure restrictive, voire privative de liberté en matière criminelle ou correctionnelle, sauf l'autorisation du bureau de l'assemblée parlementaire concernée, et sous réserve de flagrance ou de condamnation définitive qui se dispensent d'une telle autorisation. L'assemblée a cependant la faculté, depuis 1995, de suspendre tous ces actes pendant la durée de la session. On fera deux remarques. D'une part ces règles, traditionnelles, visent à protéger le parlementaire contre toute menace ou intimidation, qu'elles viennent des autres pouvoirs publics ou même des citoyens – les immunités vont de pair avec le mandat représentatif. D'autre part il y aurait matière à contester l'inscription de l'irresponsabilité dans la catégorie des immunités : ici, nulle exemption de la loi, comme c'est le cas avec l'inviolabilité ou même avec le privilège de juridiction accordé au président de la République et aux ministres, mais exception à la loi. L'élément légal de l'infraction est supprimé en matière d'opinions et de votes, ce qui paralyse au passage toute poursuite contre un complice éventuel. Rien de tel au titre de l'inviolabilité : la règle de droit existe bel et bien, elle est cependant aménagée ou écartée quand elle s'applique aux parlementaires. C'est bien pour cette raison que la « levée » de l'immunité s'entend toujours de la décision du bureau relativement aux faits criminels ou délictuels reprochés à un parlementaire.

Dans la période récente, le Sénat a été davantage sollicité que l'Assemblée nationale : Gaston Flosse, sénateur de Polynésie française et Jean-Noël Guérini, sénateur des Bouches-du-Rhône, ont vu leur immunité levée à deux reprises, l'un en 2009, l'autre en 2012. Non sans mal, ce fut également le sort de Serge Dassault en 2014 et de deux autres sénateurs en 2015. Les députés ne sont pas épargnés : Sylvie Andrieux, député des Bouches-du-Rhône, a perdu son immunité en 2010, Patrick Balkany, député des Hauts-de-Seine, en 2015, Gilbert Collard et Marine Le Pen en 2017, Thierry Solère en 2018. Le bureau des assemblées accepte en général de lever l'immunité, mais pas toujours : celui du Sénat s'y est ainsi refusé le 29 mai 2013 à l'endroit de Jean Germain, sénateur-maire de Tours – le juge d'instruction voulait le placer en garde à vue, or le bureau a estimé la requête insuffisamment fondée.

160 *bis* LA PERTE DU MANDAT. — Si les assemblées exercent une police disciplinaire sur leurs membres, consignée dans leurs règlements, elle ne va pas jusqu'à priver un parlementaire de son mandat. Le rappel à l'ordre (infligé à trois députés de l'UMP en avril 2013 après une séance houleuse consacrée à la loi ouvrant le mariage aux personnes de même sexe, à un autre député UMP en octobre 2014 qui utilisait « Mme le président » plutôt que « Mme la présidente » ou encore à une députée LREM qui organisait des visites payantes du Palais-Bourbon), la censure simple, la censure avec exclusion temporaire (prononcée contre le député communiste Maxime Gremetz en 2011), même accompagnées d'une suspension du traitement, n'en sont que de pâles succédanés. Seul le Conseil constitutionnel est amené à déchoir un parlementaire de son mandat. Ce fut l'une des innovations les plus remarquables de la Ve République et une pièce essentielle de la rationalisation du parlementarisme. L'article 59 de la Constitution dispose que le Conseil statue « sur la régularité de l'élection des députés et des sénateurs ». Autrefois, les Chambres se prononçaient elles-mêmes au nom de leur autonomie et de la séparation des pouvoirs : la règle est traditionnelle dans les systèmes constitutionnels étrangers. En France, depuis 1958, le contentieux des élections parlementaires est confié à un juge. Outre les inéligibilités et les incompatibilités (voir *infra*), le Conseil constitutionnel évalue la liberté et la sincérité du scrutin. S'il estime qu'elles sont gravement altérées, il a non seulement le pouvoir d'annuler l'élection, mais aussi, dans certaines hypothèses, celui de déclarer inéligible tel candidat et de réformer l'élection en proclamant élu un autre candidat que celui arrivé en tête. Une seule fois le pouvoir de réformation a été utilisé (décision n° 2014-4902 SEN du 12 février 2015). En revanche, le Conseil n'hésite pas à annuler des élections litigieuses et à déclarer un ou des candidats inéligibles pour une durée maximale de trois ans dès lors qu'ils auraient méconnu les règles de financement des campagnes électorales ou qu'ils auraient commis une fraude (articles 41 et 41-1 de l'ordonnance portant loi organique du 7 novembre 1958, articles LO 136-1 et LO 136-3 du code électoral). Le contentieux des dernières élections législatives l'a prouvé. Deux cent quatre-vingt-dix-huit contestations ont été recensées et huit annulations ont été prononcées. Les conséquences sont plus redoutables lorsqu'un grief financier est accueilli car le dépassement du plafond des dépenses électorales, l'omission du dépôt du compte de campagne ou le rejet du compte de campagne emportent à la fois l'annulation de l'élection et l'inéligibilité. Elle est souvent d'une année. Ainsi la décision n° 2012-4551 AN du 15 février 2013 a annulé les opérations électorales dans la première circonscription des Français établis hors de France et a déclaré la candidate élue inéligible pour un an.

161 LES INÉLIGIBILITÉS ET LES INCOMPATIBILITÉS. — Elles ont en commun d'interdire l'exercice d'un mandat parlementaire à certaines personnes ou à raison de certaines circonstances. Mais leur philosophie et leur régime juridique diffèrent profondément. L'inéligibilité protège les électeurs contre eux-mêmes, c'est-à-dire contre de mauvais choix, tandis que l'incompatibilité protège l'élu car elle lui évite d'être placé dans une situation difficile, souvent de nature à mettre en cause son indépendance. En outre, l'inéligibilité est un obstacle à la candidature elle-même : celle-ci doit être refusée par les autorités administratives compétentes, alors que l'incompatibilité n'empêche pas de concourir – elle indique ou contraint à un choix en cas de succès.

162 ÉLIGIBILITÉ ET INÉLIGIBILITÉS. — En principe, l'éligibilité ne se distingue pas de l'électorat : tous les électeurs sont éligibles à quelques conditions près. On en a évoqué deux : une condition d'âge pour briguer un siège au Parlement, étant rappelé que l'éligibilité tend à se claquer sur la majorité civique, soit 18 ans (il n'y a plus qu'au Sénat qu'il faut avoir atteint 24 ans) ; une condition de capacité, au sens du droit civil, qui exclut notamment les majeurs sous tutelle ou curatelle. L'objectif est de réserver la fonction élective aux plus éclairés : les incapables, les mineurs, certains majeurs capables même ne sont pas qualifiés pour accomplir un mandat parlementaire. Mais les inéligibilités visent aussi et surtout à proscrire toute séduction de l'électorat par des personnes en position d'autorité : le Défenseur des droits pendant toute la durée de ses fonctions, les préfets dans le ressort de leur circonscription (y compris trois ans après la fin de leur activité), les magistrats, les recteurs d'académie, les inspecteurs du travail, etc. dans le ressort de leurs circonscriptions respectives et tant qu'ils sont en exercice, voire un an après. Longue est la liste de l'article LO 132 du code électoral. Sont encore inéligibles tous ceux qui ont été déclarés tels par un juge : comme en dispose l'article LO 128 du code électoral, ils « ne peuvent pas faire acte de candidature ». L'inéligibilité a en effet un caractère préventif et absolu : elle empêche la candidature, elle entraîne la déchéance de plein droit du mandat si elle est découverte postérieurement à l'élection (article LO 136). La volonté de limiter le cumul de mandats électifs dans le temps s'inscrivait dans le cadre des incompatibilités : un projet de loi organique, en mai 2018, puis en août 2019, interdisait le cumul de plus de trois mandats consécutifs identiques. Il est peu probable qu'il soit adopté avant la fin du quinquennat d'E. Macron.

163 LES INCOMPATIBILITÉS. — Les incompatibilités n'ont pas cette allure sévère. Elles contraignent à un choix entre deux mandats ou fonctions qui ne sauraient être exercés dans le même temps. Pour que l'élu se consacre entièrement à son mandat, pour ne pas blesser la séparation des pouvoirs ou encore pour éviter tout conflit d'intérêt, il doit opter. Ces trois raisons agissent parfois ensemble : ainsi il est interdit d'être à la fois député et sénateur, ou encore membre du Parlement d'une part et d'autre part membre du CESE ou du Parlement européen ou du Conseil constitutionnel. On a souligné par ailleurs que les ministres n'étaient pas autorisés à conserver leur siège parlementaire (voir *supra*). Dans le même ordre d'idées, les missions temporaires confiées par le Gouvernement à des députés ou à des sénateurs ne doivent pas excéder six mois. La grande affaire de la XIVe législature aura été celle du cumul des mandats, entendu *stricto sensu* comme le cumul d'un mandat parlementaire et de mandats électifs locaux. Parmi tous les pays occidentaux, la France se distingue par un cumul quasiment généralisé puisque 80 % des parlementaires détiennent en outre un mandat local. La loi électorale a été modifiée plusieurs fois afin d'atténuer la portée du cumul : jusqu'en 2014, celui-ci était borné à deux mandats, parfois trois. Un parlementaire pouvait être également conseiller régional, conseiller général, conseiller de Paris, conseiller d'une commune de plus de 3 500 habitants. La règle était imparfaite : d'une part elle ne tenait pas compte de l'intercommunalité au succès grandissant, d'autre part elle ne réservait pas un sort particulier aux fonctions exécutives locales, enfin elle permettait de cumuler trois mandats dès lors que l'un d'entre eux était celui de conseiller municipal d'une commune de moins de 3 500 habitants. La bataille a fait rage au sein de la classe politique et particulièrement au sein du parti socialiste lui-même : l'Assemblée nationale a dû trancher en dernier ressort, et à la majorité absolue requise, contre un Sénat hostile. La loi organique n° 2014-125 du 14 février 2014 ne fait pas de différence entre les députés et les sénateurs : elle proscrit tout cumul avec une fonction exécutive locale, quelle que soit la taille de la commune et en incluant les structures intercommunales.

De façon générale, les militaires, les magistrats, les dirigeants des entreprises publiques, para-publiques ou faisant appel à des fonds publics, et tous les fonctionnaires publics ou presque sont dans une situation d'incompatibilité : ils doivent choisir entre leur activité professionnelle et leur mandat parlementaire (article LO 151-1 du code électoral). L'objectif est ici de protéger le mandat : un député ou un sénateur serait embarrassé s'il était soumis au principe hiérarchique, pierre angulaire du droit de la fonction publique, ou s'il devait attendre des avantages de la part de la puissance publique. L'indépendance de l'élu est en jeu : si elle n'exige pas la démission du fonctionnaire public (celle du député UMP Bruno Le Maire en 2012 fut une exception), elle veut qu'il soit placé dans une position statutaire spéciale, le plus souvent le détachement. Près de la moitié des députés est issue de la fonction publique, la proportion est moindre au Sénat. Depuis la loi organique n° 2013-906 du 11 octobre 2013, les fonctionnaires élus au Parlement sont désormais placés en disponibilité (ils perdent ainsi l'avancement dans le corps d'origine pendant la durée du mandat). La loi ordinaire n° 2013-907 du même jour a renforcé les incompatibilités : les parlementaires ne pourront plus exercer une fonction de conseil. Ces deux lois, relatives à la transparence de la vie publique, cherchent à éviter tout conflit d'intérêts : pour cette raison, les députés et sénateurs sont obligés de remettre une déclaration de situation patrimoniale et une déclaration d'intérêts à une nouvelle autorité administrative indépendante, la Haute autorité de la transparence de la vie publique. L'Assemblée nationale et le Sénat ont cependant divergé quant à la publicité assurée à ces déclarations (c'est pourquoi la Chambre basse a tranché en dernier ressort) : le Gouvernement et le Sénat désiraient une publicité sans conditions, tandis que les députés ont souhaité la restreindre – les électeurs peuvent prendre connaissance des déclarations de situation patrimoniale en préfecture mais toute divulgation est interdite, sous peine d'une amende de 45 000 euros.

Section IV
L'organisation des Chambres

164 LES GROUPES PARLEMENTAIRES. — Bien que les parlementaires soient les élus de la nation et non d'une circonscription ou d'un parti, ils se rassemblent par affinités politiques au sein de chaque Chambre. Les groupes parlementaires ont été longtemps inconnus de la Constitution (l'article 51-1 date de 2008). Ils forment pourtant l'épine dorsale des assemblées et figurent en bonne place dans leurs règlements respectifs : reproductions en miniature des partis politiques mentionnés à l'article 4 de la Constitution, ils jouent un rôle crucial dans l'attribution du temps de parole, dans la composition du bureau, de la conférence des présidents, des commissions permanentes, spéciales ou d'enquête. On comprend quel risque courait l'UMP, à la fin de 2012 et au début de 2013, en se scindant en deux groupes parlementaires, l'un fidèle à Jean-François Copé, l'autre à François Fillon. Les groupes, qui ont le statut d'association au sens de le la loi de 1901, comprennent quinze membres à l'Assemblée nationale, dix au Sénat – un nombre en baisse constante sous la pression des partis minoritaires, notamment le PCF et les Verts, qui ont obtenu de leurs alliés les moyens de peser dans les débats parlementaires alors que leurs troupes diminuaient. Aujourd'hui, le Sénat comprend sept groupes et l'Assemblée nationale dix : signe d'une majorité parlementaire qui s'effrite, deux nouveaux groupes y ont été créés en mai 2020, de sorte que LREM a perdu la majorité absolue qui était la sienne depuis 2017.

On compte trois types de groupes : le groupe majoritaire, le ou les groupes d'opposition, le ou les groupes minoritaires, c'est-à-dire ceux qui soutiennent la majorité sans s'y identifier ou qui se tiennent à égale distance de la majorité et de l'opposition. La distinction est récente et elle a son importance : le président de la commission des finances de l'Assemblée nationale doit être issu d'un groupe de l'opposition (article 39 du Règlement de l'Assemblée nationale ou RAN), il s'agit aujourd'hui du député LR Éric Woerth ; les présidents ou les rapporteurs des commissions d'enquête viennent nécessairement d'un groupe d'opposition (article 143 RAN), à l'instar de Charles de Courson, député UDI et président de la commission d'enquête formée en réaction à l'affaire Cahuzac ; un jour de séance par mois est réservé aux groupes minoritaires et d'opposition (article 48 de la Constitution) ; les groupes minoritaires et d'opposition ont la faculté de demander la création d'une commission d'enquête une fois par session ordinaire (article 141 RAN). Les Verts en ont usé le 2 novembre 2012 dans le contexte de l'affaire Merah : la commission « sur le fonctionnement des services de renseignement français dans le suivi et la surveillance des mouvements radicaux armés » a été constituée le 5 décembre ; elle a rendu son rapport le 24 mai 2013. Des députés LR ont obtenu de leur côté, le 26 janvier 2016, la création d'une commission « relative aux moyens mis en œuvre par l'État pour lutter contre le terrorisme depuis le 7 janvier 2015 ». Son rapport date du 5 juillet 2016. Plus récemment, le 15 octobre 2019, les députés LR ont réclamé la mise en place d'une commission d'enquête sur les attaques à la préfecture de police de Paris le 3 octobre précédent.

165 La présidence des Chambres. — Les Chambres sont dirigées par un président, dont l'article 32 de la Constitution précise qu'il est élu pour la durée de la législature à l'Assemblée nationale et après chaque renouvellement partiel au Sénat, soit tous les trois ans. Richard Ferrand préside la Chambre basse depuis septembre 2018 (il a succédé à François de Rugy, qui est resté au « perchoir » un peu plus d'une année), Gérard Larcher le Sénat depuis 2014 (après Jean-Pierre Bel, socialiste, entre 2011 et 2014). Les attributions du président ne se bornent pas à l'organisation des travaux de son assemblée, ni à la communication extérieure, il est l'interlocuteur privilégié de l'exécutif dans des circonstances graves (articles 12, 16 et 28), il saisit le Conseil constitutionnel en plusieurs circonstances (articles 16, 39, 41, 54, 61), il en nomme une partie des membres (article 54), il saisit le Conseil d'État pour avis (article 39), les deux présidents ensemble sont compétents pour provoquer la réunion d'une commission mixte paritaire (article 45), tandis que le président du Sénat assure l'intérim du président de la République (article 7). Le président est épaulé par le bureau et par la conférence des présidents : le premier joue un rôle administratif et financier (articles 14 et suivants RAN), la seconde est un organe plus politique. Elle est notamment chargée de proposer l'ordre du jour de l'assemblée (article 48 RAN).

166 LES COMMISSIONS PARLEMENTAIRES. — L'essentiel du travail parlementaire est accompli en commissions. Les commissions d'enquête sont un instrument de contrôle du Gouvernement et de l'administration ; elles ont fait leur apparition dans la Constitution en 2008 (article 53-2). Mais elles restent rares, de l'ordre de deux par an : soumises à des conditions draconiennes (incompatibles avec des poursuites judiciaires, durée de six mois), elles ont cependant des pouvoirs d'investigation redoutables (examen sur pièces et sur place, convocation assortie de sanctions lourdes) et les auditions sont publiques. Dans la période récente, les plus médiatiques ont été formées à l'Assemblée nationale : l'une a scruté les « éventuels dysfonctionnements dans l'action du Gouvernement » lors de l'affaire impliquant l'ancien ministre du Budget, Jérôme Cahuzac (2013), d'autres les « moyens mis en œuvre par l'État pour lutter contre le terrorisme depuis le 7 janvier 2015 » (2016) ou « les conditions d'abattage des animaux de boucherie dans les abattoirs français » (2016). Elles sont cependant marginales par rapport aux commissions permanentes qui sont au cœur de l'activité législative du Parlement mais qui ne se désintéressent pas des missions d'information et de contrôle – d'ailleurs, elles obtiennent à l'occasion les prérogatives confiées aux commissions d'enquête (article 5 *ter* de l'ordonnance n° 58-1100 du 17 novembre 1958). Ce fut le cas de la commission des lois de chacune des deux assemblées en décembre 2015 pour le contrôle de l'état d'urgence ou de la commission des lois du Sénat chargée de faire la lumière sur l'affaire « Benalla » en juillet 2018. En matière législative, et jusqu'en 2008, l'article 43 de la Constitution indiquait que la réunion d'une commission spéciale était le principe, celle de la commission permanente l'exception, illustration de la volonté des constituants de desserrer l'étreinte des commissions parlementaires sur l'action du Gouvernement – plus les parlementaires étaient expérimentés et compétents, plus ils risquaient d'embarrasser les ministres. C'est aussi pour cette raison que le nombre maximal des commissions était fixé à six, afin d'éviter qu'elles ne coïncident avec un département ministériel. La loi constitutionnelle du 23 juillet 2008 a mis le droit en accord avec le fait : les commissions spéciales étaient rares, les projets et propositions de loi étaient presque systématiquement envoyés à une commission permanente. Désormais, le principe est la compétence d'une commission permanente, une commission spéciale étant toujours possible à titre dérogatoire (ainsi, à l'Assemblée nationale, pour l'examen de la loi sur le système universel de retraite en janvier 2020). En outre, le nombre maximal de commissions permanentes a été porté à huit, signe d'un assouplissement du parlementarisme rationalisé. Elles sont huit à l'Assemblée, sept au Sénat. Une commission aux affaires européennes est en outre instituée dans chaque Chambre (article 88-4 de la Constitution).

Dans le même sens, l'article 42 de la Constitution dispose que, sauf exceptions, le texte discuté en séance publique doit être le texte adopté par la commission permanente compétente et non celui du Gouvernement. Pour l'avoir oublié, le Gouvernement de J.-M. Ayrault a été sanctionné par le Conseil constitutionnel : la loi « relative à la mobilisation du foncier public en faveur du logement » a été censurée par la décision n° 2012-655 DC du 24 octobre 2012. Voilà qui met de plain-pied avec le vote de la loi, donc avec le rôle du Parlement.

Leçon 8
Le rôle du Parlement

167 DEUX OU TROIS FONCTIONS ? — Il est généralement soutenu que le rôle du Parlement est double : à une fonction législative, la plus connue, s'ajouterait une fonction de contrôle qui culminerait dans la responsabilité politique du Gouvernement. L'article 24 de la Constitution de 1958 dispose en ce sens : « Le Parlement vote la loi. Il contrôle l'action du Gouvernement. Il évalue les politiques publiques » (l'évaluation précède et accompagne le contrôle). On serait cependant tenté d'ajouter une troisième fonction qu'on pourrait appeler la fonction élective. Lorsque le Parlement se réunit pour élire le président de la République – ainsi sous les IIIe et IVe Républiques ou aujourd'hui en Italie – ou lorsqu'il désigne des membres de la cour constitutionnelle – ainsi en Allemagne, en Espagne ou en Italie –, il n'élabore pas plus la loi qu'il ne contrôle tel organe puisque la nomination est forcément antérieure à toute surveillance. Or on s'aperçoit que cette fonction élective est atrophiée sous la Ve République : jamais le Parlement ne désigne à un emploi public. On comptera pour rien la désignation de membres pris en son sein pour peupler une institution ou un organisme (la Cour de justice de la République par exemple), ce que le règlement de l'Assemblée nationale range sous le vocable « Nominations personnelles », la Chambre fonctionnant alors comme « un corps électoral » (article 24 RAN). On ne fera pas grand cas non plus de la nouvelle procédure prévue à l'article 13, alinéa 5 de la Constitution : qu'il s'agisse de propositions faites par le président de la République ou par les présidents des assemblées, les commissions permanentes compétentes n'ont qu'un droit de veto (illustré pour la première fois le 15 janvier 2015 lorsque le choix d'un

membre du Conseil supérieur de la magistrature par le président de l'Assemblée nationale a été contrarié) et elles ne désignent pas directement et librement. On ajoutera que les parlementaires ne participent plus ès qualités à l'élection du président de la République depuis que le suffrage universel direct a remplacé le suffrage universel indirect. On n'oubliera pas, enfin, que le Premier ministre et le Gouvernement ne sont pas adoubés par le Parlement ou même par la seule Assemblée nationale : ils sont nommés par le président de la République (article 8) et nulle investiture n'est prévue.

168 UNE FONCTION ÉLECTIVE ATROPHIÉE. — Sous la Ve République, la fonction élective est confiée aux présidents des Chambres et non aux Chambres dans leur ensemble, peu importe qu'elles statuent ensemble ou séparément : le président de l'Assemblée nationale et le président du Sénat nomment chacun trois membres du Conseil constitutionnel (article 56), deux personnalités qualifiées pour siéger au Conseil supérieur de la magistrature (article 65) et un membre de la commission prévue à l'article 25 de la Constitution (article 1er de la loi n° 2009-39 du 13 janvier 2009). Tout cela fait sens : par défiance envers le Parlement, les constituants lui ont retiré toute attribution élective ; elle a été réservée aux présidents des Chambres sous une forme édulcorée. Exemple isolé, le Parlement de la Ve République est confiné dans une double tâche législative et surveillante.

Section I
La fonction législative

169 Le Parlement a la compétence exclusive d'adopter des actes juridiques appelés « lois », si on met de côté les lois référendaires de l'article 11. Le critère organique est rappelé par l'article 24 de la Constitution. Mais il doit être complété par un critère matériel pour les lois « ordinaires » : ce sont des actes juridiques adoptés par le Parlement dans des matières soigneusement identifiées. Il convient donc de préciser leur champ d'application et leur nature avant d'examiner la procédure législative.

I | Le domaine de la loi

170 La liste de l'article 34. — Avant 1958, un tel intitulé serait apparu incongru : « expression de la volonté générale » (article 6 de la Déclaration de 1789), la loi pouvait être votée dans n'importe quelle matière et pour n'importe quel objet. Il était difficile d'imaginer des bornes ou des limites à la volonté du peuple souverain exprimée par ses représentants. D'autant plus violente, au moins symboliquement, fut la « révolution » de 1958. Désormais la loi adoptée par le Parlement a une aire assignée ; la liste est fixée à l'article 34 de la Constitution, l'article 37 ajoutant que « les matières autres que celles qui sont du domaine de la loi ont un caractère réglementaire ». Il ne faut pas s'y tromper : la compétence réglementaire est le principe, la compétence législative l'exception. L'édiction des règles juridiques unilatérales (autres que constitutionnelles) appartient au pouvoir réglementaire, *sous réserve* des matières énumérées à l'article 34. Il est vrai que le catalogue est fourni : les libertés fondamentales, le droit civil, le droit pénal, la procédure pénale, la fiscalité, le droit électoral, etc. Chose très discutée en doctrine autrefois, il n'y a pas lieu de distinguer selon que « la loi fixe les règles » ou qu'elle « détermine les principes fondamentaux ». Les deux formules sont équivalentes. Le catalogue de l'article 34 n'est pas exclusif : la loi est encore exigée pour la ratification de certains traités ou accords internationaux (article 53) ou pour la création de collectivités territoriales (article 72), sans oublier ni les lois organiques prévues par des articles épars de la Constitution, ni les lois référendaires qui portent sur l'organisation des pouvoirs publics et la politique économique, sociale et environnementale de la nation (article 11). Une soixantaine de lois est adoptée chaque année en France.

171 Le respect du domaine réglementaire. — Le partage opéré par les articles 34 et 37 est révélateur du parlementarisme rationalisé : l'exécutif n'est plus seulement un exécutant, s'il l'a jamais été à titre exclusif, il acquiert un pouvoir réglementaire dit « autonome ». Affranchi de la prérogative législative, il s'épanouit sans rival dans toute une série de matières. Pour éviter la tentation d'un retour en arrière, pour chasser les vieux démons selon les vues gaulliennes, le Conseil constitutionnel est érigé en gardien sourcilleux de la frontière entre la loi et le règlement. Il intervient tout d'abord en vertu de l'article 37, alinéa 2 : les textes « de forme législative » empiétant sur le domaine réglementaire pourront être modifiés ou abrogés par décret dès lors que le Conseil constitutionnel aura « déclassé » le texte en cause en le déclarant de nature réglementaire. (S'agissant des textes antérieurs à la Constitution de 1958, le Gouvernement se contente d'un avis du Conseil d'État.) Le respect de la frontière tracée entre la compétence législative et la compétence réglementaire peut aussi conduire le Conseil constitutionnel à se prononcer au cours de la procédure législative (article 41) : si une proposition de loi ou un amendement parlementaire s'évade du domaine assigné à la loi, le Gouvernement ou, depuis 2008, le président de l'assemblée saisie est fondé à opposer l'irrecevabilité. En cas de désaccord entre l'un et l'autre, le Conseil tranche dans un délai de huit jours.

172 LE PARTAGE ENTRE LE DOMAINE DE LA LOI ET CELUI DU RÈGLEMENT AUJOURD'HUI. — Cette vision quelque peu martiale de la répartition des compétences doit être aujourd'hui nuancée : elle illustrait l'état d'esprit des constituants en 1958, elle ne correspond plus à la pratique. En effet, nombre de lois sont prises dans le domaine réglementaire, sans que le Gouvernement n'y mette obstacle : il trouve même souvent intérêt à une telle intrusion. Un intérêt politique : si la loi est conforme aux vues du Gouvernement, il est inutile de froisser les parlementaires, tandis que la solennité de la loi est appréciable. Un intérêt juridique : la loi, contrairement au règlement, échappe au contrôle de légalité exercé par le juge administratif. En conséquence, on ne compte que onze décisions prises sur le fondement de l'article 41, la dernière remonte à 1979, tandis que l'article 37, alinéa 2 est plus souvent sollicité, six à dix fois par an. La décision la plus retentissante, celle du 31 janvier 2006 n° 2006-203 L, a déclaré réglementaire l'article 4 de la loi du

23 février 2005 vantant « le rôle positif de la présence française [...] en Afrique du Nord » : le Conseil a estimé que le contenu des programmes scolaires ne relevait pas de la loi, en l'espèce des principes fondamentaux de l'enseignement visés à l'article 34 de la Constitution. Le Gouvernement a donc pu abroger par décret (n° 2006-160 du 15 février 2006) la disposition contestée, qui avait provoqué de vives tensions avec les anciennes possessions du Maghreb, notamment l'Algérie.

II | La typologie des lois

173 Caractères distinctifs des lois. — Les lois, dit-on, sont générales, abstraites et impersonnelles. Elles partagent cette triple qualité avec les règlements autonomes, sauf à remarquer que les unes et les autres ne le sont pas toujours : la loi peut être particulière, concrète et personnelle. Les exemples sont connus : la loi du 29 mars 1929 attribuait une pension exceptionnelle et viagère à la veuve du maréchal Foch, celle du 28 décembre 1967 exonérait la succession du maréchal Juin des droits de mutation, celle du 23 décembre 1970 en faisait de même pour la succession de Charles de Gaulle, etc. De façon générale, il existe tellement de types de loi que seul le critère organique est pertinent : une loi est un acte juridique adopté par le Parlement, y compris fictivement si on se rappelle la procédure de l'article 49, alinéa 3 de la Constitution, ou bien par le « peuple », c'est-à-dire par les électeurs si l'article 11 est sollicité.

174 Les lois constitutionnelles. — Les « lois » constitutionnelles répondent à cette définition : même si elles sont approuvées *in fine* par référendum, elles ont été au préalable adoptées en termes identiques par les deux Chambres (article 89 de la Constitution). Il existe pourtant de bonnes raisons de regretter l'expression « lois constitutionnelles » : selon les affirmations lumineuses du président Marshall dans l'arrêt *Marbury v. Madison* rendu par la Cour suprême des États-Unis en 1803, il ne servirait à rien d'avoir élaboré une Constitution écrite renfermant les principes fondamentaux d'une communauté si sa violation devait rester impunie. La Constitution est le texte suprême de l'ordre juridique : il s'impose à toutes autres normes juridiques, à commencer par les lois. Le monde de la Constitution et le monde de la loi sont distincts et hiérarchisés de façon efficace dès lors qu'un contrôle de constitutionnalité des lois est mis en place : il est donc absurde, comme le fait le *Journal officiel de la République française*, de publier des « lois » constitutionnelles. D'ailleurs, l'article 89 emploie le terme « révision » (qui n'est pas exempt de reproches : voir la leçon 11). Il serait préférable d'utiliser la formule « actes constitutionnels », si elle n'était connotée péjorativement à cause du régime de Vichy.

175 LES LOIS ORGANIQUES. — Les lois organiques se rapprochent des lois constitutionnelles en tant qu'elles sont matériellement constitutionnelles et formellement législatives. D'une part elles complètent les dispositions de la Constitution : prévues par tel ou tel article de la Constitution, elles touchent à une matière constitutionnelle (et échappent ainsi à la liste de l'article 34). D'autre part leur procédure d'adoption est originale : elle se distingue tant de la procédure arrêtée pour les révisions de la Constitution (article 89) que de la procédure législative ordinaire (article 45). Un délai de quinze jours est ainsi imposé entre le dépôt du texte et sa discussion ou le vote : la réflexion est requise pour des textes substantiellement constitutionnels – une exigence balayée par le Conseil constitutionnel qui, dans une décision n° 2020-799 du 26 mars 2020, a estimé que les « circonstances particulières de l'espèce », dans le contexte de l'épidémie de Covid-19, justifiaient un non-lieu à statuer. Les lois organiques sont d'ailleurs soumises à un contrôle de constitutionnalité obligatoire de la part du Conseil constitutionnel (article 61). Malgré cette soumission des lois organiques à la Constitution, on doute que la hiérarchie des autorités et des normes, qu'elle prenne ou non la forme d'une pyramide, soit parfaitement respectée dans l'hypothèse où la loi organique annoncée par la Constitution n'est pas édictée. Nulle hésitation lorsque la loi organique est adoptée : elle est envoyée au Conseil constitutionnel qui vérifie sa conformité à la Constitution. Mais que dire lorsque l'injonction du constituant est méconnue et que sa volonté en est paralysée ? Osera-t-on encore affirmer que l'organe constitué – le législateur organique – est soumis au constituant ? Deux dispositions de la Constitution sont ainsi restées lettre morte pendant de longues années : d'une part l'article 11 en tant qu'il établit le référendum d'initiative partagée, d'autre part l'article 68 et le statut « pénal » du président de la République. L'article 11 a été modifié en 2008, l'article 68 en 2007, et les lois organiques ont été prises respectivement en 2013 et en 2014. En n'obtempérant pas, le législateur organique se faisait constituant ou plutôt déconstituant.

176 LES LOIS « ORDINAIRES ». — Toutes les autres lois sont qualifiées d'« ordinaires », sous réserve de quelques variations procédurales. Les lois d'habilitation, les lois de ratification, les lois de finances, les lois de financement de la sécurité sociale, les lois de programmation, les « lois » (sans plus de précision), toutes partagent des caractéristiques communes : il s'agit d'actes juridiques unilatéraux, le plus souvent doués de généralité, d'abstraction et d'impersonnalité, votés par le Parlement principalement dans les matières de l'article 34, selon la procédure du titre V et dont le régime juridique est identique – le contrôle de légalité est interdit, à rebours du contrôle de constitutionnalité. La procédure d'adoption est en général calquée sur celle de l'article 45 : cela vaut pour les lois de finances et de financement de la sécurité sociale (articles 47 et 47-1), mais aussi pour les lois organiques (article 46). Quelques différences subsistent : ainsi des délais stricts sont imposés en matière financière et, s'ils ne sont pas respectés, le Gouvernement est autorisé à procéder par voie d'ordonnances qui, non ratifiées, ont une valeur réglementaire. D'où le sort spécial à réserver aux ordonnances de l'article 38 : analogues aux décrets-lois d'antan, elles constituent une intrusion (temporaire et précise) du Gouvernement dans le domaine législatif, à la condition qu'elle ait été autorisée par une loi d'habilitation. Au nom de la célérité, le Parlement s'est donc dessaisi, pour une durée brève, de son pouvoir législatif dans une matière donnée. Le point essentiel ici est que l'ordonnance, caduque si elle n'est pas déposée sur le bureau d'une assemblée, a une valeur soit législative, soit réglementaire selon qu'elle est ratifiée ou non par une loi, étant précisé que, depuis 2008, la ratification est toujours expresse. Les ordonnances acquièrent ainsi une valeur législative avec le consentement du Parlement.

177 LES LOIS RÉFÉRENDAIRES. — Il reste à examiner les lois référendaires. Elles se distinguent à de nombreux égards. En premier lieu, leur champ d'application, délimité à l'article 11, ne se confond pas avec la liste des matières de l'article 34. En second lieu, elles font l'économie du Parlement : à la différence de l'article 89, l'article 11 permet à l'exécutif de consulter directement le « peuple », et c'est pour cela que de Gaulle y a recouru deux fois en 1962 et en 1969. En troisième lieu, les lois référendaires jouissent d'une immunité contentieuse totale (sauf à admettre un contrôle de conventionnalité comme semble le faire le Conseil d'État dans l'arrêt *Sarran* du 30 octobre 1998) : en tant que *lois*, elles ne sont pas examinées par le juge de la légalité ; en tant que lois *référendaires*, le Conseil constitutionnel refuse d'exercer un contrôle de constitutionnalité depuis 1962. Cette prudence, compréhensible au plan politique, est intenable au plan juridique, surtout si le juge ordinaire accepte de vérifier la conventionnalité des lois référendaires. D'ailleurs, preuve que la nature juridique des lois d'origine parlementaire et des lois référendaires est la même, les « Sages » soutiennent qu'une loi référendaire peut être modifiée, complétée ou abrogée par une loi parlementaire : « il importe peu, à cet égard, que les dispositions modifiées, complétées ou abrogées résultent d'une loi votée par le Parlement ou d'une loi adoptée par voie de référendum » (décision n° 89-265 DC du 9 janvier 1990, considérant 8). Contrairement à ce qu'affirme l'article 3 de la Constitution, le « peuple » ne paraît pas lors d'un référendum : la somme des électeurs qui se sont déplacés aux urnes forme un organe constitué comparable aux autres – ses actes devraient être susceptibles d'un contrôle de constitutionnalité dans les mêmes conditions que les lois d'origine parlementaire.

178 LOIS, RÉSOLUTIONS ET AUTRES MOTIONS PARLEMENTAIRES. — Les lois, quelle que soit leur origine, sont des décisions juridiques. Il convient de les distinguer des résolutions, motions et autres actes parlementaires. Ainsi les résolutions introduites à l'article 34-1 de la Constitution en 2008. Le Conseil constitutionnel reprochait de plus en plus fréquemment au Parlement d'adopter des lois déclaratoires ou déclamatoires, bref des textes dénués de normativité. Il a commencé à censurer les « neutrons » législatifs dans une décision n° 2005-512 DC du 21 avril 2005 au motif que « la loi a pour vocation d'énoncer des règles et doit être par suite revêtue d'une portée normative ». Cette jurisprudence a pu apparaître sévère dans la mesure où le Parlement n'avait pas d'autre voie d'expression que la loi : les résolutions d'antan avaient été proscrites en 1958 parce qu'elles étaient un moyen commode de mettre en cause la responsabilité du Gouvernement en dehors des formes constitutionnelles. Les résolutions ont été ressuscitées par la loi constitutionnelle du 23 juillet 2008, complétée par la loi organique n° 2009-403 du 15 avril 2009, mais elles obéissent à des conditions strictes : le Gouvernement peut leur opposer l'irrecevabilité (avant l'inscription à l'ordre du jour) toutes les fois qu'il y verrait une mise en cause de sa responsabilité ou une injonction à son égard ; deux résolutions ne peuvent être formées sur le même objet durant une session ordinaire, etc. Elles permettent à chacune des Chambres d'affirmer un point de vue ou un sentiment, qui annonce parfois une action législative (ainsi la résolution de l'Assemblée nationale du 11 mai 2010 « sur l'attachement au respect des valeurs républicaines face au développement de pratiques radicales qui y portent atteinte » a-t-elle précédé de quelques mois la loi « interdisant la dissimulation du visage dans l'espace public »). Le plus souvent, une Chambre arrête une position sans conséquence législative : une résolution de l'Assemblée nationale du 2 février 2012 souhaite ainsi promouvoir le label « Fabriqué en France », une autre du 2 décembre 2014 invite le Gouvernement à reconnaître l'État de Palestine, celle du 30 octobre 2019 condamnant l'offensive militaire turque en Syrie. Depuis 2009, près de trois cents propositions de résolution ont été introduites à l'Assemblée, une centaine au Sénat : elles aboutissent une fois sur six ou sept.

Des résolutions, motions et avis sont également émis relativement aux actes de l'Union européenne, notamment législatifs. Les articles 88-4, 88-6 et 88-7 recouvrent trois hypothèses proches mais distinctes : une Chambre peut voter une « résolution européenne » à l'endroit de tout document ou acte émané d'une institution de l'Union européenne ; une Chambre peut rendre un « avis » contestant la conformité d'un projet d'acte législatif européen au principe de subsidiarité et introduire un recours devant la Cour de justice de d'Union européenne si le projet est devenu loi ; une « motion » conjointe des deux Chambres leur permet de s'opposer à une modification des règles d'adoption d'actes de l'Union européenne. Les résolutions de l'article 88-4, de l'ordre d'une dizaine ou d'une quinzaine par an dans chaque assemblée, ne sont pas contraignantes pour le Gouvernement ; elles lui sont au contraire utiles lors des négociations avec les autres partenaires de l'Union. Si elles contestent un acte législatif européen, elles annoncent parfois une saisine de la Cour de justice sur le fondement de l'article 88-6. Les « avis », au nombre d'une quarantaine depuis 2009, pour la plupart émis par le Sénat, ne méritent pas leur nom : en vertu du traité de Lisbonne et de son protocole n° 2 (article 7), les projets d'actes législatifs contestés par un tiers ou par la moitié des parlements nationaux doivent être réexaminés ; le processus législatif est même interrompu si la majorité des Parlements nationaux est confortée par le Conseil ou par le Parlement européen. Enfin, l'article 88-7 permet aux deux Chambres agissant ensemble de s'opposer à une modification des règles d'adoption de certains actes de l'Union, c'est-à-dire, en pratique, à refuser que la majorité qualifiée se substitue à l'unanimité. La motion s'apparente ici à un veto.

179 Le Parlement est habilité à adopter des actes juridiques appelés lois. Mais il est également compétent pour édicter des résolutions, des avis, des motions, dont la valeur contraignante doit être appréciée au coup par coup. En toute hypothèse, ce ne sont pas des lois (nationales) qui, en tant que telles, sont soumises à une procédure législative très codifiée.

III | La procédure législative

180 La procédure de l'article 45. — Il sera ici question de la procédure de l'article 45 de la Constitution, plus ou moins aménagée selon les lois en discussion. En termes chronologiques, la procédure législative commence par une initiative, elle suppose ensuite une inscription à l'ordre du jour (contrariée le cas échéant par une irrecevabilité) et un examen du texte tant en commission qu'en séance publique, examen au cours duquel les amendements sont introduits – une fois le projet ou la proposition de loi adopté par les deux Chambres ou par la seule Assemblée nationale, serait-ce fictivement, il est transmis au président de la République pour promulgation, laquelle est retardée en cas de saisine du Conseil constitutionnel ou de nouvelle délibération de la loi, l'entrée en vigueur étant acquise avec la publication au *Journal officiel.*

1. L'initiative des lois

181 PROJETS ET PROPOSITIONS DE LOI. — L'article 39 de la Constitution confie l'initiative des lois au Premier ministre et à chacun des parlementaires. Sont concernées toutes les lois, à l'exception des « lois » constitutionnelles, des lois référendaires et des lois financières : s'agissant des premières, le président de la République est doté de l'initiative sur proposition du Premier ministre en même temps que les parlementaires parce qu'il est le gardien de la Constitution selon l'article 5 ; s'agissant des secondes, seul le chef de l'État a l'initiative mais sur la proposition soit du Gouvernement, soit des Chambres ; quant aux lois de finances et de financement de la sécurité sociale, l'initiative est réservée au Gouvernement, maître des finances publiques. Le vocabulaire juridique distingue les « projets » de loi, émanés du Gouvernement, des « propositions » de loi venant des parlementaires. Au cours des premières décennies de la Ve République, 80 à 85 % des lois adoptées étaient issues de « projets ». La proportion des propositions de loi est en augmentation dans les années récentes, surtout depuis 2008-2009 ; elle est souvent proche de 25 % ; elle a même pu atteindre les 35 ou 40 % en 2008 ou 2009 ; il faut néanmoins tenir compte des initiatives parlementaires qui endossent les intentions du Gouvernement (tel le pacte civil de solidarité ou PACS en 1998, la loi relative aux mesures de surveillance des communications électroniques internationales en 2015, la lutte contre les *fake news* en 2018). Les projets sont présentés en Conseil des ministres, illustration de la solidarité gouvernementale ; ils n'y parviennent qu'après avis du Conseil d'État dont l'activité consultative – capitale – reste malheureusement très mal étudiée en comparaison de son activité contentieuse.

182 L'AVIS DU CONSEIL D'ÉTAT. — L'avis, obligatoire, est couvert par le secret, à moins que le Gouvernement ne décide de le divulguer : sa publication est fréquemment réclamée, par exemple en 2012 et 2013 à l'occasion du débat sur le mariage ouvert aux personnes de même sexe. Pour cette raison sans doute, le président de la République a décidé que les avis concernant les projets de loi seraient rendus publics (vœux aux corps constitués du 20 janvier 2015). Le Conseil constitutionnel veille à ce que la consultation ne soit pas vidée de son sens : le Gouvernement ne saurait ajouter au projet de loi après l'avis rendu (décision n° 2003-468 DC du 3 avril 2003, considérant 7), sous réserve d'une lettre rectificative du Premier ministre, elle-même soumise à l'avis du Conseil d'État. La lettre rectificative, usage né en dehors de tout texte, est plus tolérée qu'encouragée : elle est justifiée lorsqu'elle permet de réagir à un événement qui échappe à la volonté du Gouvernement. Ainsi, la lettre rectificative de François Fillon le 26 janvier 2011 touchant au projet de loi « relatif aux droits et à la protection des personnes faisant l'objet de soins psychiatriques » déposé le 5 mai 2010 avait été rendue nécessaire par la décision du Conseil constitutionnel n° 2010-71 QPC du 26 novembre 2010. Plus banalement, il arrive que le Gouvernement s'aperçoive, quelques jours ou quelques mois après le Conseil des ministres, que tel projet de loi s'enrichirait utilement de dispositions nouvelles : ainsi le Conseil d'État a-t-il été saisi d'une lettre rectificative le 26 juillet 2019 à propos de la loi sur l'engagement dans la vie locale qui avait été adoptée en Conseil des ministres le 17 juillet précédent. En outre, depuis 2008, le Parlement est également en droit de solliciter l'avis du Conseil d'État à l'égard des propositions de loi : la saisine effectuée par le président de la Chambre réclame cependant l'accord de leurs auteurs. La modification est plus symbolique que pratique : si le Palais-Royal cesse d'être le conseiller exclusif du Gouvernement, il ne délivre que quelques avis par an aux parlementaires qui le sollicitent. Au nombre d'une vingtaine depuis 2009, ces avis sont aujourd'hui publics (ainsi l'avis n° 395974 du 25 octobre 2018 relatif à l'Agence nationale de la cohésion des territoires). Ils sont appelés à rester rares du fait des réticences exprimées par les députés et surtout par les sénateurs qui entendent cantonner le Conseil d'État dans son rôle de conseiller du prince.

183 LE DÉPÔT DES PROJETS DE LOI. — Les projets de loi sont déposés indifféremment sur le bureau de l'une ou de l'autre assemblée, sauf à rappeler la priorité accordée à l'Assemblée nationale en matière financière (lois de finances et de financement de la sécurité sociale) et celle attribuée au Sénat dès qu'il est question « à titre principal » de l'organisation des collectivités territoriales (en raison de la « représentation » de ces dernières assurée par le Sénat en vertu de l'article 24). On sait que le projet de loi qui l'oublierait serait radicalement vicié aux yeux du Conseil constitutionnel (voir la leçon 7). Depuis la loi constitutionnelle du 23 juillet 2008, complétée par la loi organique n° 2009-403 du 15 avril 2009, la présentation des projets de loi obéit à des conditions nouvelles : le projet de loi doit être précédé d'un exposé des motifs, ce qui était traditionnellement le cas, mais aussi d'une étude d'impact transmise au Conseil d'État et au Parlement en même temps que le projet de loi. L'étude d'impact est composée de documents qui, selon l'article 8 de la loi organique, « définissent les objectifs poursuivis par le projet de loi, recensent les options possibles en dehors de l'intervention de règles de droit nouvelles et exposent les motifs du recours à une nouvelle législation ». L'inexistence, voire l'insuffisance de l'une de ces pièces pourrait conduire à une censure de la loi (voir la décision du Conseil constitutionnel n° 2010-603 DC du 11 février 2010 et l'avis du Conseil d'État n° 391748 du 13 juillet 2016 concernant le projet de loi relatif au statut de Paris ou encore, très récemment, les critiques émises par le Conseil d'État à l'endroit des projets de loi relatifs au système universel de retraite dans un avis n°s 399528 et 399529 des 16 et 23 janvier 2020). Avant cela, l'inobservation des dispositions de la loi organique permet de refuser l'inscription du projet de loi à l'ordre du jour.

2. *L'inscription à l'ordre du jour*

184 LA MAÎTRISE DE L'ORDRE DU JOUR. — L'initiative resterait vaine si elle ne permettait pas l'examen du texte. L'inscription à l'ordre du jour est donc cruciale car elle seule permet d'espérer une issue favorable (et on connaît quantité de propositions de lois qui n'ont jamais été mises à l'ordre du jour). Encore faut-il distinguer l'ordre du jour prioritaire et l'ordre du jour complémentaire. Le premier permet d'établir le calendrier des assemblées, le second ne joue qu'autant qu'il reste des jours de séance. Or l'ordre du jour prioritaire est confié au Gouvernement, malgré les termes trompeurs de la loi constitutionnelle du 23 juillet 2008. L'observateur étranger est sidéré par cette circonstance : en France, les Chambres ne sont pas maîtresses du calendrier de leurs travaux ; il est imposé par le Gouvernement. L'ancienne rédaction de l'article 48 avait le mérite de la franchise : « L'ordre du jour des assemblées comporte, par priorité et dans l'ordre que le Gouvernement a fixé, la discussion des projets de loi déposés par le Gouvernement et des propositions de loi acceptées par lui. » Avant 2008, nul texte de loi ne pouvait être examiné par les Chambres s'il ne s'agissait d'un projet de loi, venant du Gouvernement, ou d'une proposition de loi ayant l'aval du Gouvernement. Depuis 2008, dans la volonté proclamée de « restaurer » le Parlement, l'article 48 assure que « l'ordre du jour est fixé par chaque assemblée ». Tiendrait-on la mesure révolutionnaire annoncée ? La réponse est négative et cette nouvelle mouture de l'article 48 est décevante.

185 LA MODIFICATION DE L'ARTICLE 48 EN 2008. — La rupture symbolique ne doit pas être niée, mais l'affirmation du premier alinéa est nettement atténuée par les alinéas suivants, mettant en cause la pertinence de l'expression « ordre du jour partagé ». En premier lieu, deux semaines de séance sur quatre – la moitié de l'ordre du jour – sont arrêtées par le Gouvernement de façon prioritaire. En deuxième lieu, toute une série de textes échappe au partage des compétences allégué entre le Gouvernement et les Chambres : les projets de loi de finances et de financement de la sécurité sociale

sont encore inscrits prioritairement par le Gouvernement. Il en va de même, sous réserve de la semaine de séance vouée au contrôle du Gouvernement, des textes transmis par l'assemblée depuis plus de six semaines, des projets relatifs aux états de crise (l'état de siège de l'article 36 par exemple) et des demandes d'autorisation mentionnées à l'article 35 (déclaration de guerre, interventions militaires à l'étranger). Le projet de loi constitutionnelle du 9 mai 2019 souhaitait assouplir le dispositif en ajoutant les textes « relatifs à la politique économique, sociale ou environnementale », avec cette modeste réserve que la priorité accordée au Gouvernement pouvait être contrariée par l'opposition conjointe des conférences des présidents des deux Chambres. On pourrait encore croire que le Parlement a une part substantielle de l'ordre du jour, mais le constituant ne s'est pas contenté de conserver une priorité importante au Gouvernement : il impose qu'une semaine par mois soit attribuée au contrôle du Gouvernement et à l'évaluation des politiques publiques (voir cependant la décision du Conseil constitutionnel n° 2013-677 DC du 14 novembre 2013), tandis qu'une séance par mois est réservée aux textes présentés par les groupes minoritaires et d'opposition (« droit de tirage »). L'ingérence du constituant va donc jusqu'à contraindre le Parlement dans l'organisation de la semaine : une séance par semaine est allouée aux questions des parlementaires et aux réponses des ministres. Bref, l'ordre du jour n'a pas été bouleversé en 2008 et le Gouvernement a aujourd'hui, comme hier, les moyens de faire examiner sa politique, à défaut d'en obtenir l'approbation. Car il faut souligner que le parlementarisme rationalisé n'entend pas seulement donner de la stabilité au Gouvernement, il veut aussi lui donner la certitude que ses projets seront discutés par le Parlement.

186 LES IRRECEVABILITÉS. — Certains textes sont empêchés d'accéder à l'ordre du jour ou, s'ils y sont inscrits, en sont retirés. Sont ainsi irrecevables les propositions de loi et les amendements parlementaires qui diminueraient une ressource publique ou aggraveraient une charge publique (article 40 de la Constitution). Voilà une arme redoutable tant il est fréquent qu'un texte ait une incidence financière ; elle manifeste une défiance à l'endroit des députés et sénateurs qui, par démagogie, seraient tentés de séduire leurs électeurs aux dépens de l'équilibre des finances publiques. Le Conseil constitutionnel est amené le cas échéant à en juger sur le fondement de l'article 61. Le Gouvernement peut encore opposer l'irrecevabilité à des propositions de loi et à des amendements qui empiéteraient sur le domaine réglementaire (article 41 de la Constitution). Depuis 2008, cette faculté est aussi celle du président de chaque assemblée : on imagine qu'il l'utilisera peu tant il appartient au Gouvernement de défendre lui-même le domaine réglementaire. En cas de désaccord entre le Gouvernement et le président de l'Assemblée nationale ou du Sénat, le Conseil constitutionnel est appelé à trancher dans les huit jours. Le projet de loi constitutionnelle du 9 mai 2018 avait l'ambition d'élargir considérablement le champ des irrecevabilités de l'article 41 et donc de corseter davantage l'action des parlementaires : auraient été irrecevables les propositions de loi et les amendements « dépourvus de portée normative » et les amendements « sans lien direct » avec le texte examiné. Le Conseil constitutionnel, s'il était saisi, aurait dû statuer en trois jours pour les amendements et en huit jours pour les propositions de loi. Enfin, innovation de la loi constitutionnelle du 23 juillet 2008, la conférence des présidents de chaque Chambre peut refuser l'inscription à l'ordre du jour d'un projet de loi qui ne satisferait pas aux conditions posées par la loi organique du 15 avril 2009 (exposé des motifs, étude d'impact). Là encore, en cas de désaccord avec le Gouvernement, il appartient à la conférence des présidents ou au Premier ministre de saisir le Conseil constitutionnel qui se prononce dans les huit jours (article 39, alinéa 4). Il a eu l'occasion de le faire pour la première fois en 2014 : la conférence des présidents du Sénat avait refusé, le 26 juin, l'inscription à l'ordre du jour de la loi sur le redécoupage des régions. Saisi par le Premier ministre le jour même, le Conseil constitutionnel concluait au respect des conditions posées par la loi organique dans sa décision n° 2014-12 FNR du 1er juillet 2014.

3. La discussion en commission et en séance publique

187 LE TRAVAIL EN COMMISSION. — Le principe, on l'a dit, est que tout projet ou proposition de loi est envoyé, sitôt déposé sur le bureau d'une assemblée, à la commission permanente compétente puisque les commissions spéciales sont rares (article 43 de la Constitution). Le texte est examiné sous la houlette du président de la commission et du rapporteur désigné à cette occasion. Les amendements sont autorisés dès cette étape, qu'ils viennent du Gouvernement ou des parlementaires (article 44). Mais la principale innovation de la loi constitutionnelle du 23 juillet 2008 tient à la précision selon laquelle le texte discuté en séance publique est celui adopté en commission et non plus celui du Gouvernement, pour les projets de lois, ou celui de l'auteur de la proposition de loi (article 42). Pour l'avoir oublié, le Gouvernement a vu la loi « relative à la mobilisation du foncier public en faveur du logement » censurée par le Conseil constitutionnel dans la décision n° 2012-655 DC du 24 octobre 2012. Des exceptions sont prévues à la nouvelle règle : les textes les plus importants, les projets de loi constitutionnelle, les projets de loi de finances et de financement de la sécurité sociale, sont introduits dans leur version initiale, celle du Gouvernement. En matière budgétaire et constituante, la volonté du Gouvernement doit se manifester en toute clarté – sa responsabilité sera évaluée en connaissance de cause. L'action des commissions est donc reconnue à sa juste valeur : sans qu'elles aient une influence comparable aux *committees* du Congrès des États-Unis, elles accomplissent un travail préparatoire considérable. Pour leur laisser un temps raisonnable, l'article 42 impose d'ailleurs un délai de six semaines entre le dépôt du texte et sa discussion en séance devant la première assemblée saisie (le délai est ramené à quatre semaines lorsque le texte est transmis de l'une à l'autre Chambre). Des exceptions sont apportées toutes les fois que l'urgence est constatée : les lois de finances et de financement de sécurité sociale sont enfermées dans des délais stricts (que le projet de loi constitutionnelle du 9 mai 2018 entendait réduire) ; les lois relatives aux états de crise portent parfaitement leur nom ; il faut ajouter les lois soumises à la procé-

dure accélérée qui se définissent, à titre principal, par une lecture unique devant chaque Chambre. Les lois constitutionnelles ne sont pas concernées (article 89, alinéa 2) et cela se conçoit aisément : ici plus qu'ailleurs, il convient de ralentir et d'apaiser les débats parce qu'on ne touche à la Constitution « que d'une main tremblante ». Le rôle des commissions eût été renforcé notablement si le projet de loi constitutionnelle du 9 mai 2018 avait été adopté : il prévoyait de modifier l'article 42 de la Constitution afin de permettre aux commissions d'adopter un texte qui serait examiné seul en séance publique et en réservant le droit d'amendement au travail en commission.

188 LES AMENDEMENTS EN SÉANCE PUBLIQUE. — Une fois le texte présenté en séance publique, la grande affaire est celle du sort réservé aux amendements et, partant, aux interventions de l'opposition. La majorité ne déteste rien davantage que le temps « perdu » inutilement : elle a raison d'un certain point de vue, puisqu'il est à peu près certain qu'elle l'emportera à plus ou moins brève échéance. La logique du régime parlementaire, dont la Ve République est une variété, commande que la majorité l'emporte sur l'opposition. En même temps, un Parlement ne se conçoit pas sans une discussion approfondie toujours susceptible de modifier ou de bouleverser la volonté initiale de la majorité. Selon la formule du Conseil constitutionnel, « la clarté et la sincérité du débat parlementaire » sont en jeu. Un équilibre doit donc être trouvé entre deux exigences. L'article 44 accorde le droit d'amendement aux parlementaires comme au Gouvernement : les amendements (et les sous-amendements) sont souvent dits le corollaire de l'initiative législative. Ils sont d'autant plus précieux que le Gouvernement a la maîtrise de l'ordre du jour : les parlementaires retrouvent une liberté bienvenue. Les amendements répondent cependant à des exigences précises : écrits, sommairement motivés, ils doivent entretenir un rapport, « même indirect » (article 45, alinéa 1er), avec le texte discuté, y compris en première lecture. Le but est d'écarter les « cavaliers » législatifs, tous ces ajouts qui n'ont rien à voir avec l'objet de la loi en discussion. Le Conseil constitutionnel se montre ici sourcilleux (décision n° 2013-665 DC du 28 février 2013), bien qu'il se refuse à censurer les cavaliers législatifs dans les lois organiques (ainsi l'article 12 de la loi organique n° 2010-838 du 22 juillet 2010), à la remarquable exception de la loi organique relative aux magistrats et au Conseil supérieur de la magistrature (décision n° 2016-732 DC du 28 juillet 2016, considérant 101). Il s'assure par ailleurs que le Gouvernement n'a pas amendé un projet de loi au point de le dénaturer par rapport à la version transmise pour avis au Conseil d'État (décision n° 2003-468 DC du 3 avril 2003). En dépit de ces contraintes, le Gouvernement a des atouts non négligeables : d'une part il peut s'opposer après l'ouverture du débat à tout amendement qui n'aurait pas été soumis en commission (seuls sont recevables ses amendements et ceux de la commission saisie au fond), d'autre part il peut recourir au « vote bloqué » de l'article 44, alinéa 3 qui lui permet de réclamer un vote unique sur le texte ou une de ses parties en ne retenant que les amendements proposés ou acceptés par lui (en revanche, la discussion n'est pas close). Le Gouvernement gagne du temps et redonne de la cohérence à un texte qui aurait été défiguré par les amendements parlementaires. Tel fut son objectif au Sénat le 20 avril 2013, à la fureur des sénateurs communistes hostiles au projet de loi sur la sécurisation de l'emploi. On comprend mieux l'échec du projet de loi constitutionnelle du 9 mai 2018 : celui-ci était tout entier placé sous le signe de l'accélération des travaux parlementaires, et cela se marquait par une hostilité non dissimulée aux amendements de l'opposition (multiplication des irrecevabilités de l'article 41, suppression du droit d'amendement en séance publique pour certains textes selon l'article 42). L'agacement a été terrible au début de l'année 2020 lorsque les milliers d'amendements déposés par l'opposition de gauche ont contraint le Gouvernement à mettre fin prématurément aux travaux de la commission spéciale sur le système universel de retraite, puis à utiliser l'article 49, alinéa 3 de la Constitution.

189 INNOVATIONS PROCÉDURALES. — Un pas supplémentaire a été franchi en 2008 et 2009. Deux innovations procédurales ont été imaginées. D'une part la procédure d'examen simplifiée. Elle n'est pas redoutable : certes, elle fait l'économie d'une discussion générale, les amendements sont subordonnés à des conditions strictes, etc. Mais elle sert à des textes techniques, le plus souvent de ratification d'une convention internationale, et, surtout, elle est mise en échec dès lors qu'un président de groupe, notamment de l'opposition, s'y opposerait (articles 103 et suivants RAN). Beaucoup plus dangereuse est, d'autre part, la procédure du « temps législatif programmé », baptisée « temps guillotine » par ses détracteurs. La loi organique du 15 avril 2009, complétée par le règlement de l'Assemblée nationale, autorise la conférence des présidents à déterminer une « durée maximale de l'examen de l'ensemble du texte », sachant que les groupes d'opposition obtiennent alors 60 % du temps de parole, que les présidents de groupe sont fondés à réclamer la durée minimale arrêtée par la conférence (30 heures) et, une fois par session, la durée maximale prévue par la conférence des présidents (50 heures). Le Conseil constitutionnel a accueilli le dispositif, à condition que sa mise en œuvre ne porte pas atteinte à la clarté et à la sincérité du débat (décision n° 2009-581 DC du 25 juin 2009). Or il considère qu'une durée de 30 heures est suffisante (décision n° 2011-631 DC du 9 juin 2011). La première loi ayant fait l'objet du temps programmé fut la loi portant dérogation au repos dominical qui, en juillet 2009, se vit réserver le temps maximal de 50 heures de débat. En avril 2013, le projet de loi ouvrant le mariage à tous a été gratifié de 25 heures en deuxième lecture. Au début de 2015, le projet de loi « pour la croissance et l'activité » a également obtenu 50 heures de discussion à l'Assemblée nationale. En mai 2018, le même volume horaire a été alloué au projet de loi « Agriculture et alimentation » en première lecture à l'Assemblée nationale. Près de trente textes ont été concernés sous la XIIIe législature ; on en compte nettement moins sous les législatures suivantes (moins de dix depuis juin 2017). Le projet de loi relatif au système des retraites n'a pu bénéficier d'un temps législatif programmé en janvier 2020 car il a été introduit à l'Assemblée nationale moins de six semaines après son adoption en Conseil des ministres : dans ce cas, l'article 49 du Règlement de l'Assemblée précise que les présidents de groupe peuvent s'opposer à une durée maximale, ce qui a été fait par les présidents de deux groupes de gauche.

4. La navette parlementaire et son échec

190 BICAMÉRISME ET NAVETTE PARLEMENTAIRE. — Le bicamérisme, sauf s'il est symbolique ou spécialisé, suppose la navette parlementaire, c'est-à-dire le va-et-vient du texte jusqu'à son adoption par les deux assemblées. Tel est le cas aux États-Unis ou en Italie : une loi n'est adoptée par le Parlement qu'autant que les deux Chambres se mettent d'accord sur un même texte. Mais tel n'est pas le cas en France : l'article 45 se contente d'une navette « en vue de l'adoption d'un texte identique ». Il est entendu que le bicamérisme de la Ve République n'est pas égalitaire : s'agissant du vote des lois comme du contrôle du Gouvernement, l'Assemblée nationale est avantagée.

191 LES LECTURES PARLEMENTAIRES. — La discussion de la loi réclame au moins une lecture devant chaque Chambre, souvent deux, parfois trois – et rarement plus, soit que la procédure ait été abandonnée, soit que l'Assemblée nationale ait statué en dernier ressort. La lecture unique, toujours contestée par les parlementaires au nom de la qualité de la loi, se produit lorsque le Gouvernement veut aller vite : il déclare la procédure accélérée, laquelle, interdite pour les lois constitutionnelles, est mise en échec par l'opposition conjointe de la conférence des présidents des deux Chambres (article 45, alinéa 2). Cette disposition n'a jamais joué depuis 2008-2009 : elle risque de rester lettre morte tant on imagine difficilement que la majorité de l'Assemblée nationale, reflétée dans la conférence des présidents, contredise le Gouvernement qu'elle soutient. On l'a constaté en janvier 2020 à propos du projet de loi relatif au système universel de retraite : la conférence des présidents du Sénat s'est opposée à la procédure accélérée mais elle n'a pas été soutenue par son homologue de l'Assemblée nationale. En dehors de cette hypothèse, la loi est adoptée au bout d'une seule lecture devant chaque assemblée si ses termes n'ont pas été modifiés ; la procédure accélérée est utilisée pour la moitié des lois en moyenne. Il reste que le bicamérisme assume les risques de divergence entre les Chambres ; il a précisément pour but d'améliorer les textes grâce à un double examen. Que se passe-t-il si le projet ou la proposition de loi n'est pas voté en termes identiques – ou si une Chambre repousse ce que l'autre a accepté ? Peu importe que le désaccord se manifestât à l'issue d'une seule lecture ou de deux lectures et plus. La procédure est la même.

192 La réunion d'une commission mixte paritaire et le dernier mot de l'Assemblée nationale. — Après une lecture, si la procédure accélérée a été choisie, ou après deux lectures, le Premier ministre a la faculté de réunir une commission mixte paritaire (CMP) pour tenter de mettre fin aux divergences qui persisteraient entre les deux Chambres, qu'il s'agisse d'un projet ou d'une proposition de loi. Depuis 2008, les présidents des deux assemblées ensemble ont une compétence semblable à l'endroit des propositions de loi, telle celle relative aux détecteurs de fumée le 29 septembre 2009, devenue la loi n° 2010-238 du 9 mars 2010 « visant à rendre obligatoire l'installation de détecteurs de fumée dans tous les lieux d'habitation ». Seules les dispositions en souffrance sont examinées par la CMP qui, comme son nom l'indique, est composée à égalité de députés et de sénateurs, sept de chaque côté (en général quatre appartiennent à la majorité, trois à l'opposition). La CMP, qui se réunit alternativement à l'Assemblée nationale et au Sénat, est chargée de proposer un compromis : si elle y parvient, le Premier ministre peut le soumettre aux Chambres, étant précisé que les amendements ne sont permis qu'autant qu'ils ont l'aval du Gouvernement – mais il peut aussi s'y refuser, si le texte ne lui convient pas, auquel cas la navette reprend. Le bicamérisme aura rempli son rôle si le compromis est accepté par les deux assemblées, mais ce n'est pas toujours le cas. Si les positions sont irréconciliables, notamment si la CMP n'aboutit pas à un texte commun ou si celui-ci n'est pas voté en termes identiques, alors le Premier ministre peut demander à l'Assemblée nationale de trancher en dernier ressort, ce qu'on appelle le pouvoir du dernier mot. Une ultime tentative est organisée : une nouvelle lecture a lieu devant les deux Chambres ; si elle échoue, la Chambre basse se prononce lors d'une lecture définitive. La loi promulguée en fait mention : « L'Assemblée nationale et le Sénat ont délibéré, L'Assemblée nationale a adopté » (article 4 du décret n° 59-635 du 19 mai 1959). Le projet de loi constitutionnelle du 9 mai 2018 suggérait d'alléger la procédure après l'échec de la tentative de conciliation : la navette aurait repris devant le Sénat (et non systématiquement devant l'Assemblée nationale) et des délais stricts auraient été imposés aux deux Chambres en nouvelle lecture comme en lecture définitive. La Chambre basse, élue au suffrage universel direct, est donc en mesure d'imposer sa volonté à la Chambre haute, élue au suffrage universel indirect. Mais le mode de désignation est ou devrait être secondaire dès lors que les deux Chambres sont législatrices et, en outre, élues au suffrage universel : le dernier mot est en réalité remis à l'assemblée habilitée à mettre en cause la responsabilité politique du Gouvernement. On note au passage combien le Premier ministre est maître de la procédure : il « peut » réunir une CMP ; il « peut » soumettre son texte aux Chambres ; il « peut » demander à l'Assemblée nationale de décider définitivement.

193 BILAN DU BICAMÉRISME SOUS LA Ve RÉPUBLIQUE. — Le bicamérisme fonctionne de manière satisfaisante : environ 70 % des lois sont adoptées au terme de la navette, un peu plus de 20 % des textes provoquent la réunion d'une CMP, laquelle aboutit dans près de deux tiers des cas. Au final, un peu plus de 10 % des lois sont adoptées par l'Assemblée nationale seule. Ces statistiques méritent d'être affinées. Elles sont bouleversées selon la configuration politique. Lorsque les deux Chambres sont de la même couleur politique, la navette aboutit dans 80 % des cas, les CMP parviennent à un compromis dans plus de 80 % des cas aussi, les derniers mots sont rares. En revanche, lorsque les deux Chambres sont de couleur politique opposée (en pratique, lorsque l'Assemblée nationale est majoritairement à gauche et le Sénat à droite), la navette connaît le succès dans 50 % des cas, les CMP échouent dans la proportion de 70 % et les derniers mots se multiplient à hauteur de 25 % de l'ensemble des lois. La XIIIe législature (2007-2012) est révélatrice : avant septembre 2011 et le basculement du Sénat à gauche, 80 % des lois étaient adoptées au terme de la navette, le succès des CMP frôlait les 100 % puisqu'une seule lecture définitive fut nécessaire ; après septembre 2011, la navette a abouti dans 60 % des cas, les

CMP ont échoué deux fois sur trois, de sorte que 20 % des lois, au cours de cette dernière session de la législature, ont fait l'objet d'un dernier mot de l'Assemblée nationale. On constate que les CMP restent régulièrement convoquées lorsque les deux Chambres partagent pourtant des vues politiques identiques : l'esprit de corps l'emporte sur les convictions communes, chaque institution est animée d'une volonté propre qui rompt parfois avec la solidarité politique. Il reste que, dans cette configuration, les CMP aboutissent presque toujours. On pourrait croire que la XIVe législature, depuis 2012, le confirme : ainsi la loi n° 2013-185 du 1er mars 2013 portant création du contrat de génération a été adoptée par les deux assemblées après réunion d'une CMP. Mais cette législature a été caractérisée par le nombre anormalement élevé de lectures définitives entre 2012 et 2014, à un moment où les deux Chambres étaient à gauche : la loi de finances pour 2013, la loi de financement de la sécurité sociale pour 2013, la loi de programmation des finances publiques pour les années 2012 à 2017, la loi visant à préparer la transition vers un système énergétique sobre, etc. ont dû recourir au pouvoir du dernier mot de l'Assemblée nationale. La raison en est simple : si les deux Chambres étaient majoritairement à gauche, le parti socialiste ne détenait pas à lui seul la majorité absolue au Sénat (contrairement à l'Assemblée), il devait compter sur ses alliés écologistes et communistes – s'ils faisaient défaut, le Sénat divergeait de l'Assemblée et celle-ci devait décider en dernier ressort. La situation est semblable sous la XVe législature alors que l'Assemblée est contrôlée par LREM et le Sénat par la droite et le centre-droit : ainsi, en 2019, plus de la moitié des lois adoptées a fait l'objet d'une CMP, laquelle a trouvé un accord trois fois sur quatre, de sorte que les lectures définitives ont représenté 20 % de l'ensemble. En 2020, la loi du 23 mars d'urgence pour faire face à l'épidémie de Covid-19 a été adoptée par les deux Chambres à l'issue d'une CMP couronnée de succès.

194 UN BICAMÉRISME EN PARTIE INÉGALITAIRE. — Le bicamérisme de la Ve République est inégalitaire pour la plupart des lois – pas pour toutes. Ainsi les « lois » constitutionnelles : le projet ou la proposition de révision est « voté par les deux assemblées en termes identiques » (article 89). La Constitution, texte suprême de l'ordre juridique, doit être modifiée avec prudence, il faut s'assurer d'un consensus dans la classe politique : l'accord du Sénat est ici nécessaire. Il l'est d'ailleurs presque deux fois : au stade de l'examen par les deux Chambres et au stade de l'adoption si le Congrès est réuni (même si le vote a lieu par tête et que les députés sont plus nombreux que les sénateurs, il est difficile d'envisager un succès en cas d'opposition des sénateurs, ainsi que le président Hollande en a fait l'expérience en 2013 et en 2016 et le président Macron en 2018 et 2019). Le bicamérisme est encore rigoureusement égalitaire pour deux types de lois organiques : celles qui sont « relatives au Sénat » (article 46) et celles qui accordent le droit de vote et d'éligibilité aux élections municipales aux citoyens de l'Union européenne, lesquels ne sauraient cependant participer à l'élection des sénateurs qui « représentent » les collectivités territoriales (article 88-3). L'interprétation de l'expression « relatives au Sénat » a suscité des discussions enflammées : vaut-elle pour les lois organiques qui n'affectent que le Sénat ou pour celles qui concernent tant l'Assemblée que le Sénat ? L'interdiction ou la limitation du cumul des mandats suppose-t-elle l'accord du Sénat dès lors que tous les parlementaires sont visés ? La réponse est négative (décision du Conseil constitutionnel n° 2014-688 DC du 13 février 2014). Il suffisait à l'Assemblée nationale d'adopter le projet de loi organique à la majorité absolue.

En effet, si les lois organiques peuvent être adoptées par la seule Assemblée nationale, leur nature particulière exige des précautions supplémentaires : outre le délai de quinze jours entre le dépôt du texte et son examen dans le cadre de la procédure accélérée (le délai ordinaire étant de six semaines), délai dont on a dit qu'il avait été bafoué par la loi organique n° 2020-365 du 30 mars 2020, outre le contrôle obligatoire du Conseil constitutionnel, la Chambre basse doit se prononcer ultimement à la majorité absolue de ses membres. Les lois organiques complétant la Constitution, il est souhaitable que les deux Chambres s'accordent : c'est presque toujours le cas. À titre d'exception, on mentionnera la loi organique n° 2010-837 du 23 juillet 2010 relative à l'article 13, alinéa 5 de la Constitution, la seule adoptée en lecture définitive entre juillet 2007 et septembre

2011. Plus récemment, en septembre 2013, la loi organique n° 2013-906 relative à la transparence de la vie publique a également été adoptée en dernière instance par l'Assemblée nationale. Ce fut encore le cas de la loi organique sur le cumul des mandats le 22 janvier 2014. Il est instructif de noter que, dans les trois cas, les Chambres partageaient la même orientation politique : le désaccord n'opposait donc pas deux idéologies mais deux institutions. Plus classique est l'opposition entre les deux Chambres illustrée par l'adoption en lecture définitive de la loi organique n° 2019-221 du 23 mars 2019 relative au renforcement de l'organisation des juridictions.

5. La loi adoptée fictivement (article 49, alinéa 3 de la Constitution)

195 L'ARTICLE 49, ALINÉA 3 DE LA CONSTITUTION. — Le parlementarisme rationalisé a connu une illustration éclatante avec l'article 49, alinéa 3. Ses deux objectifs y sont associés : rendre difficile le renvoi du Gouvernement ; lui donner les moyens de sa politique. Lorsque la majorité parlementaire est instable ou indisciplinée, mais que le Gouvernement estime une loi indispensable à la réalisation de son programme, le Premier ministre peut engager, après délibération du Conseil des ministres, la responsabilité du cabinet sur le vote d'un texte. Celui-ci est « considéré comme adopté » si une motion de censure, au sens du deuxième alinéa, n'est pas votée par l'Assemblée nationale dans les 48 heures. La fiction juridique apparaît en toute clarté, elle est révélée par l'expression « comme si » : on sait pertinemment que la loi n'a pas été adoptée par le Parlement, dont les résistances expliquent le recours à l'article 49, alinéa 3, mais on la répute telle. Si l'Assemblée nationale est radicalement hostile au projet ou à la proposition de loi, elle doit se résoudre à faire chuter le Gouvernement en place. Elle doit alors prouver sa résolution en satisfaisant les conditions draconiennes posées par le deuxième alinéa (voir *infra*). On note qu'il s'agit d'une sorte de pouvoir du dernier mot en négatif : la responsabilité politique du Gouvernement n'appartenant qu'à la Chambre basse, elle seule est fondée à refuser l'adoption d'une loi au prix d'une démission de l'équipe ministérielle.

196 LES LIMITES APPORTÉES EN 2008 À L'ARTICLE 49, ALINÉA 3 DE LA CONSTITUTION. — Davantage encore que la procédure accélérée, l'article 49, alinéa 3 a toujours suscité l'hostilité des parlementaires, le quitte ou double étant un moyen habile de forcer la main des députés, et ce en contradiction profonde avec la logique du parlementarisme. Il est en outre évident que le mécanisme, envisagé comme un remède aux errements des républiques précédentes, a perdu de sa justification avec le fait majoritaire : si le Gouvernement est assuré d'obtenir le soutien d'une majorité forte et disciplinée, il n'a pas besoin d'un tel instrument – ou alors il doit reculer si la fronde exceptionnelle de ses propres troupes menace son existence. De fait, l'article 49, alinéa 3 a été peu utilisé dans les années récentes, dix fois en vingt ans, notamment en 2006 (relativement à la loi pour l'égalité des chances le 9 février 2006). La XIIIe législature n'en a fourni aucune illustration. En revanche, il a servi avec éclat et à trois reprises en 2015 au profit de la loi « Macron » (le 17 février en première lecture, le 16 juin en nouvelle lecture et le 9 juillet en lecture définitive), puis encore en 2016 pour la loi « Travail ». Très récemment, la disposition a permis de briser la résistance de la gauche au projet de loi relatif au système universel de retraite : le Premier ministre l'a invoquée le 29 février 2020, ce qui a suscité deux motions de censure, l'une déposée par la gauche et l'autre par la droite, repoussées toutes les deux à une large majorité le 3 mars. Sans surprise, l'article 49, alinéa 3 a été plus sollicité quand la majorité était étriquée, quand un parti ou une coalition solide de partis ne disposait pas d'une majorité absolue à l'Assemblée nationale : sous la IXe législature (1988-1993), les gouvernements Rocard, Cresson et Bérégovoy y ont recouru à près de quarante reprises. Malgré ce bilan contrasté, la loi constitutionnelle du 23 juillet 2008 a réduit le périmètre de l'article 49, alinéa 3. Il est désormais borné aux lois de finances et aux lois de financement de la sécurité sociale, ainsi qu'à un projet ou à une proposition de loi par session, qu'elle soit ordinaire ou extraordinaire. Si l'on considère qu'une année civile ne peut accueillir plus de deux sessions extraordinaires, cela signifie que l'article 49, alinéa 3 ne concernera pas plus de cinq textes par an, un maximum rarement atteint dans le passé.

Section II
La fonction d'information et de contrôle

197 Réduire cette deuxième fonction au contrôle – et au seul contrôle du Gouvernement, à lire l'article 24 de la Constitution – serait malencontreux. D'une part le contrôle s'étend à l'ensemble de l'administration. D'autre part, et surtout, le Parlement cherche souvent à s'informer auprès du Gouvernement ou de l'administration plus qu'à les contrôler. C'est d'autant plus vrai que les moyens d'information des Chambres sont faibles ; ils ne sont en rien comparables à ceux du Congrès des États-Unis par exemple.

I | L'information et le contrôle sans engagement de la responsabilité du Gouvernement

198 Les questions écrites. — Les questions écrites aux membres du Gouvernement l'illustrent : chaque parlementaire est en droit d'interroger un ministre sur tel aspect politique ou juridique de l'action du Gouvernement. Publiées au *Journal officiel*, elles sont très nombreuses : près de 30 000 sont posées chaque année par des députés (malgré des mesures contraires, elles sont toujours proches des 25 000), plus de 5 000 par des sénateurs, de toute couleur politique, ce qui prouve combien l'information accompagne ou prépare le contrôle. Pendant la XIIIe législature, 131 000 questions écrites ont été adressées aux ministres (le nombre a été comparable sous la XIVe législature) ; ceux-ci répondent dans la quasi-totalité des cas (mais pas toujours dans le délai de deux mois). On piochera un exemple amusant pris en 2013 : le 19 février, Avi Assouly, député PS des Bouches-du-Rhône, interroge le ministre des Affaires étrangères « sur l'attitude provocante de Vladimir Poutine sur le cas épineux de Gérard Depardieu » et demande si la France ne pourrait pas offrir l'asile politique aux opposants russes, comme les Pussy Riots. Le ministre répond le 12 mars que Gérard Depardieu a obtenu la nationalité russe le 1er janvier 2013 à son initiative, qu'il n'a pas perdu sa nationalité française pour autant et qu'il appartient par ailleurs aux personnes s'estimant persécutées par leurs autorités nationales de solliciter l'asile politique en France auprès de l'Office français de protection des réfugiés et apatrides (OFPRA). Les questions écrites ont une importance particulière en matière fiscale car elles lient l'administration.

199 LES QUESTIONS ORALES. — Quant aux questions orales, dont l'article 48, alinéa 6 de la Constitution dispose qu'elles occupent par priorité au moins une séance par semaine, y compris lors des sessions extraordinaires, elles sont variées, mais on peut les résumer à deux types. D'une part les questions orales sans débat, prévues les mardi et jeudi matin, au nombre de 400 par an à l'Assemblée nationale, moitié moins au Sénat : chaque séance permet trente-deux questions, souvent d'intérêt local (en la circonstance, les parlementaires cherchent à s'informer plus qu'à contrôler). D'autre part, beaucoup plus médiatiques, les questions au Gouvernement : près de mille chaque année à l'Assemblée nationale, réparties à parts égales entre l'opposition et la majorité le mardi et le mercredi après-midi, elles fournissent l'occasion d'interpeller le Gouvernement, de le critiquer ou bien de le soutenir. Leur contenu est plus politique que technique : la fonction de contrôle est ici mêlée à la fonction d'information.

200 LE RÔLE DES COMMISSIONS. — L'ambiguïté ne cesse pas avec les commissions parlementaires. D'un côté les commissions permanentes auditionnent les ministres pour information (article 45 RAN) ; l'article 145 RAN ajoute qu'elles « assurent l'information de l'Assemblée pour lui permettre d'exercer son contrôle sur la politique du Gouvernement ». De l'autre les commissions d'enquête, comme leur nom l'indique, sont constituées tout autant pour éclairer les parlementaires et l'opinion publique sur le dysfonctionnement d'un service public ou d'une entreprise publique que pour contrôler l'action du Gouvernement à telle occasion (on a évoqué l'évaluation des moyens mis en œuvre pour lutter contre le terrorisme).

201 L'INFORMATION DÉLIVRÉE PAR LE GOUVERNEMENT : L'ARTICLE 50-1 DE LA CONSTITUTION. — L'initiative peut également venir du Gouvernement lui-même. Depuis 2008, l'article 50-1 de la Constitution lui permet de faire une déclaration « sur un sujet déterminé » devant l'une ou l'autre Chambre. Un débat est organisé : si le Gouvernement le souhaite, il peut être suivi d'un vote, lequel ne saurait engager sa responsabilité. Le contrôle est donc amputé ; la procédure sert tout aussi bien à informer les parlementaires des intentions du Gouvernement. On compte quelques déclarations de ce genre par an et près de cinquiante depuis dix ans. La première a eu lieu en juillet 2010 : le 6 devant l'Assemblée nationale, le 8 devant le Sénat, le Gouvernement a réclamé un vote « sur les orientations des finances publiques pour 2011 » et a obtenu le soutien des deux Chambres. En octobre 2012, la déclaration « sur les nouvelles perspectives européennes » a été suivie d'un débat – mais pas d'un vote. L'article 50-1 a suscité un vif engouement dans les premiers mois de 2013 : le programme de stabilité a été présenté à l'Assemblée le 23 avril (avec un vote à la clé) et le 24 avril au Sénat ; le livre blanc sur la défense a été soumis au Sénat le 28 mai et à l'Assemblée le lendemain ; l'immigration professionnelle et étudiante a fait l'objet d'un débat le 13 juin au Palais Bourbon. Le succès ne s'est pas démenti : l'article 50-1 a été utilisé près de dix fois en 2015, un seul voté ayant été organisé (sur la Grèce le 15 juillet). En 2016, le Gouvernement a présenté aux Chambres, les 15 et 16 mars, un rapport « relatif aux conditions d'emploi des forces armées lorsqu'elles interviennent sur le territoire national pour protéger la population ». Il a procédé de la même façon le 28 juin 2016 à propos du « Brexit ». Après la crise des « Gilets jaunes », le Premier ministre Édouard Philippe a fait usage de l'article 50-1 le 9 avril 2019 pour présenter les conclusions du Grand débat national et encore deux fois en avril et mai 2020 dans le contexte de l'épidémie de Covid-19.

On s'aperçoit que le Gouvernement s'épargne un vote lorsque la majorité dans l'une des deux assemblées est mince : ainsi, les 3 et 4 juillet 2012 au Sénat, Jean-Marc Ayrault a préféré recourir à l'article 50-1 plutôt qu'à l'article 49, alinéa 4 pour présenter la politique générale de son cabinet ; Manuel Valls a procédé de la même façon le 9 avril 2014. L'article 49, alinéa 4 provoque un vote : certes, le Gouvernement ne serait pas contraint à la démission s'il était négatif, il n'en constituerait pas moins un camouflet embarrassant. L'article 50-1 est d'un usage plus souple : le vote est facultatif, or il risquait d'être contraire eu égard à la faible majorité de gauche au Sénat. C'est ce qui s'est produit le 4 mai 2020 : alors que l'Assemblée nationale, le 28 avril, avait largement approuvé la déclaration du Gouvernement « relative à la stratégie nationale du plan de déconfinement dans le cadre de la lutte contre l'épidémie de Covid-19 » (368 voix « pour » et 100 « contre »), le Sénat s'est exprimé en sens contraire et a désavoué le Gouvernement pour la première fois depuis 2008. L'abstention a été massive le 4 mai : il reste que 89 sénateurs ont exprimé leur désaccord contre 81. La conséquence juridique était nulle mais, politiquement, le Sénat prouvait une nouvelle fois qu'il était un foyer d'opposition. Quelques semaines plus tard, cependant, toujours sur le fondement de l'article 50-1, le Gouvernement a pu se prévaloir d'une double victoire à l'Assemblée nationale et au Sénat : le 27 mai 2020, les deux Chambres ont accepté le déploiement de l'application « Stop-Covid » (par 388 voix contre 215 à l'Assemblée, par 186 contre 127 au Sénat).

202 L'INFORMATION DÉLIVRÉE PAR LE GOUVERNEMENT : L'ARTICLE 35 DE LA CONSTITUTION. — Dans une veine semblable, l'article 35 de la Constitution a été sérieusement étoffé en 2008. Il se bornait auparavant à un seul alinéa, selon lequel la déclaration de guerre doit être autorisée par le Parlement, or la France n'a pas déclaré la guerre depuis la fondation de la Ve République. En revanche, les opérations militaires menées à l'étranger échappaient à la connaissance et au contrôle du Parlement. Il est désormais indiqué à l'alinéa 2 que le Gouvernement « informe » le Parlement de toute intervention armée à l'extérieur des frontières nationales dans un délai de trois jours. Cette « information » est suivie, si le Gouvernement le désire, d'un débat sans vote. Tel fut le cas en janvier 2013 pour le Mali, en décembre 2013 pour la Centrafrique, en septembre 2015 et avril 2018 pour la Syrie. L'article 35, alinéa 3 ajoute que l'autorisation du Parlement devient nécessaire lorsque l'intervention excède quatre mois : si les deux assemblées sont en désaccord, la Chambre basse est appelée à trancher en dernier ressort, de la même façon qu'en matière législative. La prolongation a été accordée par les deux Chambres en Afghanistan le 22 septembre 2008, en Côte-d'Ivoire, au Kosovo, au Liban, au Tchad et en République centrafricaine le 28 janvier 2009, en Lybie le 12 juillet 2011 (après une « information » le 22 mars), au Mali le 22 avril 2013, en Centrafrique le 25 février 2014, en Irak et en Syrie le 13 janvier 2015, en Syrie à nouveau le 25 novembre 2015. L'autorisation est donnée une fois pour toutes, ce qui n'est pas sans susciter quelque difficulté lorsque l'opération extérieure se poursuit pendant des années ou des décennies. L'article 35 ne sert pas à aviser le Parlement d'un projet d'intervention militaire : c'est la raison pour laquelle le décret du 28 août 2013 réunissant les Chambres en session extraordinaire le 4 septembre pour débattre de la situation en Syrie a été pris sur le fondement des seuls articles 29 et 30 de la Constitution.

II | L'information et le contrôle avec engagement de la responsabilité du Gouvernement

203 La rationalisation du parlementarisme à l'œuvre. — Le Parlement dispose ainsi de nombreux moyens pour obtenir l'information nécessaire à l'exercice de sa mission de contrôle. Celle-ci culmine dans la mise en cause de la responsabilité du Gouvernement telle que consignée dans les articles 49 et 50 de la Constitution. À rebours, on l'a remarqué, les articles 35 et 50-1 écartent parfois le vote et excluent toujours l'engagement de la responsabilité. La Ve République a en effet voulu réagir contre la pratique des régimes précédents : la rationalisation du parlementarisme a codifié le renvoi du cabinet. Il est hors de question que le

Gouvernement démissionne de manière informelle, source d'instabilité ministérielle. Toute volonté du président de la République mise à part, seule l'Assemblée nationale peut provoquer la chute du ministère. L'article 20 de la Constitution dispose certes que le Gouvernement est responsable devant le « Parlement » mais il s'empresse de préciser : « selon les conditions et suivant les procédures prévues aux articles 49 et 50 ». Or ces deux articles ne confient qu'à la Chambre basse la faculté de renvoyer l'équipe ministérielle. Deux voies sont prévues, l'une à l'initiative du Gouvernement, l'autre à l'initiative de l'assemblée.

204 PRÉSENTATION DU PROGRAMME ET DÉCLARATION DE POLITIQUE GÉNÉRALE. — L'article 49, alinéa 1er autorise tout d'abord le Premier ministre, après la délibération du Conseil des ministres qui manifeste la solidarité des membres du cabinet, à engager la responsabilité du Gouvernement sur son programme ou sur une déclaration de politique générale. Il semblait entendu que le programme désignait la feuille de route que se donnait un Gouvernement à son entrée en fonction, tandis que la déclaration de politique générale était faite « éventuellement » à tout moment – elle a même servi à exposer une politique *particulière* (le 16 janvier 1991, Michel Rocard justifiait la participation de la France à la première guerre du Golfe), ce qui devait motiver l'insertion du nouvel article 50-1 en 2008. Mais la distinction est rapidement devenue obsolète : dès 1969, Jacques Chaban-Delmas se contentait d'une déclaration de politique générale, de même que Jean-Marc Ayrault le 3 juillet 2012, Manuel Valls les 8 avril et 16 septembre 2014 ou Édouard Philippe les 4 juillet 2017 et 12 juin 2019. Le mot « programme » est devenu désuet. Par ailleurs, quelle est la valeur du présent de l'indicatif dans la formule « Le Premier ministre *engage…* » ? S'agit-il d'un impératif ? Le Premier ministre est-il contraint de se présenter devant l'Assemblée nationale sitôt son Gouvernement formé pour obtenir sa confiance ? La pratique politique a apporté une réponse négative malgré les précédents de Michel Debré en 1959 et de Georges Pompidou en 1962 : le même G. Pompidou n'a pas présenté de programme ou exposé de politique générale au début de la IIIe législature, en 1967, au motif que la

Constitution n'exigeait pas d'investiture du Gouvernement ou de son chef par le Parlement et que son article 8 confiait au contraire la nomination des ministres au seul président de la République. La question de confiance est encore omise lorsque la majorité est étroite : pendant la IXe législature (1988-1993), ni Michel Rocard, ni Édith Cresson, ni Pierre Bérégovoy n'ont pris le moindre risque puisque leur majorité était relative. Parmi les quarante utilisations de l'article 49, alinéa 1er depuis 1958, un sort à part doit être réservé à la déclaration faite par François Fillon le 17 mars 2009 : elle portait sur la politique *étrangère* et non sur la politique générale parce qu'elle visait à forcer la main des députés UMP, rétifs à la réintégration de la France dans le commandement militaire de l'OTAN. Ils auraient sans doute voté contre si la voie de l'article 50-1 avait été empruntée : comme on le sait, un vote négatif n'aurait pas provoqué la chute du Gouvernement. Celui-ci ne pouvait cependant envisager un tel revers : il a mis les députés de son propre camp au pied du mur – s'ils étaient à ce point défavorables aux vues de l'exécutif, il leur fallait refuser la confiance. En conséquence, les gaullistes les plus convaincus se sont réfugiés dans l'abstention ou ont refusé de prendre part au vote.

205 La motion de censure. — Le Gouvernement doit aussi démissionner, aux termes de l'article 50, s'il est victime d'une motion de censure telle que définie à l'article 49, alinéa 2. L'Assemblée nationale en a l'initiative, y compris quand elle réagit à l'engagement de la responsabilité du cabinet sur un texte au titre de l'article 49, alinéa 3 (voir *supra*). La motion doit être signée par un dixième des membres de la Chambre, soit 58 députés, sachant que nul député ne peut s'associer à plus de trois motions par session ordinaire (et une par session extraordinaire). Une poignée de députés est ainsi empêchée de perturber la vie du Gouvernement à répétition. Un délai de 48 h est imposé entre le dépôt de la motion de censure et son examen en séance : ce laps de temps doit permettre de calmer des esprits parfois échauffés. Le cabinet ne saurait tomber sur un coup de tête ou sur un mouvement d'humeur : l'Assemblée est invitée à mûrir sa décision. Surtout, indice du parlementarisme rationalisé, seuls les votes favorables à la motion sont recensés :

l'abstention ou l'absence jouent objectivement en faveur du Gouvernement puisque la majorité est calculée à partir « des membres composant l'Assemblée ». Version édulcorée de la défiance constructive allemande (article 67 de la Loi fondamentale de 1949), cette disposition donne l'assurance qu'il existe une majorité alternative et résolue au sein de la Chambre : si les majorités de circonstance ne sont pas exclues, il est prouvé que le Gouvernement en place ne dispose plus d'une majorité pour le soutenir.

Une seule motion de censure a abouti sous la Ve République, celle du 5 octobre 1962, qui a renversé le cabinet de Georges Pompidou. On sait que de Gaulle avait annoncé son intention de recourir à l'article 11 de la Constitution pour en modifier les articles 6 et 7 et faire élire le président de la République au suffrage universel direct. On sait aussi que le décret présidentiel du 2 octobre avait supposé une proposition du Gouvernement le même jour. L'Assemblée nationale, se refusant à attaquer frontalement de Gaulle, dirigeait ses feux contre le Gouvernement : la motion de censure réclamait 241 voix, elle en obtint 280. Dans la foulée, de Gaulle demanda au Gouvernement d'expédier les affaires courantes et prononça la dissolution de l'assemblée en vertu de l'article 12 de la Constitution. Les élections législatives anticipées de novembre devaient se révéler triomphales pour les candidats gaullistes : le fait majoritaire signifiait ce faisant la mort de la motion de censure. Rien d'étonnant à ce que la seule motion de ce type victorieuse sous la Ve République ait été adoptée pendant la Ire législature, à un moment où le fait majoritaire n'avait pas paralysé l'instrument de la censure. Depuis 1962, les gouvernements successifs sont assurés du soutien d'une majorité forte et disciplinée qui rend illusoire, ou presque, la chute de l'équipe ministérielle en place. C'est pour cette raison qu'aucune autre motion de censure n'a plus été adoptée. Leur dépôt relève alors de la geste politique : l'opposition sait pertinemment qu'elle n'a aucune chance de succès mais elle interpelle l'opinion publique et manifeste solennellement son hostilité au Gouvernement. Ainsi le 20 mars 2013 : la motion de censure a recueilli 228 voix alors que 287 étaient nécessaires. Le score a été comparable le 19 février 2015 (234 voix « pour » sur 289 requises) ou le 18 juin 2015 (198/289) et encore le 12 mai 2016 (246/288). Il est notable qu'aucun député socialiste « frondeur » n'a voté la censure, même si une motion a failli être déposée par les députés les plus à gauche (56 voix ont été réunies alors que 58 étaient nécessaires). Le Gouvernement d'Édouard Philippe a essuyé cinq motions de censure : trois en 2018 sur le fondement de l'article 49, alinéa 2 et deux en 2020 en réaction à l'utilisation de l'article 49, alinéa 3. Les opposants ont réuni au mieux 148 députés, très loin de la barre des 289 requise. On compte en moyenne trois à cinq motions de censure par législature. Seule la IXe législature (1988-1993), caractérisée par dix motions de ce type, a été près de connaître la démission d'un Gouvernement en raison de la majorité relative détenue par le parti socialiste. Le 1er juin 1992, la politique agricole commune (PAC) a été sur le point de provoquer la chute du Gouvernement de P. Bérégovoy : 289 voix étaient requises, elles furent 286 parce qu'une grande partie des députés communistes avait rejoint les députés de droite. Au cours de la même législature, mais sur le fondement de l'article 49, alinéa 3, le Gouvernement de M. Rocard avait éprouvé une frayeur semblable : le 19 novembre 1990, la motion de censure qui répliquait à la création de la contribution sociale généralisée (CSG) avait obtenu 284 suffrages, à cinq voix de la majorité absolue requise.

206 LE RÔLE MODESTE DU SÉNAT. — Le Sénat n'est pas totalement mis sur la touche. Selon l'article 49, alinéa 4 de la Constitution, le Premier ministre a la « faculté » de demander l'approbation d'une déclaration de politique générale à la Chambre haute. On relève que le terme « programme » est éludé, tandis que la délibération du Conseil des ministres n'est pas exigée : la raison en est que la responsabilité du Gouvernement n'est pas mise en jeu et qu'un vote défavorable du Sénat n'obligerait pas à la démission. En sollicitant l'appui de la Chambre, le Premier ministre cherche à obtenir un soutien politique à bon compte : il pourra se prévaloir de l'accord des deux assemblées tout en flattant les sénateurs, surtout s'il se présente au palais du Luxembourg le lendemain ou le surlendemain de son discours à l'Assemblée nationale. C'est dire aussi qu'il n'invoquera pas l'article 49, alinéa 4 s'il n'est pas certain d'un résultat positif (d'où le choix de J.-M. Ayrault de recourir à l'article 50-1 en juillet 2012). La disposition est restée lettre morte pendant les premières décennies de la Ve République, notamment parce que de Gaulle et Pompidou battaient froid le Sénat. Il a fallu attendre le 10 juin 1975 pour que Jacques Chirac, alors Premier ministre, innovât. L'article a servi à dix-huit reprises. Le 25 novembre 2010, quelques mois avant le changement de majorité au Sénat, le Premier ministre F. Fillon a voulu exciper du soutien de l'une et l'autre Chambre après avoir été reconduit dans ses fonctions. Le 13 juin 2019, Édouard Philippe a pris le risque d'un désaveu sans conséquence pour mettre au pied du mur les sénateurs LR : ceux-ci ont décidé de s'abstenir, la déclaration étant rejetée par 93 voix contre 71 (et 181 absentions).

Leçon 9

Le Conseil constitutionnel, « organe régulateur de l'activité des pouvoirs publics »

207 La physionomie actuelle du Conseil constitutionnel est très différente de ce qu'elle était au début de la Ve République. À l'époque, le Conseil était considéré comme une pièce essentielle du parlementarisme rationalisé : il était chargé de veiller à ce que le Parlement ne renoue pas avec les travers des républiques précédentes. Les interlocuteurs des « Sages » n'étaient pas tant les citoyens ou les justiciables que les autres organes de l'État : selon la célèbre formule du 6 novembre 1962, il se déclarait « organe régulateur de l'activité des pouvoirs publics » (décision n° 62-20 DC). Sa composition en fournissait une première preuve.

Section I
La composition du Conseil constitutionnel et le statut de ses membres

208 La nomination des neuf membres « ordinaires ». — Le Conseil constitutionnel est composé de neuf membres « ordinaires », nommés à raison de trois chacun par le président de la République, le président de l'Assemblée nationale et le président du Sénat (article 56 de la Constitution). Pour ne pas bouleverser l'institution à l'échéance du mandat de neuf ans, le Conseil est renouvelé par tiers tous les trois ans. C'est pourquoi le premier

Conseil rassembla trois membres nommés pour trois ans, trois nommés pour six ans et trois nommés pour neuf ans. En février 2013, trois femmes ont été désignées : Nicole Maestracci par le président de la République, Nicole Belloubet par le président du Sénat et Claire Bazy-Malaurie par le président de l'Assemblée nationale (celle-ci a été reconduite dans ses fonctions de manière exceptionnelle). En février 2016, le chef de l'État a nommé L. Fabius, le président du Sénat M. Pinault (conseiller d'État) et le président de l'Assemblée nationale Corinne Luquiens (secrétaire générale de la Chambre). En février 2019, J. Mézard a été désigné par le président de la République, A. Juppé par le président de l'Assemblée nationale et F. Pillet par le président du Sénat. Le président – qui a voix prépondérante en cas de partage – est nommé par le président de la République : le plus souvent, celui-ci choisit parmi les membres qu'il a nommés. Tel fut le cas en 2007 : Jacques Chirac propulsa aussitôt Jean-Louis Debré à la tête de l'institution, et aussi en 2016 : Laurent Fabius est devenu immédiatement président. Mais il est aussi arrivé que le président de la République désignât président un membre investi par le président d'une des deux Chambres : Yves Guéna devint tel en 2000 alors qu'il avait été nommé par le président du Sénat en 1997.

Depuis la loi constitutionnelle du 23 juillet 2008 et les textes subséquents, un embryon de contrôle a été confié aux parlementaires sur les choix effectués, mais on a eu l'occasion de souligner qu'il restera anecdotique. S'agissant des nominations faites par le président de l'une ou l'autre assemblée, on voit mal comment la commission permanente compétente (la commission des lois) déjugerait celui qui a été hissé au perchoir, surtout qu'elle doit se prononcer à la majorité contraire des trois cinquièmes. Quant à la volonté du président de la République, dispensée de tout contreseing ministériel (article 19 de la Constitution), elle ne serait contredite, aux termes de l'article 13, alinéa 5 auquel renvoie l'article 56, qu'autant que trois cinquièmes des suffrages exprimés dans les commissions compétentes des deux Chambres seraient négatifs. Si le mot « avis » est mal choisi car les commissions sont décisionnaires et disposent d'un droit de veto, on gage que ce veto ne sera que rarement exercé : pour atteindre la majorité contraire des trois cinquièmes, il faudrait que le président de la République fasse l'objet d'une vive hostilité dans les deux assemblées parlementaires. Le 18 février 2016, L. Fabius, C. Luquiens et M. Pinault ont été adoubés à l'unanimité ou presque. Il en a été de même le 21 février 2019 pour J. Mézard, A. Juppé et F. Pillet.

209 LE PRIVILÈGE DES ANCIENS PRÉSIDENTS DE LA RÉPUBLIQUE. — L'article 56 de la Constitution ajoute que les anciens présidents de la République sont membres de droit et à vie du Conseil constitutionnel. La mesure était sans doute destinée à offrir une porte de sortie honorable à René Coty, dont le rôle avait décisif dans le retour au pouvoir de Charles de Gaulle en 1958. Coty siégea donc au Conseil constitutionnel en compagnie, d'ailleurs, d'un autre ancien président de la IVe République, Vincent Auriol. Par la suite, de Gaulle refusa cet honneur, Pompidou mourut en fonction, Mitterrand était affaibli par la maladie. Dans la période récente, trois anciens chefs de l'État étaient susceptibles de participer aux activités du Conseil : Valéry Giscard d'Estaing, Jacques Chirac et Nicolas Sarkozy. Mais le premier ne vient qu'au coup par coup (et ne statue jamais en matière de questions prioritaires de constitutionnalité par hostilité au contrôle *a posteriori* des lois), le second a cessé d'y figurer en 2010 pour des raisons de santé (il a siégé lors des quatre premières questions prioritaires de constitutionnalité), tandis que le troisième, après quelques apparitions en juin 2012, s'est mis en retrait en janvier 2013 à partir du moment où le Conseil était appelé à se prononcer sur la régularité de son compte de campagne. À l'issue de sa mise en examen en mars 2013 dans l'affaire Bettencourt, des voix ont réclamé sa démission du Conseil : elle est cependant impossible puisque la désignation à vie est de nature statutaire et échappe à la volonté de ses bénéficiaires. L'ancien président a pourtant annoncé sa « démission » à la suite de la décision n° 2013-156 PDR du 4 juillet 2013 rejetant son compte de campagne ; elle signifie tout au plus que N. Sarkozy ne siègera plus au Conseil.

Le privilège de l'article 56 a été critiqué, notamment par le comité Balladur en 2007 qui en suggérait la suppression : la loi constitutionnelle du 23 juillet 2008 n'en a rien fait, à rebours du projet de loi constitutionnelle adopté en Conseil des ministres le 13 mars 2013, qui ne valait que pour l'avenir et dont l'examen a été repoussé à des jours meilleurs. Son échec est désormais consommé, de même que celui des projets de loi constitutionnelles des 9 mai 2018 et 28 août 2019. Pourtant, l'exclusion des anciens présidents de la République s'impose, la « démission » de N. Sarkozy en juillet 2013 le prouve plus que jamais. D'une part ils quittent souvent l'Élysée dans la force de l'âge et animés d'ambitions politiques encore vivaces (ainsi V. Giscard d'Estaing ou N. Sarkozy). D'autre part, la chose était patente jusqu'en 2019 pour les trois anciens chefs de l'État en activité, ils se dispensent de toute assiduité et siègent selon l'intérêt qu'ils portent à une affaire. V. Giscard d'Estaing et J. Chirac ont, pour une rare fois, délibéré ensemble relativement à la loi interdisant la dissimulation du visage dans l'espace public (décision n° 2010-613 DC du 7 octobre 2010). Or la continuité de la justice et la cohérence de la jurisprudence ne sauraient tolérer une présence à éclipses.

210 LES FAIBLESSES DU DISPOSITIF. — Il est commun de dénoncer le mode de désignation des membres du Conseil constitutionnel. On note, pour le regretter, qu'il est confié à des organes politiques, ce qui expliquerait la présence massive d'anciens ministres ou parlementaires (L. Fabius, A. Juppé, F. Pillet, J. Mézard à l'heure actuelle). Le Conseil constitutionnel aurait pour cette raison une allure peu juridictionnelle : la surreprésentation de la classe politique aurait pour objectif de rassurer les parlementaires en leur donnant l'assurance que leur élection ou que leur œuvre législative seront examinées par des gens du sérail. L'argument n'est pas convaincant. La France ne se distingue pas ici des autres pays occidentaux : en Allemagne, en Italie, en Espagne, aux États-Unis, ce sont également des organes politiques qui désignent les membres des cours constitutionnelles – l'élection au suffrage universel les qualifie plus que toute autre instance. Le recrutement corporatif, qui remet à des juges le soin de nommer à la cour constitutionnelle, est rare et en tout cas limité (en Italie, un tiers des membres de la Cour constitutionnelle est choisi par les magistratures suprêmes de l'ordre judiciaire et de l'ordre administratif aux termes de l'article 135 de la Constitution).

En revanche, la France est isolée parce qu'elle n'exige aucune qualification juridique particulière pour siéger au Conseil constitutionnel : chez la plupart de nos voisins, les membres de la cour constitutionnelle sont tous, pour emprunter à la Constitution espagnole, « des juristes à la compétence reconnue » (article 159). Il est bien souvent précisé que les candidats devront être nécessairement magistrats, professeurs de droit ou avocats. Rien de tel en France et c'est là où le bât blesse : une juridiction se caractérise aussi par les qualités professionnelles prêtées à ses desservants, or elles sont ici sujettes à caution (un reproche que l'on ne pouvait adresser à Renaud Denoix de Saint-Marc et à Guy Canivet, respectivement anciens vice-président du Conseil d'État et premier président de la Cour de cassation). N'est-il pas étonnant qu'aucun avocat ne siège et que les professeurs de droit soient aussi mal représentés ? Les réflexions amères d'un Charles Eisenmann n'ont rien perdu de leur actualité (« Palindromes ou stupeur ? », *Le Monde* du 5 mars 1959). Une proposition de l'ancien président de la commission des lois, Jean-Jacques Urvoas, a fait long feu : elle préconisait, le 27 mars 2013 que le Conseil fût composé de douze membres (les trois nouveaux membres étant nommés par le Premier ministre) se distinguant « par leur connaissance du droit ».

211 LE STATUT DES MEMBRES DU CONSEIL CONSTITUTIONNEL. — Le constat est d'autant plus malheureux que le statut des membres du Conseil offre toutes les garanties nécessaires à des juges authentiques. L'indépendance est assurée par un mandat de neuf ans qui n'est pas renouvelable : la complaisance est exclue puisque le membre, une fois nommé, ne peut espérer être renouvelé dans ses fonctions. Une exception est cependant prévue si un membre a achevé le mandat commencé par un autre : s'il lui a succédé dans les trois dernières années du mandat, il peut être nommé à nouveau (article 12 de l'ordonnance portant loi organique n° 58-1067 du 7 novembre 1958). C. Bazy-Malaurie était dans cette situation : ayant remplacé en juillet 2010 Jean-Louis Pezant, qui avait été désigné plus de six ans auparavant, elle pouvait briguer une nouvelle investiture au début de 2013. En sens inverse, nommé en 2015, L. Jospin n'a accompli qu'un mandat de quatre ans parce qu'il achevait le mandat de J. Barrot, décédé subitement dans la cinquième année de ses fonctions. L'indépendance est encore renforcée par les indemnités élevées perçues par les membres du Conseil. Elle l'est aussi par toute une série d'incompatibilités : nul ne saurait être à la fois membre du Conseil et ministre, parlementaire, membre du CESE, Défenseur des droits – de façon générale, titulaire d'un mandat électoral. La loi organique n° 2013-906 du 11 octobre 2013 a renforcé les incompatibilités : toute activité professionnelle (publique ou privée) est aujourd'hui interdite aux membres du Conseil. Ils peuvent tout au plus « se livrer à des travaux scientifiques, littéraires ou artistiques ». De surcroît, aucun d'entre eux ne peut être nommé à un emploi public ou faire l'objet d'une promotion au choix (articles 4 et 5 de l'ordonnance précitée qui complètent l'article 57 de la Constitution). L'indépendance est enfin couronnée par une inamovibilité qui ne dit pas son nom : si la démission et l'empêchement pour une raison physique sont classiques, la démission d'office suscite de graves difficultés (articles 9, 10 et 11 de l'ordonnance). Elle sanctionne la violation d'une incompatibilité, elle suit aussi la perte des droits civils et politiques, mais l'essentiel est que le Conseil constitutionnel est seul juge d'une telle situation. Il se prononce à la majorité simple de ses membres, y compris les anciens présidents de la République (décret n° 59-1292 du 13 novembre 1959). La procédure n'a jamais été utilisée ; elle a été près de l'être en 2000 lorsque Roland Dumas, qui présidait alors le Conseil, avait été mis en examen dans l'affaire Elf ; la démission « volontaire » arrachée au président Dumas a fait l'économie d'un débat et d'un vote pénibles ; il reste que la crédibilité de l'institution a été affaiblie.

La perte du mandat est plus généralement la conséquence d'un manquement aux devoirs de la charge tels que précisés dans le serment que doit prêter tout membre du Conseil, sauf s'il est membre de droit (article 3 de l'ordonnance précitée). Les obligations se résument à un devoir de secret et à un devoir de réserve : d'une part les délibérations et les votes ne doivent pas être divulgués, d'autre part les membres du Conseil doivent s'abstenir de prendre une position publique ou de donner une consultation dans toutes les matières relevant de la compétence de l'institution (une disposition devenue obsolète en octobre 2013). Le décret du 13 novembre 1959 ajoute que les « Sages » ont interdiction d'occuper un poste ou d'exercer une activité dans un parti politique. L'attitude adoptée par Simone Veil en 2005 est de ce point de vue contestable : en dehors de tout texte, celle-ci s'est mise en congé du Conseil le temps de la campagne référendaire relative au traité établissant une Constitution pour l'Europe (R. Dumas avait créé un précédent en 1999). On rappelle que le Conseil s'était prononcé sur la conformité de ce traité à la Constitution dans une décision du 19 novembre 2004 et que la loi de ratification eût pu être déférée au Conseil si le « oui » l'avait emporté. L'impartialité de Mme Veil était sujette à caution. De la même façon qu'une véritable juridiction ne peut tolérer que les anciens présidents de la République participent à son activité de temps en temps, elle ne peut accepter que ses membres « ordinaires » décident d'eux-mêmes de s'abstenir de siéger pendant une campagne politique. L'absence ou le congé bouleversent les équilibres au sein du Conseil : ses décisions pourraient être aujourd'hui signées par douze membres, elles sont le plus souvent par les neuf membres nommés, avec cette réserve que le quorum est fixé à sept, sauf cas de force majeure (article 14 de l'ordonnance du 7 novembre 1958). Cette disposition n'est pas satisfaisante : la collégialité est minée lorsque le Conseil rend des décisions à six (décisions n° 2010-99 QPC et n° 2010-100 QPC du 11 février 2011).

212 LES MOYENS DU CONSEIL CONSTITUTIONNEL. — On ajoutera que le Conseil est doté d'une structure légère : ses moyens financiers, matériels et humains sont limités. Une soixantaine de personnes travaille dans les lieux prestigieux mais exigus (malgré les travaux considérables menés depuis quelques années) de la rue Montpensier. C'est aussi pour cette raison que le Conseil se fait modeste : le contrôle de conventionnalité des lois est confié aux juridictions administratives et judiciaires, la question prioritaire de constitutionnalité associe intimement les juges ordinaires aux « Sages ». Le personnage-clé est le secrétaire général : nommé par décret du président de la République sur proposition du président du Conseil, il s'agit presque toujours d'un conseiller d'État (Marc Guillaume entre 2007 et 2015, Laurent Vallée entre 2015 et 2017, Jean Maïa depuis). On s'étonne parfois que le secrétaire général évoque « nos » décisions : il n'est pas membre du Conseil. Mais l'observation de la machine enseigne que le secrétaire général joue un rôle crucial. Juriste qualifié, il est au centre du dispositif : lui seul voit arriver au greffe toutes les requêtes, tandis qu'il prépare les délibérés en amont, a la haute main sur les commentaires des décisions, pilote la revue du Conseil *Titre VII*, etc. Il est sans conteste le « dixième » membre du Conseil.

Section II
Le Conseil constitutionnel, pièce du parlementarisme rationalisé

213 En 1958, les Pères fondateurs ont voulu faire du Conseil constitutionnel « un canon braqué contre le Parlement », selon la formule prêtée à Charles Eisenmann. Il apparaissait en effet comme un auxiliaire du Gouvernement ou de l'exécutif au sens large – quoiqu'il ne le soit pas toujours quand on se rappelle que la plupart des lois émanent du Gouvernement. Dans tous les cas, le Conseil est chargé de vérifier la régularité de l'activité des pouvoirs publics, et aussi celle de leur élection.

I | Les opérations électorales

214 Les articles 58, 59 et 60 de la Constitution. — Le mot « régularité » figure aux articles 58, 59 et 60 de la Constitution : le Conseil veille à la régularité de l'élection du président de la République, des députés et des sénateurs, ainsi qu'à celle des référendums. La question ne se posait pas en ces termes sous les IIIe et IVe Républiques puisque le président de la République était élu par les Chambres, tandis que le référendum était soit inexistant (sous la IIIe République), soit réduit à une hypothèse jamais explorée (sous la IVe). Il y a pourtant bien de la différence entre l'élection présidentielle et les opérations référendaires d'une part, les élections parlementaires de l'autre. La compétence du Conseil est nettement plus étendue à l'égard des premières : elle est à la fois consultative, administrative et contentieuse – elle est seulement contentieuse, s'agissant des députés et des sénateurs.

215 Les élections présidentielles et les opérations référendaires. — En matière présidentielle et référendaire, la compétence du Conseil est d'abord consultative : en vertu de l'article 46 de l'ordonnance du 7 novembre 1958, auquel renvoie la loi n° 62-1292 du 6 novembre 1962, le Gouvernement sollicite l'avis du Conseil au moment de l'organisation de l'élection présidentielle et des référendums. Dans la foulée, le Conseil a pris l'habitude de présenter des observations, le plus souvent après l'élection, qui s'apparentent à autant de conseils donnés au législateur, voire au constituant. Il a commencé à le faire dans ses observations du 24 mai 1974 (décision n° 74-33 PDR), il a récidivé à plusieurs reprises, notamment le 21 juin 2012 avec la décision n° 2012-155 PDR. Dans cette dernière, le Conseil appelle de ses vœux une réflexion sur la publication du nom des « parrains » ou encore une harmonisation de l'horaire de clôture des bureaux de vote en métropole. Il a été entendu par le législateur qui a adopté la loi organique n° 2016-506 du 25 avril 2016. En dernier lieu, le Conseil a établi un bilan de l'élection présidentielle de 2017 en même temps qu'il formulait des recommandations dans la décision n° 2017-172 PDR du 20 juillet 2017. (On ajoutera que le Conseil assume rarement une fonction consultative : l'article 16 de la Constitution exige que le président de la République informe le Conseil du recours aux pouvoirs exceptionnels ; depuis 2008, le Conseil est appelé à émettre un « avis public » au bout d'un ou de deux mois afin de vérifier si les conditions posées sont toujours réunies ; la question de savoir quelle est la portée de cet « avis » reste en suspens selon qu'il met fin ou non à l'application de l'article 16.)

La compétence du Conseil est ensuite administrative : il a la faculté de désigner des délégués, pris dans la magistrature, pour surveiller la tenue des opérations en cours, il collecte les résultats, les recense et les proclame (articles 48, 49 et 51 de l'ordonnance du

7 novembre 1958). L'élection présidentielle au suffrage universel direct a renforcé le rôle du Conseil. Depuis 1962, celui-ci est qualifié pour établir la liste des candidats. Le Conseil vérifie le nom, la qualité et le consentement des « parrains » dont le soutien est nécessaire ; ils sont rendus publics (dans la limite du nombre requis autrefois : 100 jusqu'en 1976, 500 entre 1976 et 2017) et intégralement aujourd'hui : en vertu de la loi organique du 25 avril 2016, tous les noms sont publiés – ils étaient près de 15 000 en 2017. Depuis 1976, en réponse d'ailleurs aux observations faites par le Conseil à la mort de Pompidou, il lui appartient de reporter les opérations en cours en cas de disparition de l'un des candidats. On n'oubliera pas que le Conseil est par ailleurs habilité à prononcer l'empêchement, temporaire ou définitif, du président de la République, l'intérim étant alors confié au président du Sénat, voire au Gouvernement dans son ensemble (sur tous ces aspects, voir la leçon 3).

Enfin, la compétence du Conseil est juridictionnelle ou contentieuse. « Il examine les réclamations », aux termes de l'article 58 de la Constitution et de l'article 50 de l'ordonnance du 7 novembre 1958 (qui précise : « et tranche définitivement »), c'est-à-dire qu'il vérifie, en cas de contestation, si le scrutin n'a pas été entaché d'irrégularités de nature à en fausser le résultat. Dans cette hypothèse, le Conseil a le pouvoir de prononcer l'annulation partielle ou totale des opérations. Il se contente au pire d'annuler les résultats de tel bureau de vote ou de telle commune. Après quelque atermoiement, le Conseil s'est octroyé le contentieux des actes préparatoires, du moins ceux « conditionnant la régularité d'un scrutin à venir » (décisions n° 2000-21 REF du 25 juillet 2000 et 2001-95 PDR du 14 mars 2001). En conséquence, le Conseil d'État déclare les requêtes de ce type irrecevables au nom de l'exception de recours parallèle, c'est-à-dire que le juge administratif refuse d'examiner un contentieux déjà traité par le Conseil constitutionnel. En outre, les « Sages » de la rue Montpensier sont, le cas échéant, saisis d'un recours de pleine juridiction contre les décisions de la Commission nationale des comptes de campagne et des financements politiques (CNCCFP) rejetant ou réformant les comptes d'un candidat (article 3 de la loi du 6 novembre 1962 précitée). La CNCCFP a été créée par la loi n° 90-55 du 15 janvier 1990 ; elle a le statut d'autorité administrative indépendante ; elle examine en première instance les comptes des candidats à l'élection présidentielle depuis 2006 ; auparavant, le Conseil en était seul juge ; c'est ainsi qu'en 1995 il avait approuvé les comptes d'Édouard Balladur et de Jacques Chirac, malgré les irrégularités alléguées et qui font toujours, vingt après, l'objet d'investigations judiciaires dans l'affaire des frégates de Taïwan. Plus récemment, le 19 décembre 2012, la CNCCFP a estimé que Nicolas Sarkozy avait dépassé le plafond des dépenses électorales autorisées, interdisant notamment le versement des dix millions d'euros accordés par l'État au titre du remboursement forfaitaire ; le Conseil constitutionnel a été saisi le 10 janvier 2013 – poussant l'ancien président à se mettre en congé de l'institution – et a confirmé la sentence de la CNCCFP dans une décision n° 2013-156 PDR du 4 juillet 2013. D'où la « démission » de N. Sarkozy.

216 LES ÉLECTIONS PARLEMENTAIRES. — Quant aux élections parlementaires, la compétence du Conseil est uniquement contentieuse. C'est ici que la rationalisation du parlementarisme s'exprime avec vigueur et que la Constitution de 1958 introduit une rupture : la tradition voulait que la régularité des élections parlementaires fût examinée par les assemblées elles-mêmes, au nom de leur autonomie et de la séparation des pouvoirs. L'article 8 de la Constitution de 1946 disposait ainsi : « Chacune des deux Chambres est juge de l'éligibilité de ses membres et de la régularité de leur élection. » Pour éviter toute partialité, manifeste lors des élections législatives de 1956 (des candidats poujadistes avaient été indûment écartés), le contentieux est remis au Conseil constitutionnel depuis 1958. La liberté du Parlement est donc annihilée. À la demande d'un électeur ou d'un candidat de la circonscription, formée dans les dix jours qui suivent l'élection, le Conseil est en mesure d'annuler une élection ou de la réformer, c'est-à-dire de déclarer élu un autre candidat que celui qui l'avait été initialement (article 41 de l'ordonnance du 7 novembre 1958). Si la réformation a été rarement prononcée (une seule fois à ce jour : décision n° 2014-4902 SEN du 12 février 2015), il n'en va pas de même de l'annulation : plus de 3 500 décisions ont été rendues par le Conseil depuis

1959 ; la plupart relatives à l'élection des députés, elles ont conduit à l'annulation dans quatre-vingts cas environ. Une élection partielle est alors organisée dans le délai de trois mois. Les élections législatives de 2012 ont suscité 108 protestations et provoqué 261 décisions (notamment sur saisine de la CNCCFP), dont sept annulations, trois étant liées à l'irrégularité des comptes de campagne. Les élections législatives de 2017 ont connu une inflation significative de réclamations, plus de 600, dont la moitié sur saisine de la CNCCFP, tandis que les annulations sont restées stables (huit). L'annulation n'emporte pas l'inéligibilité en l'absence d'un grief financier : après l'annulation de son élection dans la deuxième circonscription de l'Oise (décision n° 2012-4594 AN du 25 janvier 2013), Jean-François Mancel, député UMP, s'est à nouveau porté candidat lors de l'élection partielle qu'il a remportée le 24 mars suivant. Il en est allé de même pour Samantha Cazebonne, dont l'élection dans la cinquième circonscription des Français de l'étranger avait été annulée par la décision n° 2017-5052 du 2 février 2018 : elle a été réélue à l'issue de l'élection partielle du 22 avril suivant.

Là aussi, le Conseil examine de manière exceptionnelle – avant ou après l'élection – la régularité des actes préparatoires dès lors que l'irrecevabilité « risquerait de compromettre gravement l'efficacité du contrôle par le Conseil constitutionnel de l'élection des députés ou des sénateurs, vicierait le déroulement général des opérations électorales et, ainsi, pourrait porter atteinte au fonctionnement normal des pouvoirs publics » (décision n° 82-2 ELEC du 16 avril 1982). Le juge administratif reste cependant compétent à certains égards, ainsi pour apprécier la régularité des élections partielles ou des recommandations du CSA. Postérieurement à l'élection, il appartient au seul Conseil de prononcer la déchéance ou la démission d'office qui sanctionne la violation d'une inéligibilité ou d'une incompatibilité. Mais la compétence est liée : le Conseil « constate » (article LO 136 du code électoral). Gaston Flosse a été ainsi déchu de son mandat de sénateur en 2014 par la décision n° 2014-22 D du 16 septembre 2014. L'inéligibilité peut aussi résulter d'un rejet ou d'une réformation des comptes de campagne par la CNCCFP, voire de l'omission de leur dépôt : l'inéligibilité atteint trois ans au maximum, elle vaut pour toutes les élections à venir, sans affecter les mandats obtenus antérieurement, et elle emporte l'annulation de l'élection ou bien la démission d'office (article LO 136-1 du code électoral). Le 15 février 2013, Corinne Narassiguin et Daphna Poznanski-Benhamou, élues respectivement dans les première et huitième circonscriptions des Français de l'étranger, ont été déclarées inéligibles pour un an, leur élection étant de ce fait annulées (décisions n° 2012-4551 AN et n° 2012-4633 AN). S'agissant du contentieux des élections législatives de 2017, le Conseil a rejeté les comptes de campagne de deux députés, sans pour autant prononcer leur inéligibilité (décisions n° 2018-5532 et n° 2018-5614 du 4 mai 2018).

En ce domaine aussi, le Conseil se permet de formuler des « observations » au lendemain des élections parlementaires. Les premières étaient contenues dans la décision n° 94-9 ELEC du 29 mars 1994 relativement aux élections législatives de 1993 et dans la décision n° 96-11 ELEC du 12 juillet 1996 relativement aux élections sénatoriales de 1995. Depuis, chaque renouvellement de l'Assemblée nationale a donné lieu à des observations, en dernier lieu dans les décisions n° 2013-26 ELEC du 11 juillet 2013 et n° 2019-28 ELEC du 21 février 2019. Le Conseil constitutionnel fait un bilan du contentieux suscité par les élections en cause et propose des améliorations pour l'avenir. Ainsi, le 11 juillet 2013, les « Sages » regrettaient que l'inéligibilité prononcée sur le fondement de l'article LO 136-1 du code électoral s'applique à compter de la décision du Conseil et non à compter de l'élection disputée. Ils suggéraient de retenir la date de l'élection, tout en portant la durée de l'inéligibilité à deux ans. Or on constate que leurs préconisations sont assez souvent prises en compte par le législateur, comme l'a remarqué non sans satisfaction le Conseil lui-même. Ce fut le cas avec la loi organique n° 2019-1268 du 2 décembre 2019 « visant à clarifier diverses dispositions du droit électoral » : de la mansuétude est accordée aux candidats dont les comptes de campagne seraient rejetés, tandis que l'inéligibilité part de la date de l'élection contestée ; en revanche, la durée de l'inéligibilité est restée fixée à trois ans.

II | La protection du domaine réglementaire

217 Les articles 37, alinéa 2 et 41 de la Constitution. — La Constitution de 1958 a innové en confinant la loi dans une série de matières fixées par l'article 34 ; le reste appartient au domaine réglementaire (article 37). Les constituants redoutaient que le Parlement, contestant cette distinction, ne tentât d'envahir le domaine réservé au règlement. Ils ont donc imaginé deux parades. D'une part l'article 41 permet au Gouvernement et, depuis 2008, au président d'une Chambre d'opposer lors de la procédure législative l'irrecevabilité à une proposition de loi ou à un amendement parlementaire au motif qu'ils s'évaderaient du domaine de la loi. Si le Gouvernement ou le président de l'assemblée intéressée conteste l'irrecevabilité, le Conseil constitutionnel doit se prononcer dans les huit jours. D'autre part l'article 37, alinéa 2 offre au Gouvernement la faculté d'obtenir la « délégalisation » de textes de forme législative qui, antérieurs à 1958, empiéteraient désormais sur le domaine réglementaire. Le Conseil constitutionnel est chargé d'apprécier la nature juridique du texte en cause et de déclarer son caractère législatif ou réglementaire : dans ce dernier cas, le Gouvernement est autorisé à le modifier ou à l'abroger par voie de décret. Le Gouvernement ne saurait se dispenser d'un « déclassement » préalable par le Conseil toutes les fois que le texte a une allure législative (décision n° 83-165 DC du 20 janvier 1984, considérant 36).

218 Des instruments au service du Gouvernement. — Il est évident que les deux dispositions jouent en faveur du Gouvernement : si la procédure a perdu de son caractère asymétrique (puisque les présidents des Chambres peuvent eux aussi opposer l'irrecevabilité sur le fondement de l'article 41), il reste que le domaine réglementaire est protégé contre les intrusions du législateur, tandis que l'inverse n'est pas vrai – le domaine législatif n'est pas à l'abri d'empiétements du pouvoir réglementaire (sauf contrôle de constitutionnalité *a priori*, mais la jurisprudence du Conseil a ici évolué : si la décision n° 2005-512 DC du 21 avril 2005 acceptait de déclarer réglementaires les dispositions d'une « loi », la décision n° 2012-649 DC du 15 mars 2012 s'y est refusée). Il est tout aussi remarquable que le Conseil constitutionnel soit sollicité dans deux circonstances distinctes, au cours de l'élaboration de la loi et après son entrée en vigueur : il est le gardien du partage entre la loi et le règlement et il l'est au profit du Gouvernement, titulaire du pouvoir réglementaire. À défaut d'être un « canon », le Conseil est assurément un instrument précieux entre les mains du Gouvernement.

219 L'UTILISATION DES ARTICLES 37, ALINÉA 2 ET 41 DE LA CONSTITUTION. — Les craintes des constituants ont été rapidement apaisées. L'article 41 a surtout servi au début de la Ve République, il n'a conduit que onze fois à une saisine du Conseil, la dernière en 1979 (décision n° 79-11 FNR du 23 mai 1979). La saisine est venue du président du Sénat à sept reprises et du président de l'Assemblée nationale à quatre ; le Conseil a conclu au caractère réglementaire dans sept cas, au caractère législatif dans les quatre autres (qui sont aussi les quatre derniers). L'article 37, alinéa 2 est d'un emploi plus fréquent : plus de deux cent quatre-vingts décisions ont été rendues à ce titre, à raison de six à dix par an en moyenne. Il est d'un usage plus souple car il permet au Gouvernement de récupérer ses prérogatives *a posteriori*, lorsque le besoin s'en fait sentir, à la condition que le Conseil constitutionnel opine en ce sens : dans la décision n° 2015-256 L du 21 juillet 2015, il conclut au caractère réglementaire de certaines dispositions et au caractère législatif d'autres (voir aussi la décision n° 2019-283 L du 28 novembre 2019). Les deux phénomènes sont liés : le Gouvernement tolère ou encourage les incursions du Parlement dans le domaine réglementaire parce qu'il y trouve avantage, soit que la matière soit politiquement sensible, soit qu'il veuille doter la règle en cause du régime contentieux avantageux des lois, soit qu'il entende flatter les parlementaires ou, du moins, ne pas les contrarier – soit enfin que la frontière entre la loi et le règlement n'apparaisse pas clairement. Le Gouvernement et la majorité parlementaire qui le soutient ont pu en outre compter sur la complicité du Conseil constitutionnel : celui-ci estime que les articles 37, alinéa 2 et 41 de la Constitution sont des armes au bénéfice du Gouvernement et qu'il est libre d'utiliser ou non. Selon la décision n° 82-143 DC du

30 juillet 1982, « l'une et l'autre de ces procédures ont un caractère facultatif » (considérant 11). Dès lors, et malgré une jurisprudence qui a accepté un temps de déclarer réglementaires les dispositions d'une loi (décision n° 2005-512 DC du 21 avril 2005, considérant 23), le Conseil semble aujourd'hui se refuser à censurer une loi qui irait au-delà des matières énumérées à l'article 34 et qui contiendrait des dispositions relevant de la compétence du pouvoir réglementaire (décision n° 2012-649 DC du 15 mars 2012 précitée, considérant 10).

220 L'ARTICLE 39, ALINÉA 4 DE LA CONSTITUTION. — En dehors de la protection du domaine réglementaire, le Conseil constitutionnel sert encore d'arbitre entre le Gouvernement et le Parlement aux termes de l'article 39, alinéa 4 de la Constitution. Dans la volonté d'atténuer la rationalisation du parlementarisme, la conférence des présidents de la première assemblée saisie peut s'opposer à l'inscription à l'ordre du jour d'un projet de loi qui méconnaîtrait les conditions posées par la loi organique du 15 avril 2009. Le mécanisme ressemble à celui de l'article 41 : en cas de désaccord avec le Gouvernement, le président de la Chambre ou le Premier ministre a la faculté de saisir le Conseil qui se prononce dans un délai de huit jours. À cette heure, une seule saisine du Conseil a eu lieu sur le fondement de l'article 39, alinéa 4 et le Conseil a donné raison au Gouvernement contre le Sénat (décision n° 2014-12 FNR du 1er juillet 2014). Cette nouvelle disposition est révélatrice d'une conception renouvelée du Conseil constitutionnel, « organe régulateur de l'activité des pouvoirs publics ».

III | LE CONTRÔLE DE CONSTITUTIONNALITÉ DES LOIS ET DES RÈGLEMENTS DES ASSEMBLÉES

221 UNE INNOVATION DE LA Ve RÉPUBLIQUE. — Sans déflorer le sujet, objet de la leçon 10, il faut indiquer ici que le Conseil constitutionnel est une pièce du parlementarisme rationalisé en tant qu'il contrôle la constitutionnalité des actes pris par les Chambres, à commencer par les lois organiques et les lois ordinaires, sans oublier les règlements des assemblées. L'article 61, alinéa 1er de la Constitution précise que le contrôle est obligatoire à l'endroit des lois organiques et des règlements des assemblées, tandis qu'il est facultatif en ce qui concerne les lois ordinaires (alinéa 2). Ce hiatus mérite explication : malgré des débats virulents, la IIIe République n'a jamais instauré de contrôle de constitutionnalité, tandis que la IVe République l'a réduit à la portion congrue. De fait, le comité constitutionnel prévu à l'article 91 de la Constitution de 1946 n'a rendu aucune décision. La souveraineté parlementaire, selon l'expression suggestive de Carré de Malberg, formait un puissant obstacle à un quelconque contrôle de constitutionnalité des lois et des règlements des Chambres. En l'absence d'un tel contrôle, en droit ou en fait, le Parlement pouvait modifier la Constitution par la voie de la législation ou de ses dispositions intérieures sans encourir de risque.

222 Le contrôle de constitutionnalité des lois organiques. — Dans la perspective de la rationalisation du parlementarisme, cette impunité n'était plus tolérable : le Parlement est un organe constitué qui doit le respect à la Constitution, texte suprême de l'ordre juridique. Il ne saurait en modifier les règles sans obéir aux exigences posées dans la clause de révision (leçon 11). À partir de 1958, les textes les plus dangereux sont placés sous une surveillance particulière : ils menacent l'intégrité de la Constitution plus que d'autres parce qu'ils la complètent, la précisent, la mettent en œuvre. C'est tellement vrai que seule la Constitution confère la qualité organique à une loi, pour paraphraser l'article 46 (« Les lois auxquelles la Constitution confère le caractère de lois organiques [...] »). L'article 6 dispose ainsi que « Les modalités d'application du présent article sont fixées par une loi organique », l'article 61-1 qu'« Une loi organique détermine les conditions d'application du présent article », etc. On affirme classiquement qu'une loi organique est formellement législative et matériellement constitutionnelle : elle vient en effet en complément d'une disposition de la Constitution, elle adhère à la Constitution. Il serait donc aisé de subvertir le texte constitutionnel sous couvert d'une loi organique votée dans des formes et selon une procédure qui restent, malgré des aménagements, législatives. L'adoption d'une loi organique n'a pas la solennité d'une révision de la Constitution et le législateur organique pourrait être tenté de modifier celle-ci à bon compte. D'où le contrôle obligatoire de l'article 61, alinéa 1er : aucune loi organique n'échappera à l'examen du Conseil constitutionnel, qui sera ainsi en mesure d'écarter des inconstitutionnalités plus redoutées et plus prévisibles ici qu'ailleurs.

223 LE CONTRÔLE DE CONSTITUTIONNALITÉ DES RÈGLEMENTS DES ASSEMBLÉES. — Le règlement des assemblées présente un danger similaire. Il suffit de parcourir celui de l'Assemblée nationale ou celui du Sénat pour s'apercevoir que nombre de leurs dispositions viennent, là aussi, préciser un article de la Constitution. La procédure législative ou le contrôle exercé sur le Gouvernement sont au cœur du règlement des assemblées : seul le titre Ier du règlement de l'Assemblée nationale est consacré à son organisation et à son fonctionnement, le titre II est voué à la procédure législative, le titre III au contrôle parlementaire (tandis que le titre IV porte sur les dispositions diverses). Il est fréquent que tel article du règlement rappelle l'article correspondant de la Constitution qu'il vient compléter. En outre, comme c'est le cas pour les lois organiques, la Constitution renvoie parfois explicitement au règlement des Chambres, une nouveauté introduite par la loi constitutionnelle du 23 juillet 2008. L'article 51-1 dispose que « Le règlement de chaque assemblée détermine les droits des groupes parlementaires constitués en son sein », tandis que l'article 51-2 ajoute que « leurs conditions de création [des commissions d'enquête] sont fixées par le règlement de chaque assemblée ». Pour ces raisons, le règlement des deux assemblées est soumis au même régime contentieux que les lois organiques : il fait l'objet d'un contrôle obligatoire de la part du Conseil constitutionnel. Seul un contrôle facultatif pèse sur les autres textes, jugés moins dangereux. Dans tous cas, la protection des libertés est en jeu.

Leçon 10
La protection des libertés

224 Le constitutionnalisme libéral, tel qu'il est né au XVIIIe siècle, a pour objectif de proscrire le despotisme et, symétriquement, de garantir les libertés. La Constitution de la Ve République confirme cette ambition à plusieurs égards : elle met en place un contrôle de constitutionnalité efficace ; elle consacre un titre à l'« autorité » judiciaire ; elle donne naissance à un Défenseur des droits, institution créée en 2008.

Section I
Le contrôle de constitutionnalité

225 UN CONTRÔLE CONFIÉ À DES JUGES. — L'erreur serait d'assimiler le contrôle de constitutionnalité à la jurisprudence du Conseil constitutionnel. L'expression « contrôle de constitutionnalité » ne désigne aucun organe, notamment juridictionnel ; elle n'indique pas plus quels sont les actes juridiques soumis à ce contrôle ; elle se contente d'isoler un ensemble de règles juridiques – la Constitution – qui s'impose à d'autres règles juridiques postulées inférieures. Ainsi le contrôle n'a pas toujours été confié à un juge – il l'a été à un organe politique en France au XIXe siècle, que l'on pense au Sénat de l'an VIII ou à celui de 1852. Le dispositif ayant fait la preuve de sa nullité, le contrôle est devenu l'apanage des juges, à l'exemple de la Cour suprême des États-Unis. Mais quels juges ? Sans discuter ici la qualité juridictionnelle du Conseil constitutionnel, on soutiendra que ce dernier est *principalement* compétent, mais qu'il doit compter avec les juridictions de l'ordre administratif et de l'ordre judiciaire, surtout depuis l'introduction de la question prioritaire de constitutionnalité (QPC).

I | Le contrôle exercé par les juridictions administratives et judiciaires

226 Le contrôle des actes infra-législatifs. — Avant même 2010 et la mise en œuvre du contrôle *a posteriori* des lois par la QPC, les juges « ordinaires » n'hésitaient pas à opérer un contrôle de constitutionnalité. Mais il ne portait que sur les actes infra-législatifs : actes administratifs et actes de droit privé. Et à la condition expresse qu'une loi ne fasse pas écran, c'est-à-dire que l'acte attaqué ne soit pas le complément ou la mise en application indissociable d'une loi (sinon le juge examinerait la régularité de la loi elle-même). Le Conseil d'État a ainsi annulé un arrêté ministériel contraire à un principe fondamental reconnu par les lois de la République, en l'occurrence la liberté d'association (11 juillet 1956, *Amicale des annamites de Paris*), tandis qu'il acceptait de confronter un décret à l'article 8 de la Déclaration de 1789 consacrant la non-rétroactivité de la loi pénale (12 février 1960, *Société Eky*). La Cour de cassation adopte une position similaire, bien qu'elle ait moins l'occasion de se prononcer en ces matières. Une affaire célèbre l'a illustré il y a quelques années : une employée de la crèche Baby Loup, sise dans les Yvelines, pouvait-elle être licenciée pour faute grave au motif qu'elle portait le voile islamique ? La chambre sociale de la Cour de cassation a estimé que le principe de laïcité figurant à l'article 1er de la Constitution ne s'appliquait pas en l'espèce (arrêt n° 11-28.845 du 19 mars 2013).

227 Le contrôle des lois au moyen d'une question prioritaire de constitutionnalité. — Depuis 2010, il faut aller plus loin : tous les juges administratifs et judiciaires sont susceptibles de vérifier la constitutionnalité d'une *loi* contestée via une QPC. Sans trop anticiper, on remarquera que l'article 61-1 de la Constitution, précisé par la loi organique n° 2009-1523 du

10 décembre 2009, permet à tout justiciable d'alléguer l'inconstitutionnalité d'une disposition législative devant une juridiction relevant soit de la Cour de cassation, soit du Conseil d'État. Si la QPC est accueillie par un juge de première instance ou par un juge d'appel, elle est transmise à la juridiction suprême de l'ordre judiciaire ou de l'ordre administratif, laquelle examine elle aussi la QPC avant de la renvoyer (ou non) au Conseil constitutionnel. Quel que soit le stade de la procédure où la QPC est formée, le juge « ordinaire » vérifie si la question posée répond aux trois conditions énumérées par la loi organique : la disposition contestée doit être applicable au litige ou constituer le fondement des poursuites ; elle ne doit pas avoir été déclarée conforme à la Constitution dans une décision antérieure du Conseil constitutionnel (sauf changement de circonstances) ; la requête ne doit pas être dénuée de caractère sérieux – devant la Cour de cassation et le Conseil d'État, cette troisième exigence est remodelée puisqu'elle réclame une requête sérieuse *ou* nouvelle. Il est entendu que seul le Conseil constitutionnel est habilité à déclarer une loi inconstitutionnelle et, par voie de conséquence, à l'abroger. Il est ici en situation de monopole. Mais il n'en reste pas moins que les juridictions administratives et judiciaires exercent ici un contrôle de constitutionnalité en creux : une loi ne saurait être abrogée si elle n'est pas transmise au Conseil constitutionnel. Or les trois conditions à respecter n'ont rien de « technique » qui ôterait toute liberté aux juges administratifs et judiciaires : c'est évident pour l'appréciation du caractère *sérieux* de la QPC, c'est vrai aussi pour l'interprétation du changement de circonstances – et même pour l'applicabilité au litige si l'on défend l'idée selon laquelle il y a un écart entre une disposition législative et une disposition législative telle qu'interprétée par le juge.

Quoi qu'il en soit, les juridictions ordinaires sont en mesure de conserver dans l'ordre juridique une loi dont la constitutionnalité est sujette à caution : à titre d'exemple, la Cour de cassation a refusé le 7 mai 2010 de transmettre une QPC relative à la loi Gayssot du 13 juillet 1990 réprimant les propos publics niant un crime contre l'humanité (arrêt n° 09-80.774). Cette loi, qui n'avait pas fait l'objet d'un contrôle *a priori*, mettait incontestablement en jeu la liberté d'expression garantie par l'article 11 de la Déclaration de 1789. On aura compris que le débat n'est pas moral et qu'il ne s'agit pas plus de savoir si l'article 11 tolérait des exceptions comme celle prévue par la loi Gayssot : le point capital est que la seule juridiction appelée à déclarer, le cas échéant, une inconstitutionnalité a été marginalisée. Autrement dit, la Cour de cassation n'a pas voulu prendre le moindre risque de voir la loi de 1990 remise en cause par le Conseil constitutionnel : elle n'a pas transmis une QPC dénuée selon elle de sérieux. La *dynamique* du contrôle de constitutionnalité en fut paralysée, au moins momentanément : la chambre criminelle de la Cour de cassation a fini par renvoyer une QPC en octobre 2015 et le Conseil constitutionnel a jugé la loi conforme à la Constitution dans la décision n° 2015-512 QPC du 8 janvier 2016.

II | Normes de contrôle et normes contrôlées

228 Un contrôle de constitutionnalité est une mise en relation entre des règles juridiques dont les rapports sont hiérarchisés : la Constitution étant placée au sommet de l'ordre juridique, les règles constitutionnelles s'imposent à toutes les autres règles de droit par définition inférieures. Le vocabulaire propre au juriste autrichien Hans Kelsen (1881-1973) a connu le succès : les « normes » de contrôle sont celles dont il s'agit d'assurer le respect ; les « normes » contrôlées sont déférées à l'organe chargé du contrôle pour qu'il en vérifie la conformité à la Constitution.

1. Les normes de contrôle

229 Constitution et « bloc de constitutionnalité ». — Les normes de contrôle correspondent à la Constitution – mais qu'est-ce que la Constitution ? Celle de la Ve République se confond-elle avec ses seuls articles 1 à 89 ? La réponse est négative et ce pour plusieurs raisons qui ont fait la fortune de l'expression « bloc de constitutionnalité ».

230 LE PRÉAMBULE DE LA CONSTITUTION. — Tout d'abord, le Conseil constitutionnel a pleinement exploité le préambule de la Constitution dont le premier alinéa établit que « Le peuple français proclame solennellement son attachement aux droits de l'homme et aux principes de la souveraineté nationale tels qu'ils sont définis par la Déclaration de 1789, confirmée et complétée par le préambule de la Constitution de 1946, ainsi qu'aux droits et devoirs définis dans la Charte de l'environnement de 2004 ». Il est capital de savoir si les principes énoncés en 1789, en 1946 et, plus récemment, en 2004 ont pleine valeur constitutionnelle. Car il y a bien de la différence entre un contrôle exercé à partir des dispositions proprement institutionnelles de la Constitution, terre d'élection des articles 1 à 89, et un contrôle qui sanctionne le respect de droits et libertés tels que proclamés dans telle déclaration, préambule ou charte. On conçoit aisément que la phrase « Le président de la République nomme le Premier ministre » (article 8 de la Constitution) est d'une interprétation moins redoutable que « La loi est l'expression de la volonté générale » (article 6 de la Déclaration de 1789). On conçoit aussi que la désignation du Premier ministre a généralement moins d'incidence sur la vie des citoyens que la non-rétroactivité de la loi pénale.

La Constitution de la IVe République avait sciemment exclu les droits et libertés de la compétence du comité constitutionnel qu'elle mettait en place : l'article 92 confiait à ce dernier la protection des seuls titres Ier à X, écartant ainsi le préambule. La Constitution de 1958 était restée muette sur ce point. Mais le Conseil constitutionnel fit preuve d'audace : dans la célèbre décision *Liberté d'association* n° 71-44 DC du 16 juillet 1971, il visa le préambule de la Constitution et censura une loi contraire à un principe fondamental reconnu par les lois de la République – la liberté d'association – en tant que les principes fondamentaux reconnus par les lois de la République (PFRLR) étaient mentionnés par le préambule de la Constitution de 1946 auquel renvoie le préambule de la Constitution de 1958. Le Conseil a « constitutionnalisé » ce dernier : le préambule a la même valeur juridique que le reste de la Constitution, ce que trahit le visa « Vu la Constitution et notamment son préambule ». Par ricochet, trois textes acquièrent une pleine valeur constitutionnelle : la Déclaration des droits de l'homme et du citoyen de 1789, le préambule de la Constitution de 1946, la Charte de l'environnement de 2004. Or, si le préambule de la Constitution de 1946 renvoie lui aussi, de façon redondante, à la Déclaration de 1789, il fait en outre état de « principes fondamentaux reconnus par les lois de la République », sans en fournir une liste ni livrer de critères d'identification, et il ajoute enfin des principes « particulièrement nécessaires à notre temps » qui sont égrenés dans les seize alinéas qui suivent.

Sont donc de nature constitutionnelle les articles de la Déclaration de 1789, les principes fondamentaux reconnus par les lois de la République du préambule de la Constitution de 1946, les principes particulièrement nécessaires à notre temps du même préambule et les dispositions de la Charte de l'environnement de 2004. La mission du Conseil constitutionnel en a été bouleversée : sans cesser d'être un organe régulateur de l'activité des pouvoirs publics, il est devenu au début des années 1970 un gardien circonspect des droits et libertés fondamentaux, évolution couronnée en 2010 par la question prioritaire de constitutionnalité. Pour le résumer d'un mot, le Conseil ne se contente plus de vérifier si la procédure législative a été observée, il s'assure que tel acte juridique ne viole pas un droit ou une liberté garantis par la Constitution. Si l'on ajoute que la saisine a été élargie à soixante députés ou soixante sénateurs en 1974, on comprend que les décisions du Conseil soient à la fois plus nombreuses et plus étoffées que par le passé. Elles sont aussi plus arbitraires, sans que le terme reçoive ici une connotation péjorative, eu égard au caractère relativement vague des droits et libertés protégés. Ceux-ci figurent principalement dans les textes annexés à la Constitution ; certains se trouvent cependant dans le corps de la Constitution, par exemple dans les articles 1er, 2, 3, 4, 66 et 66-1.

231 UNE PROTECTION RÉDUITE AUX DROITS ET LIBERTÉS DANS LE CADRE DU CONTRÔLE *A POSTERIORI*. — De la sorte, le contrôle exercé par le Conseil constitutionnel est très étendu. Il est cependant moindre dans le cadre du contrôle *a posteriori* que dans celui du contrôle *a priori* : en effet, une question prioritaire de constitutionnalité ne peut être adressée qu'autant qu'elle allègue la violation de « droits et libertés que la Constitution garantit » (article 61-1 de la Constitution). Le dispositif est l'inverse de celui qui prévalait dans la Constitution de 1946, qui avait exclu le préambule de la compétence du comité constitutionnel. En conséquence, et en guise d'exemple, l'irrégularité de la procédure législative ou la méconnaissance de l'article 13 de la Constitution relatif aux nominations aux emplois publics par le président de la République sont dénuées de pertinence (décisions n° 2010-4/17 QPC du 22 juillet 2010 et n° 2012-281 QPC du 12 octobre 2012). Pourquoi une telle réduction ? Parce que la QPC avait pour premier objectif de remédier à une faiblesse de l'ordre juridique français : la protection des libertés était mieux assurée en faisant appel au droit européen qu'au droit national. Une explication est nécessaire : la convention européenne de sauvegarde des droits de l'homme et la charte des droits fondamentaux de l'Union européenne sont appliquées par les juges internes et, au sommet, par les cours de Strasbourg et de Luxembourg. Or ces deux instruments déclarent en gros les mêmes droits et libertés que les textes de droit interne, à commencer par ceux de 1789 et de 1946. Avant la mise en œuvre d'un contrôle *a posteriori* des lois en 2010, les droits et libertés des citoyens français étaient mieux protégés par des conventions internationales et, *in fine*, par des juridictions internationales que par les textes et les juges nationaux. La souveraineté ou plutôt le libéralisme de l'État français était en cause. Il a réagi avec l'introduction de la QPC dont le caractère « prioritaire » était censé hiérarchiser les recours dans un sens favorable à la voie de droit nationale. Il semble néanmoins que les moyens soient plus parallèles ou complémentaires que concurrents dans la mesure où ils coexistent.

232 BILAN DE LA JURISPRUDENCE DU CONSEIL CONSTITUTIONNEL. — Sur la longue période, on constate que la moitié des censures prononcées au titre du contrôle *a priori* résulte d'une violation d'un article de la Constitution. L'autre moitié fait la part belle à la méconnaissance de la Déclaration de 1789, notamment du principe d'égalité (articles 6 et 13). On note que le préambule de la Constitution de 1946 est peu sollicité, surtout les principes « particulièrement nécessaires à notre temps ». De tonalité économique et sociale, ils sont peu maniables lorsqu'ils donnent à chacun

« le droit d'obtenir un emploi » ou qu'ils accordent à tous « la protection de la santé, la sécurité matérielle, le repos et les loisirs ». Les principes fondamentaux reconnus par les lois de la République (PFRLR) connaissent un sort un peu plus enviable, à moins que le passé composé ne soit de mise : ils ont proliféré jusqu'à la décision n° 88-244 DC du 20 juillet 1988 qui a marqué un coup d'arrêt. On l'a dit, de tels principes n'étaient ni énumérés ni définis par le constituant, de sorte que le Conseil constitutionnel, dès 1971, a identifié des PFRLR de manière trop généreuse pour que cela ne nuise pas à l'homogénéité de la catégorie. À partir de 1988, quatre critères ont été requis : le principe doit trouver sa source dans une loi (et non dans un règlement ou dans un traité international par exemple) ; la loi doit être républicaine, c'est-à-dire que le Conseil écarte la législation née sous les monarchies et les empires du XIXe siècle ; la loi républicaine ainsi distinguée doit être antérieure à 1946 et au préambule de la Constitution de la IVe République ; il faut que le principe n'ait connu aucune exception entre l'entrée en vigueur de la loi et 1946. Dans ces conditions, le mouvement s'est presque tari : tout au plus le Conseil a-t-il consacré en 2002 un PFRLR touchant à la justice des mineurs (décision n° 2002-467 DC du 29 août 2002), sous réserve d'un autre PFRLR dans le cadre de la QPC (voir *infra*). Récemment, le Conseil a estimé que le mariage réservé à deux personnes de sexe différent ne formait pas un PFRLR (décision n° 2013-312 QPC du 22 mai 2013). Reste le cas de la Charte de l'environnement : le Conseil a souligné que l'ensemble de ses dispositions avait valeur constitutionnelle et il n'a pas manqué de censurer une loi qui était contraire à l'une d'entre elles (décision n° 2008-564 DC du 19 juin 2008).

Ce qui vient d'être dit du contrôle *a priori* est transposable au contrôle *a posteriori*, sous la réserve des dispositions du corps de la Constitution qui n'instituent pas – pour la plupart d'entre elles – un droit ou une liberté que la Constitution garantit au sens de l'article 61-1. On relève quelques exceptions : l'article 1er de la Constitution en tant qu'il a trait à l'égalité (décision n° 2010-13 QPC du 9 juillet 2010) et à la laïcité (décision n° 2012-297 QPC du 21 février 2013) ; ses articles 3 et 4 relatifs à l'égalité de suffrage, au pluralisme des opinions et à l'équité entre partis politiques (décision n° 2012-233 QPC du 21 février 2012) ; son article 66 qui fait de l'autorité judiciaire la gardienne de la liberté individuelle (décision n° 2010-14/22 QPC du 30 juillet 2010 et, dans le cadre de l'état d'urgence, décision n° 2015-527 QPC du 22 décembre 2015), etc. Dans la plupart des affaires, les griefs avancés et les censures prononcées partent de la Déclaration de 1789 : le principe d'égalité des articles 6 et 13 est souvent invoqué, mais aussi les grands principes du droit pénal qui figurent aux articles 7, 8 et 9, sans oublier l'interprétation dite *constructive* donnée à l'article 16. Les alinéas du préambule de la Constitution de 1946 restent en retrait (ils servent beaucoup en droit du travail), de même que les PFRLR, sauf à noter que le Conseil en a créé un au sujet de la législation particulière et dérogatoire de l'Alsace-Moselle (décision n° 2011-157 QPC du 5 août 2011). Quant à la Charte de l'environnement, après une première tentative infructueuse (décision n° 2011-116 QPC du 8 avril 2011), elle a servi à la censure d'un texte quelques mois plus tard (décision n° 2011-184 QPC du 14 octobre 2011). Le Conseil se montre cependant prudent : si les sept alinéas qui précèdent les articles de la Charte ont une valeur constitutionnelle, ils ne forment pas un droit ou une liberté que la Constitution garantit (décision n° 2014-394 QPC du 7 mai 2014).

233 Principes, exigences et objectifs de valeur constitutionnelle. — Ensuite, le Conseil constitutionnel a innové en dégageant des principes, exigences et objectifs de valeur constitutionnelle. Ce faisant, il prend des risques : autant la liberté de l'interprète est camouflée par le recours aux textes (fussent-ils elliptiques dans le cas des PFRLR), autant elle est avouée par l'invocation de principes, d'exigences et d'objectifs de valeur constitutionnelle qui n'ont aucune caution écrite à faire valoir. Le juge est un démiurge qui donne vie à des règles de nature constitutionnelle en dehors de tout texte et sur le fondement desquelles il se croit autorisé à censurer, notamment, le Parlement. Le Conseil a été sensible à la critique : après une première période au cours de laquelle il ne justifiait guère la création d'un principe de valeur constitutionnelle (ainsi la continuité du service public aux termes de la décision n° 79-105 DC du 25 juillet 1979), il s'efforce aujourd'hui d'inscrire tel principe, objectif ou exigence dans le sillage d'une ou de plusieurs dispositions de la Déclaration de 1789 ou du préambule de la Constitution de 1946. Il est remarquable que l'objectif de valeur constitutionnelle de lutte contre la fraude fiscale « découle *nécessairement* de l'article 13 de la Déclaration des droits de l'homme et du citoyen » (décision n° 99-424 DC du 29 décembre 1999, considérant 52). Dans le même sens, le principe de clarté de la loi est dit résulter de l'article 34 de la Constitution, tandis que l'objectif d'intelligibilité et d'accessibilité de la loi « découle » de la combinaison des articles 4, 5, 6 et 16 de la Déclaration de 1789 (décision n° 2004-500 DC du 29 juillet 2004).

Tous ces principes, exigences et objectifs de valeur constitutionnelle sont autant de bornes mises à l'action du Parlement : ils s'épanouissent dans le contrôle *a priori*. En revanche, le Conseil ne cesse de répéter qu'ils n'instituent pas des droits ou des libertés que les requérants pourraient utilement invoquer à l'appui d'une QPC. Ils ne sont pas invocables par les justiciables, qu'il s'agisse de l'objectif de bonne administration de la justice (décision n° 2010-77 QPC du 10 décembre 2010) ou de celui d'intelligibilité et d'accessibilité de la loi (décision n° 2010-4/17 QPC du 22 juillet 2010), avec une exception pour la législation d'Alsace-Moselle qui n'aurait pas été traduite de l'allemand en français (décision n° 2012-285 QPC du 30 novembre 2012).

2. *Les normes contrôlées*

234 LES ARTICLES 54, 61 ET 61-1 DE LA CONSTITUTION. — Quels actes juridiques sont-ils susceptibles d'être déférés au Conseil constitutionnel ? La réponse se trouve dans les articles 54, 61 et 61-1 de la Constitution telle que modifiée en 2008, auxquels on ajoutera les articles 11 et 46 pour faire bonne mesure. Les engagements internationaux, les lois (organiques et ordinaires) et les règlements des assemblées sont au cœur du contrôle de constitutionnalité.

235 L'ARTICLE 54 DE LA CONSTITUTION. — L'article 54 dispose que tout engagement international dont une clause serait jugée contraire à la Constitution ne saurait être ratifié ou approuvé à moins d'une révision préalable de la Constitution. La catégorie des engagements internationaux ne se réduit pas aux traités, les instruments les plus solennels, même si l'expérience prouve que le Conseil s'est presque toujours prononcé sur des traités. On rappelle qu'une convention internationale suppose à la fois une signature et une approbation ou une ratification (peu importe ici que la ratification par le président de la République exige ou non une autorisation législative). La décision du Conseil s'intercale entre la signature et l'introduction en droit interne manifestée par l'approbation ou par la ratification : elle interdit cette introduction tant que la Constitution, au cas où une de ses dispositions serait méconnue, n'aura pas été révisée, c'est-à-dire rendue compatible avec le texte international initialement inconstitutionnel. Les décisions rendues par le Conseil sur le fondement de l'article 54 sont rares mais presque toujours capitales : au nombre de quatorze, elles ont conclu à une inconstitutionnalité dans sept cas, lesquels ont provoqué six révisions de la Constitution (seule la charte européenne des langues régionales, censurée en 1999, n'a pas abouti à une révision). La construction européenne a suscité la plupart des saisines du Conseil : le traité de Maastricht en 1992, le traité d'Amsterdam en 1997, le traité établissant une Constitution pour l'Europe en 2004, le traité de Lisbonne en 2007, le traité sur la stabilité, la coordination et la gouvernance au sein de l'Union économique et monétaire en 2012. Ce traité a été jugé conforme à la Constitution dès lors que les règles de stabilité budgétaire pouvaient figurer dans une loi organique plutôt que dans la Constitution (décision n° 2012-653 DC du 9 août 2012). En dernier lieu, le Conseil constitutionnel a dû se prononcer sur l'accord économique et commercial entre le Canada et l'Union européenne et ses États membres : la décision n° 2017-749 DC du 31 juillet 2017 est originale car, au sein d'un accord mixte, elle distingue ce qui relève de la compétence exclusive de l'Union européenne, auquel cas le contrôle est allégé, et ce qui relève de la compétence partagée entre l'Union européenne et les

États membres – et alors le contrôle peut être dit « normal ». Le Conseil a conclu à la conformité.

236 LES ARTICLES 61 ET 61-1 DE LA CONSTITUTION. — Les articles 61 et 61-1 de la Constitution ajoutent que les lois (organiques et ordinaires), les règlements des assemblées et les propositions de loi de l'article 11 sont soumis, à titre obligatoire ou facultatif, à l'examen du Conseil constitutionnel. Une double distinction est ici nécessaire. D'une part l'article 61 établit un contrôle de constitutionnalité *a priori*, tandis que l'article 61-1 met en place un contrôle *a posteriori*. D'autre part le premier alinéa de l'article 61 prévoit un contrôle obligatoire pesant sur les lois organiques, les règlements des assemblées et les propositions de loi de l'article 11, alors que le deuxième alinéa de l'article 61 se satisfait d'un contrôle facultatif à l'endroit des lois ordinaires.

237 LE CONTRÔLE OBLIGATOIRE DE L'ARTICLE 61, ALINÉA 1er DE LA CONSTITUTION. — On a souligné l'intérêt d'un contrôle obligatoire portant sur des textes intimement liés à la Constitution elle-même : les lois organiques et les règlements des Chambres mettent en application, complètent et précisent tels articles de la Constitution (voir la leçon 9). Depuis 2008, il est également fait mention des propositions de loi de l'article 11 « avant qu'elles ne soient soumises au référendum ». L'article 11 a été en effet enrichi par la loi constitutionnelle du 23 juillet 2008 : désormais, un cinquième des parlementaires, appuyé par un dixième des électeurs, est autorisé à prendre l'initiative d'un référendum. Cette initiative prend la forme d'une proposition de loi : c'est uniquement si les assemblées refusent de l'inscrire à l'ordre du jour que le président de la République est contraint d'organiser un référendum. Mais la proposition de loi aura été au préalable déférée au Conseil constitutionnel pour qu'il vérifie le respect de trois conditions : la proposition de loi correspond aux matières énumérées au premier alinéa de l'article 11 (ce qui donne l'assurance qu'elle ne servira pas à réviser la Constitution) ; elle a réuni le nombre de parlementaires requis ; elle ne vise pas à abroger une disposition législative promulguée depuis moins d'un an. Les parlementaires étaient ainsi apaisés :

les garanties offertes par la nouvelle rédaction de l'article 11 interdisent que le « peuple » marginalise la représentation, à laquelle il suffit d'ailleurs d'examiner la proposition de loi pour éviter le référendum. Ce type de contrôle a été pour la première fois mis en œuvre le 9 mai 2019 au sujet d'Aéroports de Paris (ADP) : dans une décision n° 2019-1 RIP, le Conseil a estimé que la proposition de loi référendaire, déposée par l'opposition parlementaire de gauche, satisfaisait les conditions posées par la Constitution et la loi organique du 6 décembre 2013. En particulier, la proposition de loi touchait bien à la politique économique de la nation et aux services publics qui y concourent ; si ADP n'est pas un service public national par détermination de la Constitution, il est loisible au législateur de l'ériger comme tel. La campagne de recueil des soutiens populaires a commencé en juin 2019 : il en fallait 4,7 millions, or le Conseil a constaté en mars 2020 que la barre du million avait été difficilement franchie et que la proposition de loi n'avait donc pas obtenue le nombre de signatures nécessaire.

238 Le contrôle facultatif de l'article 61, alinéa 2 de la Constitution. — L'article 61, alinéa 2 s'intéresse en outre aux « lois ». Le contrôle est ici à la fois facultatif et *a priori*. La plupart des textes déférés au Conseil étaient, avant 2010, et sont toujours, depuis la QPC, des lois dites « ordinaires ». L'adjectif est à manier avec précaution : il ne figure pas dans la Constitution. Il retranche à coup sûr les lois organiques, visées au premier alinéa. On verra qu'il écarte aussi les lois constitutionnelles, les lois référendaires et les lois de transposition d'une directive de l'Union européenne. Sous ces réserves, on affirmera que la majorité des lois appartient à la catégorie des lois ordinaires, y compris celles dont la procédure d'adoption est aménagée. Ainsi les lois de finances et les lois de financement de la sécurité sociale des articles 47 et 47-1 de la Constitution ; il est d'ailleurs rare que de telles lois ne soient pas transmises aux « Sages ». Les lois d'habilitation et de ratification des ordonnances de l'article 38, les lois autorisant la ratification des traités de l'article 53 entrent également dans le cadre de l'article 61, alinéa 2. De façon générale, les lois qui occupent l'essentiel de l'agenda parlementaire sont des lois « ordinaires ». La première année de la XIVe législature a été exemplaire : la loi relative à la mobilisation du foncier public en faveur du logement, la loi portant création des emplois d'avenir, la loi portant création du contrat de génération, la loi ouvrant le mariage aux personnes de même sexe, la loi relative à la sécurisation de l'emploi, les diverses lois de finances et la loi de financement de la sécurité sociale pour 2013 ont ainsi été passées au crible à la fin de 2012 et au début de 2013. On fera la même observation pour l'année 2019 : le Conseil s'est prononcé sur les textes budgétaires, mais aussi sur la loi de programmation et de réforme de la justice, la loi PACTE, la loi pour une école de confiance, la loi de transformation de la fonction publique, la loi relative à l'énergie et au climat, bref toutes les lois importantes de la session parlementaire.

239 LE CONTRÔLE *A POSTERIORI* DE L'ARTICLE 61-1 DE LA CONSTITUTION. — De son côté, l'article 61-1 de la Constitution instaure un contrôle *a posteriori* des lois. Tout justiciable est fondé à contester l'inconstitutionnalité d'une « disposition législative » dès lors qu'un de ses droits ou libertés serait blessé. La formule « disposition législative » signifie que le requérant n'est pas obligé d'alléguer l'inconstitutionnalité de l'ensemble d'une loi : un paragraphe, un alinéa, un membre de phrase suffisent à caractériser une disposition législative. Le corpus des lois est le même qu'au sens de l'article 61, à quelques nuances près. D'une part les lois organiques peuvent faire l'objet d'une QPC, bien que le contrôle obligatoire de l'article 61, alinéa 1er et la nature de ces lois (se rapportant davantage aux institutions qu'aux droits et libertés) en réduiront les hypothèses, sans les anéantir : Marine Le Pen a obtenu que le Conseil constitutionnel statue sur la constitutionnalité de la loi organique n° 76-528 du 16 juin 1976 relative à la présentation des candidats à l'élection présidentielle (décision n° 2012-233 QPC du 21 février 2012). On soulignera cependant que certaines ordonnances portant loi organique, celles prises sur le fondement de l'article 92 de la Constitution abrogé en 1995, n'ont jamais été déférées au Conseil au titre du contrôle *a priori* puisque celui-ci a été installé en mars 1959, tandis que ces lois organiques datent de la fin de 1958 et du début de 1959, lorsqu'il s'agissait de mettre en place le nouveau régime : une QPC a porté sur l'ordonnance organique n° 58-1270 du 22 décembre 1958 (décision n° 2012-278 QPC du 5 octobre 2012). D'autre part toutes les lois en vigueur sont susceptibles d'être attaquées au moyen d'une QPC, y compris les plus anciennes. Le projet de loi constitutionnelle du 23 avril 2008 envisageait de réserver le dispositif aux lois postérieures à 1958 au prix d'une ineptie juridique et politique : toutes les lois en vigueur ont la même force et l'atteinte aux droits et libertés est plus à redouter venant de lois antérieures à la Constitution actuelle, c'est-à-dire antérieures à un contrôle de constitutionnalité efficace. Finalement, les justiciables sont fondés à contester toutes les lois. La décision n° 2010-52 QPC du 24 octobre 2010 censura l'article 1er de la loi du 30 avril 1941 ; tel fut aussi le sort de la loi du 14 juillet 1819 (décision n° 2011-159 QPC du 5 août 2011) et de l'ordonnance du 17 août 1945 (décision n° 2014-432 QPC du 28 novembre 2014) ; en revanche, la décision n° 2012-297 QPC du 21 février 2013 conclut à la conformité de l'article VII des articles organiques des cultes protestants de la loi du 18 germinal an X (8 avril 1802) relative à l'organisation des cultes, encore appliquée en Alsace-Moselle.

240 LE REFUS D'EXAMINER LA CONSTITUTIONNALITÉ DES « LOIS » CONSTITUTIONNELLES. — Il reste que les « lois » ne sont pas toutes les lois. (On ne s'attardera pas sur le contrôle de constitutionnalité à l'égard des actes réglementaires : le juge administratif et le juge judiciaire sont seuls compétents, ainsi que le Conseil constitutionnel l'a réaffirmé à l'occasion du contrôle *a priori* – décision n° 2012-649 DC du 15 mars 2012 – comme du contrôle *a posteriori* dans les décisions n° 2011-152 QPC du 22 juillet 2011 et n° 2011-219 QPC du 10 février 2012.) En premier lieu, le Conseil refuse d'examiner la constitutionnalité des « lois » constitutionnelles : le substantif est ici trompeur parce que la Constitution est historiquement et conceptuellement aux antipodes des lois (voir la leçon 11). Quoi qu'il en soit, les « Sages » ont dû se prononcer en 2003 sur un acte juridique modifiant la Constitution selon la voie de l'article 89, en l'occurrence la « loi constitutionnelle relative à l'organisation décentralisée de la République ». Il était ainsi confronté à l'épineuse question de la supra-constitutionnalité :

parmi toutes les dispositions de la Constitution, certaines sont-elles à l'abri de toute révision et quel organe serait-il compétent pour vérifier si le constituant n'a pas violé une disposition intangible ? Les sénateurs socialistes, auteurs de la saisine, arguaient que le dernier alinéa de l'article 89 était méconnu en tant que la loi constitutionnelle blessait « la forme républicaine du Gouvernement » : la décentralisation était poussée à un tel degré que l'unité et l'indivisibilité de la République étaient minées. Le Conseil était donc invité à déclarer inconstitutionnelle une loi constitutionnelle... Faisant assaut de prudence, il s'est dit incompétent dans la décision n° 2003-469 DC du 26 mars 2003 : organe constitué, il eût pris des risques à contredire une résolution du pouvoir constituant – le constitué se serait fait constituant, or le Conseil s'est toujours incliné devant la volonté souveraine du constituant, tandis qu'il n'admet pas de hiérarchie entre les dispositions constitutionnelles.

241 LE REFUS D'EXAMINER LA CONSTITUTIONNALITÉ DES LOIS RÉFÉRENDAIRES. — En deuxième lieu, le Conseil se refuse à scruter la constitutionnalité des lois référendaires. L'essentiel a été dit (leçon 3) : en 1962, de Gaulle a recouru à l'article 11 de la Constitution et non à l'article 89 en vue de modifier les articles 6 et 7 relatifs à l'élection du président de la République. Le projet de « loi » visé à l'article 11 fut soumis à référendum le 28 octobre : les électeurs l'approuvèrent – mais cette « loi » était-elle conforme à la Constitution ? Saisi par le président du Sénat sur le fondement de l'article 61, alinéa 2, le Conseil refusa de se prononcer dans la décision n° 62-20 DC du 6 novembre 1962 : il se réfugia dans l'incompétence. Il fut certes contraint de reconnaître que l'article 61 ne précisait pas si les « lois » étaient uniquement celles votées par le Parlement ou si on pouvait y inclure les textes adoptés par référendum. Il ajoutait néanmoins que « l'esprit de la Constitution » prescrivait une interprétation réductrice : les « lois » visées à l'article 61 sont exclusivement d'origine parlementaire « et non point celles qui, adoptées par le peuple à la suite d'un référendum, constituent l'expression directe de la souveraineté nationale ». La décision a essuyé des critiques : d'un côté un principe herméneutique constant veut qu'un terme indéterminé doit recevoir pleine signification et que toute réduction est exceptionnelle, de sorte que les « lois » désignent toutes les lois plutôt qu'une partie d'entre elles seulement ; de l'autre côté, les lois, quel que fût leur mode d'adoption, parlementaire ou référendaire, ont la même force juridique, ce qui permet d'ailleurs à une loi parlementaire de modifier une loi référendaire (décision n° 89-265 DC du 9 janvier 1990) ; enfin, « l'esprit » de la Constitution, impalpable, ne fournit pas une justification solide. Sur ce point, le Conseil a d'ailleurs évolué : les décisions n° 92-313 DC du 23 septembre 1992 et n° 2014-392 QPC du 25 avril 2014 n'invoquent plus « l'esprit de la Constitution » mais « l'équilibre des pouvoirs ». Juridiquement contestable, la jurisprudence du Conseil constitutionnel est politiquement inévitable : dès lors que l'article 3 de la Constitution attribue la souveraineté au peuple et que celui-ci est dit s'exprimer soit indirectement par ses représentants, soit directement par la voie du référendum, il a paru en majesté le 28 octobre 1962. Comment un organe constitué tel le Conseil constitutionnel pourrait-il contrarier, le cas échéant, la volonté du peuple souverain énoncée sans intermédiaires ? C'est pour cette raison que les propositions de loi référendaire, d'après la nouvelle mouture de l'article 11 de la Constitution, sont examinées par le Conseil avant leur soumission au référendum et avant même la collecte des signatures – pour éviter un face-à-face périlleux entre les « Sages » et le « peuple » (mais est-ce bien que le « peuple » qui se prononce ? les électeurs se rendant aux urnes forment-ils le « peuple » ?). De ce point de vue, il n'est pas anodin de remarquer que le projet de loi constitutionnelle du 28 août 2019 envisageait de débuter la procédure par le recueil des soutiens populaires, avant la saisine du Conseil constitutionnel et le renfort des parlementaires (il est vrai que l'exposé des motifs annonçait que ce dispositif figurerait dans le projet de loi organique du même jour, sans qu'il n'en soit finalement question dans ce texte).

242 Le contrôle des lois prises sur le fondement d'actes de l'Union européenne. — En troisième lieu, l'approfondissement de la construction européenne a eu des conséquences radicales sur le contrôle de constitutionnalité des lois. La Constitution a été modifiée à de multiples reprises pour permettre à la France d'adhérer aux traités européens : le Conseil constitutionnel en a tenu compte dans l'exercice de son contrôle. Au visa de l'article 88-1 de la Constitution, il estime que la transposition en droit interne des directives de l'Union européenne « résulte d'une exigence constitutionnelle ». Il refuse en conséquence de vérifier la constitutionnalité d'une loi transposant fidèlement les « dispositions inconditionnelles et précises » d'une directive de l'Union européenne, à condition que « l'identité constitutionnelle de la France » ne soit pas atteinte (décisions n° 2004-496 DC du 10 juin 2004 et n° 2010-605 DC du 12 mai 2010). De surcroît, la méconnaissance de l'exigence de transposition ne blesse pas un droit ou une liberté au sens de l'article 61-1 de la Constitution : une QPC serait sans objet (décision n° 2010-79 QPC du 17 décembre 2010 et décision n° 2014-373 QPC du 4 avril 2014). L'Union européenne a secrété un système juridique à ce point intégré que les lois de transposition n'encourent pas la censure, parce qu'elles ne se distinguent pas au fond des directives transposées, sauf si la transposition « nécessaire » niait une règle ou un principe « inhérent » à l'identité constitutionnelle de la France, ultime échappatoire autorisant un État souverain à repousser une directive impérative de l'Union européenne.

243 Contrôle de constitutionnalité et contrôle de conventionnalité. — Il faut ajouter que le contrôle est parfois écarté, non en raison de la nature ou de la procédure d'adoption de la loi, mais en raison de la qualité des actes et règles juridiques qu'elle violerait. Appartient-il au Conseil constitutionnel de confronter la loi aux engagements internationaux qui lient la France ? Doit-il exercer un contrôle dit de conventionnalité ? Il y a eu débat parce que l'article 55 de la Constitution dispose que les traités et accords internationaux ont, sous certaines conditions, « une autorité supérieure à celle des lois ». Chargé de veiller au respect de la Constitution, le Conseil ne doit-il pas s'assurer que les lois ne sont pas contraires aux engagements internationaux conclus par la France ? La réponse est négative depuis la décision *IVG* n° 75-54 DC du 15 janvier 1975 : « une loi contraire à un traité ne serait pas, pour autant, contraire à la Constitution ». La supériorité des traités sur les lois ne saurait emprunter la voie de l'article 61 de la Constitution au nom de « la différence de nature » entre les contrôles de constitutionnalité et de conventionnalité. En effet, les décisions prononcées sur le fondement de l'article 61 ont « un caractère absolu et définitif » en ce sens que la loi déclarée inconstitutionnelle ne peut entrer en vigueur (elle est abrogée avec la QPC), tandis que la supériorité des traités sur les lois présente « un caractère à la fois relatif et contingent » (relatif parce que borné au champ d'application du traité et contingent parce que les conditions posées par l'article 55 peuvent être remplies à un moment et cesser de l'être à un autre, et inversement). Le raisonnement a été contesté : en l'espèce, on soutenait que la loi sur l'interruption volontaire de grossesse était contraire à la convention européenne des droits de l'homme, dont la supériorité n'est pas contingente ; la doctrine s'est aussi interrogée sur le champ d'application limité des traités (quel acte juridique n'a-t-il pas de champ d'application limité ?).

Le Conseil a cependant confirmé sa jurisprudence, appelant implicitement les juridictions judiciaires et administratives à exercer ce contrôle pour lequel il se déclarait incompétent. La Cour de cassation en a tiré rapidement les conséquences avec l'arrêt *Jacques Vabre* du 24 mai 1975, le Conseil d'État attendant 1989 et l'arrêt d'Assemblée *Nicolo* du 20 octobre. Les deux contrôles de constitutionnalité et de conventionnalité sont en gros maintenus étanches (malgré une question préjudicielle posée pour la première fois à la Cour de justice de l'Union européenne par le Conseil constitutionnel le 4 avril 2013 dans la décision n° 2013-314P QPC), non sans provoquer des effets pervers. En matière de droits et libertés, la distinction est factice puisque la convention européenne des droits de l'homme et la charte des droits fondamentaux de l'Union européenne proclament des principes très comparables à ceux qui figurent dans la Déclaration de 1789 ou dans le préambule de la Constitution de 1946. Les juridictions de l'ordre administratif et de l'ordre judiciaire, sous couvert de conventionnalité, opèrent un contrôle qui ressemble furieusement à un contrôle de constitutionnalité de la loi.

III | Les types de contrôle

244 Le modèle français de justice constitutionnelle. — Longtemps, le contrôle français de constitutionnalité a été décrit comme centralisé, *a priori*, abstrait et exercé par voie d'action. L'acte contesté est examiné par le seul Conseil constitutionnel, avant son entrée en vigueur, en dehors de tout litige particulier et à titre principal. Il s'agit de la confrontation entre deux normes, d'un « procès fait à un acte » : la seule question posée au Conseil tient à la constitutionnalité ou à l'inconstitutionnalité de l'acte déféré. La confrontation a lieu avant l'entrée en vigueur, plus précisément avant la ratification pour les traités, avant la mise en application pour les règlements des assemblées, avant la collecte des signatures et le référendum pour les propositions de loi de l'article 11, avant la promulgation pour les lois. En matière législative, le président de la République doit promulguer la loi dans les quinze jours qui suivent l'adoption définitive par le Parlement (article 10). Le délai de promulgation est suspendu tant que le Conseil ne s'est pas prononcé : il a un mois pour ce faire, sauf urgence déclarée par le Gouvernement (article 61, alinéas 3 et 4). Fort heureusement, eu égard à la brièveté des délais, l'urgence est restée rare (décision n° 82-139 DC du 11 février 1982). La *summa divisio* passait alors entre contrôle obligatoire et contrôle facultatif.

245 Un contrôle longtemps borné au contrôle *a priori*, obligatoire ou facultatif. — Le contrôle obligatoire figure à l'article 61, alinéa 1er de la Constitution : il porte sur les lois organiques, les règlements des assemblées parlementaires et les propositions de loi mentionnées à l'article 11. Le Premier ministre et les présidents des Chambres ont une compétence liée : ils sont contraints de déférer au Conseil constitutionnel. On a dit pourquoi : les textes en cause adhèrent à la Constitution, ils en précisent ou complètent telle disposition – il serait facile pour le Parlement de modifier la charte suprême de l'ordre juridique sans respecter les prescriptions contenues dans la clause de révision. Toutes les lois organiques, toutes les modifications du règlement de l'une ou de l'autre assemblée sont donc soumises à la férule des « Sages ». Pour les textes moins dangereux, un contrôle facultatif suffit : les traités (article 54) et les lois « ordinaires » (article 61, alinéa 2) ne sont transmis au Conseil constitutionnel qu'autant qu'une des autorités désignées par la Constitution l'a voulu. La compétence est ici discrétionnaire. Trois époques sont à distinguer : de 1958 à 1974, la saisine était l'apanage du président de la République, du Premier ministre et des présidents des deux Chambres ; de 1974 à 1992, la saisine a été élargie à soixante députés ou à soixante sénateurs pour le contrôle des lois ; en 1992, une telle prérogative leur a été confiée à l'endroit des traités ; ainsi, depuis 1992, la saisine du Conseil en matière de lois comme de traités est accordée aux mêmes autorités politiques, à savoir les deux têtes de l'exécutif, les présidents des assemblées et soixante députés ou soixante sénateurs (et non soixante députés ou sénateurs). Il convient d'insister sur le bouleversement introduit par l'élargissement de la saisine en 1974 (plus qu'en 1992) : avant 1974, il était envisageable que les plus hautes autorités de l'État appartiennent au même parti ou à la même coalition de partis, paralysant *de facto* le contrôle de constitutionnalité. Le fait majoritaire a accentué le danger à partir de la démission de Gaston Monnerville de la présidence du Sénat en 1968 : des personnalités gaullistes et centristes occupaient l'Élysée, Matignon, l'hôtel de Lassay et le Petit Luxembourg. D'où la révision de 1974 : en accordant la saisine à soixante députés ou à soixante sénateurs, on donnait à l'opposition, tant à l'Assemblée nationale qu'au Sénat, l'opportunité de contester la loi devant le Conseil constitutionnel. De fait, peu de lois importantes ont échappé depuis à l'examen de ce dernier. C'est d'autant plus exact que le président de la République lui aussi consent désormais à saisir le Conseil : le mouvement a commencé avec F. Hollande en 2015, il a été poursuivi par E. Macron en 2019 et 2020, notamment au sujet de la loi prorogeant l'état d'urgence sanitaire (décision n° 2020-800 DC du 11 mai 2020). Quant aux traités, négociés et ratifiés par le président de la République, de facture souvent technique, la saisine est presque toujours effectuée par le chef de l'État (décision n° 2012-653 DC du 9 août 2012), parfois de conserve avec le Premier ministre (décision n° 98-408 DC du 22 janvier 1999). On ajoutera que le partage entre contrôle obligatoire et contrôle facultatif est sans pertinence dans le cadre de la QPC : aucune loi n'est obligatoirement transmise au Conseil constitutionnel puisque les requérants doivent former une QPC, qui n'est pas un moyen d'ordre public, et qu'au moins un filtre précède la saisine du Conseil.

246 Le bouleversement introduit par la question prioritaire de constitutionnalité. — La QPC a bouleversé le visage du contentieux constitutionnel. Depuis 2010, le contrôle de constitutionnalité des lois est devenu en partie décentralisé, *a posteriori*, concret et par voie d'exception. Il est décentralisé dans le cadre de la QPC parce qu'une requête ne parvient jamais au Conseil constitutionnel sans avoir été présentée d'abord à une juridiction de l'ordre administratif ou de l'ordre judiciaire : la QPC peut être formée devant un juge de premier ressort, d'appel ou de cassation. Si le juge *a quo* n'est pas le Conseil d'État ou la Cour de cassation (sachant que le premier, à la différence de la seconde, n'est pas uniquement un juge de cassation), il doit renvoyer à la juridiction suprême de son ordre : le Conseil d'État et la Cour de cassation sont les seules juridictions autorisées à transmettre une QPC au Conseil constitutionnel. Celle-ci aura donc subi un filtre, si elle naît directement devant une des juridictions suprêmes, ou deux filtres. On l'a dit, seul les « Sages » de la rue Montpensier ont la faculté de déclarer une loi constitutionnelle et de l'abroger, mais ils ne se prononceront qu'autant qu'ils auront été saisis par le Conseil d'État ou par la Cour de cassation d'une QPC admise, le cas échéant, par un juge inférieur. Autrement dit, tous les juges administratifs et judiciaires réalisent un contrôle de constitutionnalité de la loi lorsqu'ils sont confrontés à une QPC et qu'ils déterminent si les trois conditions posées par la loi organique du 10 décembre 2009 sont remplies. Si tel n'est pas le cas à leurs yeux, ils tranchent implicitement en faveur de la constitutionnalité de la loi attaquée et la conservent dans l'ordre juridique puisque le Conseil constitutionnel n'est pas en mesure de l'en retirer. Le rôle réservé au Conseil d'État et à la Cour de cassation est capital : s'il existe des dizaines de juridictions inférieures, donc des dizaines d'occasions de contester une même loi via une QPC, les deux juridictions suprêmes peuvent interdire l'accès au Conseil constitutionnel.

La QPC met en place un contrôle *a posteriori*, c'est même sa principale caractéristique. Le contrôle *a priori* des lois était insuffisant pour protéger les droits et libertés de manière efficace : il portait exclusivement sur les lois postérieures à mars 1959, il n'était pas exercé toutes les fois qu'il était facultatif et que les organes politiques compétents s'y refusaient, il n'anticipait pas tous les effets de la loi. Il était donc évident que l'ordre juridique national abritait des lois inconstitutionnelles. Pour le purger de ses inconstitutionnalités, il est désormais entendu que toutes les lois en vigueur sont susceptibles d'une contestation au moyen d'une QPC, sous les quelques réserves indiquées (lois référendaires par exemple).

Les caractères *a priori*, abstrait et par voie d'action vont de pair : le contrôle est effectué avant l'entrée en vigueur de l'acte, qui n'a donc pas encore produit d'effet (et n'en produira peut-être jamais). Le litige porte principalement, voire exclusivement sur la constitutionnalité de cet acte : d'où l'alternative conformité/contrariété à la Constitution, qui autorise ou interdit l'entrée en vigueur. À rebours, la QPC procède par voie d'exception : l'article 61-1 de la Constitution le souligne, elle est posée « à l'occasion d'une instance en cours ». La constitutionnalité de la loi n'est pas l'objet principal du litige, c'est d'ailleurs pour cette raison que la QPC fait l'objet d'un mémoire « distinct et motivé » aux termes de la loi organique du 10 décembre 2009. Mais la procédure est doublement originale : d'une part le juge initial ne statue pas lui-même sur l'inconstitutionnalité éventuelle de l'acte (le Conseil constitutionnel est seul compétent pour ce faire), d'autre part la loi inconstitutionnelle n'est pas seulement écartée dans le litige en cause, elle est abrogée, c'est-à-dire qu'elle disparaît de l'ordre juridique. C'est d'ailleurs une preuve que le contrôle n'est pas devenu tout entier concret : il a des traits à la fois concrets et abstraits, ou encore subjectifs et objectifs. Il est concret parce que lié à un litige particulier et parce que le Conseil constitutionnel a égard à la situation des parties : il tient à préserver « l'effet utile » de la QPC en examinant la constitutionnalité de dispositions législatives qui ont été modifiées ou abrogées dans l'intervalle (décision n° 2010-16 QPC du 23 juillet 2010) et il privilégie l'abrogation immédiate plutôt que l'abrogation différée parce qu'« en principe, une déclaration d'inconstitutionnalité doit bénéficier à la partie qui a présenté la question prioritaire de constitutionnalité » (décision n° 2010-14/22 QPC du 30 juillet 2010, considérant 30). Mais le contrôle est également abstrait ou objectif : l'abrogation a un effet *erga omnes*, tandis que l'extinction de l'instance est indifférente – le Conseil délivrera une sentence dès lors qu'il aura été saisi, nonobstant tout décès ou désistement d'une partie.

247 LES MODÈLES DE JUSTICE CONSTITUTIONNELLE. — L'opposition entre un modèle américain et un modèle européen (ou plutôt français) de justice constitutionnelle a vécu. Aux États-Unis, soulignait-on, le contrôle est décentralisé car confié à toutes les juridictions fédérales, *a posteriori* puisque toujours exercé après l'entrée en vigueur de l'acte, éminemment concret et par voie d'exception, l'acte déclaré inconstitutionnel à titre incident étant écarté et non annulé ou abrogé. En Europe, et plus encore en France, ajoutait-on, le contrôle est au contraire centralisé, *a priori*, abstrait et par voie d'action. La dichotomie n'a jamais été aussi radicale : ainsi, dès avant 2010, seul le contrôle de constitutionnalité des lois et des traités était confié en monopole au Conseil constitutionnel, tandis que le contrôle de constitutionnalité des actes infralégislatifs appartenait aux juridictions administratives et judiciaires (en outre, on se demandera si le Conseil d'État n'a pas effectué un contrôle de constitutionnalité des traités dans l'arrêt *Koné* du 3 juillet 1996). Dans le même sens, le contrôle assuré par le Conseil constitutionnel avait parfois lieu après l'entrée en vigueur d'une loi (décision n° 85-187 DC du 25 janvier 1985). Bref, il y avait bien des raisons de contester l'existence de deux modèles antagonistes. La QPC a définitivement invalidé cette présentation : le contentieux constitutionnel français est aujourd'hui bigarré, à la fois centralisé et décentralisé, *a priori* et *a posteriori*, abstrait et concret, par voie d'action et par voie d'exception. Son unité résulte de la place centrale faite au Conseil constitutionnel, invité dans tous les cas à agir rapidement : un mois lui est accordé au titre de l'article 61, trois mois lui sont offerts pour juger une QPC (le Conseil d'État et la

Cour de cassation sont également astreints à un délai de trois mois, le juge *a quo* statuant de son côté « sans délai »). Une telle célérité n'est pas sans incidence sur l'activité du Conseil constitutionnel, qui rend chaque année une quinzaine ou une vingtaine de décisions « DC » et soixante à soixante-dix décisions « QPC ».

IV | Les effets et l'autorité des décisions du Conseil constitutionnel

248 Des décisions souveraines. — Le Conseil constitutionnel peut être dit souverain : ses décisions, d'après l'article 62 de la Constitution, sont insusceptibles d'un quelconque recours et « elles s'imposent aux pouvoirs publics et à toutes les autorités administratives et juridictionnelles ». Le débat a porté sur la définition même du mot « décision » : s'impose-t-elle dans toutes ses parties ou pas ? Une querelle a ainsi opposé le Conseil et la Cour de cassation quant à la responsabilité politico-criminelle du président de la République : si l'autorité de la décision s'entend du dispositif et des seuls motifs qui en sont le soutien nécessaire, un *obiter dictum* est inadmissible (voir la leçon 3).

249 Les réserves d'interprétation. — Autre difficulté : quelle est la portée des réserves d'interprétation ? Les techniques du contrôle ne se bornent pas au couple constitutionnalité-inconstitutionnalité : en dehors du non-lieu à statuer, qui sanctionne le plus souvent une irrecevabilité, le Conseil délivre aussi des réserves d'interprétation, c'est-à-dire que la disposition attaquée est déclarée conforme à la Constitution sous réserve que les autorités chargées de son application l'interprètent comme le Conseil. La réserve d'interprétation a cet immense avantage d'éviter la censure tout en neutralisant une règle qui, dans tel sens, se révélerait inconstitutionnelle. L'arme de la réserve est utilisée tant dans le contrôle *a priori* que dans le contrôle *a posteriori* (ainsi la décision n° 2012-282 QPC du 23 novembre 2012, la décision n° 2016-533 QPC du 14 avril 2016 ou la décision n° 2020-834 QPC du 3 avril 2020 relative à « Parcoursup »). Elle introduit une incertitude : il n'est pas toujours certain que les pouvoirs publics, l'administration et les juridictions des deux ordres aient connaissance de la réserve ou qu'ils la comprennent conformément aux vues du Conseil. La réserve d'interprétation n'est prévue nulle part. Le Conseil a fait ici preuve d'audace car la Constitution n'envisage que l'inconstitutionnalité (donc la constitutionnalité : la précision est faite par l'article 21 de l'ordonnance du 7 novembre 1958).

250 CENSURE ET CONFORMITÉ. — Au titre du contrôle *a priori*, les effets de la censure sont nets : un engagement international ne peut être ratifié ou approuvé sans révision de la Constitution, une loi (organique ou ordinaire) ne saurait être promulguée, un règlement parlementaire ne peut être mis en application, une proposition de loi au sens de l'article 11 ne sera pas soumise à référendum. Il reste qu'une disposition particulière apparaît parfois séparable du reste du texte : la loi ou le règlement d'une assemblée parlementaire pourra entrer en vigueur si l'ensemble n'est pas « contaminé » par une disposition contraire à la Constitution. Dans un cas, la promulgation est interdite ; dans l'autre, le président de la République est confronté à une alternative – soit il promulgue la loi amputée de la disposition inconstitutionnelle, soit il demande une nouvelle délibération aux Chambres pour qu'elles modifient la loi en tenant compte des griefs retenus par le Conseil (voir la leçon 4).

La QPC aboutit généralement à une censure ou à une conformité (dont la réserve d'interprétation est une variante). L'article 62 indique que la censure est synonyme d'abrogation : la disposition législative disparaît de l'ordre juridique. Une liberté est cependant accordée au Conseil constitutionnel : il opte pour une abrogation immédiate (ou quasi immédiate : elle attend la publication au *Journal officiel*) ou pour une abrogation différée, fixée à une date ultérieure par le Conseil, lequel s'était déjà octroyé cette compétence dans le contrôle *a priori* (décision n° 2005-528 DC du 15 décembre 2005). L'abrogation immédiate semble plus respectueuse des droits de la partie victorieuse : elle doit bénéficier sans délai d'une décision de justice qui lui donne raison, on retrouve « l'effet utile ». Ainsi l'abrogation de l'article L. 7 du code électoral permet l'inscription immédiate sur la liste électorale (décision n° 2010-6/7 QPC du 11 juin 2010). De même, l'abrogation de l'article L. 3121-10 du code des transports autorise aussitôt un chauffeur de taxi à exercer aussi comme conducteur de VTC (décision n° 2015-516 du 15 janvier 2016). Et encore : les poursuites disciplinaires au sein de l'administration pénitentiaires sont immédiatement requises de respecter le principe du contradictoire (décision n° 2019-781 QPC du 10 mai 2019). Mais le Conseil prend en compte d'autres exigences pour prononcer une abrogation différée, le report ne dépassant par une (grosse) année : la décision n° 2010-14/22 QPC du 30 juillet 2010 a enflammé les esprits parce que les articles du code de procédure pénale relatifs au régime ordinaire de la garde à vue ont été déclarés inconstitutionnels à compter du 1er juillet 2011 – une session était accordée au Parlement pour qu'il édicte une loi nouvelle (ce sera fait au printemps suivant avec la loi n° 2011-392 du 14 avril 2011). Les avocats ont tonné contre le maintien en vigueur, certes temporaire, d'une loi inconstitutionnelle. Les illustrations sont pourtant nombreuses : c'est ainsi que le troisième alinéa de l'article 56 du code de procédure pénale a été censuré en décembre 2015 mais l'abrogation reportée au 1er octobre 2016 (décision n° 2015-506 QPC du 4 décembre 2015), tandis que le 5° de l'article 335 du même code était abrogé en février 2020 avec application au 31 décembre de cette année (décision n° 2019-828/829 QPC du 28 février 2020).

251 La latitude accordée au Conseil constitutionnel. — L'étude de la jurisprudence prouve que le Conseil utilise pleinement la panoplie offerte par l'article 62. Il va même jusqu'à déclarer inconstitutionnelle une loi déjà abrogée, quand celle-ci a blessé dans le passé un droit ou une liberté (décision n° 2010-16 QPC du 23 juillet 2010, décision n° 2019-824 QPC du 31 janvier 2020). C'est que le Conseil est aussi invité par l'article 62 à déterminer « les conditions et limites dans lesquelles les effets que la disposition a produits sont susceptibles d'être remis en cause ». Si l'abrogation vaut pour le futur, la décision a, le cas échéant, un effet rétroactif. La première décision QPC du 28 mai 2010 l'a parfaitement illustré : les « Sages » devaient se prononcer sur la « cristallisation » des pensions de retraite des anciens combattants étrangers

– ils étaient défavorisés par rapport à leurs frères d'armes français bien que les uns et les autres résidassent en France. Le Conseil y a vu une rupture de l'égalité telle que garantie par l'article 6 de la Déclaration de 1789 : l'inconstitutionnalité emportait l'abrogation, laquelle était reportée au 1er janvier 2011, au début de l'année budgétaire et fiscale. Surtout, le Conseil ordonnait d'une part aux juridictions civiles de surseoir à statuer et d'autre part au Parlement de régler de manière rétroactive les litiges en cours (il s'exécutera avec l'article 211 de la loi de finances pour 2011). Où on mesure combien le Conseil constitutionnel est nécessairement co-législateur, selon la présentation qu'en faisait Kelsen il y a près d'un siècle : tout organe habilité à déclarer une loi inconstitutionnelle, empêchant son entrée dans l'ordre juridique ou l'en retirant, est un législateur « avec un signe négatif ». Malgré les précautions prises par le Conseil, qui aime à rappeler qu'il « ne dispose pas d'un pouvoir général d'appréciation de même nature que le Parlement », il doit être considéré comme un partenaire du Parlement : l'abrogation le met en relief. Lorsque l'abrogation est différée, elle donne le temps au Parlement de réagir ; rien de tel avec l'abrogation immédiate : non seulement le Parlement est mis au pied du mur, mais il peut tout aussi bien ne pas agir, alors que le Conseil a modifié l'état du droit. On pense ici à la décision n° 2010-10 QPC du 2 juillet 2010 : le Conseil a censuré la composition des tribunaux maritimes commerciaux et y a substitué une nouvelle, ces juridictions spécialisées devant désormais statuer dans la formation de droit commun. Or le Parlement n'a pas légiféré sur ce point : la composition actuelle des tribunaux maritimes commerciaux est donc celle arrêtée par le Conseil constitutionnel.

Section II
L'autorité judiciaire, « gardienne de la liberté individuelle »

252 « POUVOIR » ET « AUTORITÉ » JUDICIAIRE. — Le titre VIII de la Constitution est intitulé « De l'autorité judiciaire ». Le terme « autorité » a été très commenté : il signifierait que les juges de l'ordre judiciaire ne forment pas un « pouvoir », aveu d'une conception française de la justice et de la séparation des pouvoirs archaïque. Il est vrai que la Révolution française a exprimé une vive hostilité à l'endroit des parlements d'Ancien Régime – alors cours souveraines de justice – et que les juges ont été tenus en lisière. La célèbre loi des 16-24 août 1790 leur interdisait de troubler les opérations des corps administratifs et le référé législatif contraignait les tribunaux à solliciter l'Assemblée lorsque la loi était obscure. De nos jours, il serait sans doute excessif d'attribuer une importance capitale au terme « autorité », d'autant qu'il a été question d'un « pouvoir » judiciaire au cours de l'été 1958 et que la Constitution n'emploie pas les expressions « pouvoir législatif » ou « pouvoir exécutif ».

253 La dualité juridictionnelle en France. — Finalement, c'est l'adjectif qui importe plus que le substantif : il y a en France une justice « judiciaire » parce qu'il y a aussi une justice administrative. Or la dualité juridictionnelle est un principe de valeur constitutionnelle aux yeux du Conseil constitutionnel : la décision n° 86-224 DC du 23 janvier 1987 a identifié un principe fondamental reconnu par les lois de la République « selon lequel, à l'exception des matières réservées par nature à l'autorité judiciaire, relève en dernier ressort de la compétence de la juridiction administrative l'annulation ou la réformation des décisions prises, dans l'exercice des prérogatives de puissance publique, par les autorités exerçant le pouvoir exécutif, leurs agents, les collectivités territoriales de la République ou les organismes publics placés sous leur autorité ou leur contrôle ». Et, depuis 2008, la Constitution fait mention du Conseil d'État en tant que juridiction administrative suprême (article 61-1). Le détail du partage des compétences entre juridictions administratives et juridictions judiciaires ne relève pas du droit constitutionnel. Il reste que la décision du 23 janvier 1987 fait état de « matières réservées par nature à l'autorité judiciaire ». La Constitution en cite une à l'article 66 : tout ce qui touche à la sûreté et notamment à la détention puisque l'autorité judiciaire est dite « gardienne de la liberté individuelle ». Le principe est ancien, il remonte aux origines de la dualité juridictionnelle. La quatrième

« base » de la loi constitutionnelle du 3 juin 1958 disposait d'ailleurs : « L'autorité judiciaire doit demeurer indépendante pour être à même d'assurer le respect des libertés essentielles telles qu'elles sont définies par le préambule de la Constitution de 1946 et par la Déclaration des droits de l'homme à laquelle il se réfère. » Deux principes ont été précisés dans la Constitution du 4 octobre 1958 : l'indépendance de la justice judiciaire et son monopole en matière de sûreté.

254 Indépendance de la justice et composition du Conseil supérieur de la magistrature. — L'article 64 place l'indépendance de la justice sous la protection du président de la République, lequel a d'ailleurs pour mission d'assurer « le fonctionnement régulier des pouvoirs publics » en vertu de l'article 5. Pour cette raison, le chef de l'État présidait le Conseil supérieur de la magistrature (CSM), on y reviendra. Car l'indépendance est garantie à deux égards : par l'inamovibilité des magistrats du siège, c'est-à-dire qu'à l'inverse des magistrats du parquet, ils ne peuvent faire l'objet d'une affectation nouvelle sans leur consentement ; par le rôle central réservé au CSM, qui « assiste » le président de la République, en ce qui concerne les nominations et la discipline des magistrats. La composition du CSM et ses prérogatives ont fait l'objet de modifications incessantes depuis une vingtaine d'années, à tel point qu'on a annoncé en 2013, puis en 2016, et encore en 2018 et 2019, une nouvelle mouture de l'article 65, déjà bouleversé en 2008. À l'origine, le CSM était présidé par le président de la République, le ministre de la Justice en étant le vice-président ; il comprenait en outre neuf membres (dont six magistrats) nommés par le chef de l'État. Première modification avec la loi constitutionnelle n° 93-952 du 27 juillet 1993 : le CSM est divisé en deux formations, l'une compétente pour les magistrats du siège, l'autre pour les magistrats du parquet – la première rassemble le président de la République, le ministre de la Justice, cinq magistrats du siège, un du parquet, un conseiller d'État et trois personnalités qualifiées nommées par le président de la République, le président de l'Assemblée nationale et le président du Sénat, tandis que la seconde comprend les mêmes membres sauf que la proportion des magistrats du siège et du parquet est inversée. Nouvelle péripétie en 2008 : le président de la République est banni du CSM, une incongruité pour le garant de l'indépendance de l'autorité judiciaire ; le ministre de la Justice est uniquement invité à « participer » aux séances qui ne touchent pas à la discipline ; le premier président de la Cour de cassation et le procureur général près la Cour de cassation sont à la tête de chacune des deux formations (le premier président dirige les travaux du CSM réuni en formation plénière). Autre innovation : un avocat et six personnalités qualifiées (qui n'appartiennent ni au Parlement ni aux juridictions administratives ou judiciaires) siègent dans les deux formations du CSM, sachant que les personnalités qualifiées sont désignées par le président de la République, le président de l'Assemblée nationale et le président du Sénat à raison de deux chacun et que la nouvelle procédure de l'article 13, alinéa 5 de la Constitution leur est applicable. L'essentiel est que les magistrats de l'ordre judiciaire sont désormais minoritaires dans l'une et l'autre formation : ils sont sept sur quinze, le conseiller d'État se trouvant en quelque sorte à la charnière. Ils redeviennent majoritaires, de peu, en matière disciplinaire puisque le magistrat du siège affecté à la formation du parquet rejoint alors la formation du siège et vice-versa.

Le projet de loi constitutionnelle adopté en Conseil des ministres le 13 mars 2013 insérait dans la Constitution un article 65-1 : le CSM aurait été composé de seize magistrats (huit du siège et huit du parquet), d'un conseiller d'État, d'un avocat et de cinq personnalités qualifiées n'étant ni parlementaires, ni magistrats de l'un ou de l'autre ordre, ni avocats. Le président CSM aurait été élu parmi ces personnalités qualifiées ; il aurait présidé la formation plénière et les deux formations restreintes. Les magistrats judiciaires auraient été majoritaires dans les deux formations, à proportion de huit sur quinze, étant précisé que cette majorité était renforcée en matière disciplinaire puisque le premier président de la Cour de cassation dans un cas, le procureur général près la Cour de cassation dans l'autre venait compléter et présider la formation du siège ou celle du parquet (on imaginait une cohabitation délicate entre le président du CSM et le président d'une formation du CSM agissant à titre disciplinaire). Las, le projet a été abandonné ou plutôt reporté car relancé en 2016 : en deuxième lecture, le 26 avril, l'Assemblée nationale a adopté la version édulcorée du Sénat remontant au 4 juillet 2013. L'article 65-1 était sacrifié, la composition du CSM restait inchangée et l'article 65 se contentait d'enrichir les attributions du CSM. Pour autant, le Congrès n'a pas été réuni avant la fin du quinquennat. Cependant, le flambeau a été repris par le président Macron : les projets de loi constitutionnelle des 9 mai 2018 et 28 août 2019 faisaient leur la version de l'article 65 adoptée en 2016. Mais l'échec semble tout aussi certain.

255 Les attributions du Conseil supérieur de la magistrature. — Les attributions du CSM ont elles aussi considérablement évolué. De 1958 à 1993, il se contentait de proposer les magistrats du siège de la Cour de cassation et les premiers présidents de cour d'appel, ne délivrant qu'un avis (simple) pour les autres magistrats du siège et ne statuant comme conseil de discipline qu'à l'endroit des magistrats du siège (en tant que tel, il acquiert la qualité de juridiction spécialisée, dont les décisions encourent la cassation devant le Conseil d'État). L'inflexion sera nette en 1993 : la proposition de nomination confiée au CSM est étendue aux présidents de tribunal de grande instance, l'avis réclamé pour les autres magistrats du siège est devenu « conforme » (l'autorité décisionnaire ne peut pas passer outre, elle doit suivre l'avis ou se résoudre à ne pas nommer), un avis simple est requis s'agissant des magistrats du parquet (à l'exclusion de ceux nommés en Conseil des ministres), il l'est aussi à leur égard en matière disciplinaire – le CSM continuait à statuer comme juridiction relativement aux magistrats du siège. À la fin des années 1990, il a été envisagé de renforcer les pouvoirs du CSM ; le projet de loi constitutionnelle n'a pas abouti en 2000 ; depuis 2008, l'avis du CSM est demandé quant aux nominations des magistrats du parquet délibérées en Conseil des ministres, tandis que le CSM peut être saisi par un justiciable – les conditions posées par la loi organique n° 2010-830 du 22 juillet 2010 sont draconiennes mais elles ont été satisfaites en juillet 2012 dans la médiatique affaire des « fadettes » opposant le journal *Le Monde* à l'ancien procureur Philippe Courroye, que le CSM a renoncé à sanctionner en janvier 2014. La faute disciplinaire alléguée par un justiciable est examinée par une commission d'admission des requêtes, laquelle peut transmettre la plainte à l'une des deux formations compétentes (plus de deux cents plaintes sont enregistrées chaque année, cinquante-sept ont été déclarées recevables entre 2011 et 2018). Une telle saisine restera sans doute exceptionnelle, à l'image de l'ensemble du contentieux disciplinaire : le CSM a rendu un peu plus de 200 décisions depuis 1959, quoique leur nombre semble augmenter dans les dernières années. Le projet de loi constitutionnelle du 13 mars 2013 allait plus loin : le CSM rendait un avis « conforme » pour la nomination des magistrats du parquet et il était par ailleurs érigé en conseil de discipline pour tous les magistrats judiciaires. C'est exactement la perspective choisie par les projets de loi constitutionnelle des 9 mai 2018 et 28 août 2019.

Enfin, la loi constitutionnelle du 23 juillet 2008 a prévu que la formation plénière, présidée par le premier président de la Cour de cassation (ou par le procureur général) et composée en outre de six magistrats, du conseiller d'État, de l'avocat et des six personnalités qualifiées, était saisie dans deux hypothèses assez rares : lorsque le président de la République lui réclame un avis sur le fondement de l'article 64 de la Constitution et lorsque le ministre de la Justice lui pose une question relative à la déontologie des magistrats ou au fonctionnement de la justice (ainsi le 25 mars 2013 à propos de la mise en cause d'un juge d'instruction de Bordeaux ayant décidé la mise en examen de Nicolas Sarkozy). Le projet de loi constitutionnelle de 2013 ajoutait que le CSM pouvait se saisir d'office de toute question mettant en cause l'indépendance de la justice ou la déontologie des magistrats.

256 LIBERTÉ INDIVIDUELLE ET SÛRETÉ PERSONNELLE. — Au final, les atermoiements constatés depuis 1993 prouvent que l'équilibre n'a pas été trouvé : la confiance dans une justice indépendante et impartiale exige-t-elle un CSM composé d'une majorité ou d'une minorité de magistrats ? La nomination et la discipline des magistrats du parquet doivent-elles être calquées sur celles des magistrats du siège, alors même que l'unité de la magistrature, âprement défendue par le Conseil constitutionnel (décision n° 2010-14/22 QPC du 30 juillet 2010, considérant 26), est contestée ? L'affaire du 30 juillet 2010 n'est pas choisie au hasard : les requérants soutenaient que le procureur de la République n'était pas une autorité judiciaire indépendante, seule « gardienne de la liberté individuelle » au sens du deuxième alinéa de l'article 66 de la Constitution, alors même que la garde à vue est évidemment une privation de liberté, fût-elle temporaire. Mais qu'est-ce que « la liberté individuelle » ? Les deux alinéas de l'article 66 doivent être lus ensemble : le premier dispose que « Nul ne peut être arbitrairement détenu », le second confie à l'autorité judiciaire, gardienne de la liberté individuelle, le soin de faire respecter ce « principe ». Dans le prolongement des articles 7 et 8 de la Déclaration de 1789, il est donc entendu que les magistrats judiciaires sont seuls habilités à placer et à maintenir un individu en détention – à tout le moins qu'ils doivent intervenir rapidement pour contrôler une décision administrative entravant la liberté individuelle par une mesure de rétention ou d'internement (décision n° 2011-174 QPC du 6 octobre 2011). La matière répressive, lorsqu'elle bride ou anéantit la liberté d'aller et venir, est du ressort de l'autorité judiciaire : « liberté individuelle » est ici synonyme de « sûreté personnelle ». Le Conseil peut y inclure l'inviolabilité du domicile (décision n° 83-164 DC du 29 décembre 1983, considérant 28) ou celle des véhicules (décisions n° 76-75 DC du 12 janvier 1977 et n° 94-352 DC du 18 janvier 1995), mais la liberté individuelle se conçoit d'abord par opposition à la détention. La première des libertés est ainsi confiée à l'autorité judiciaire parce que son indépendance est constitutionnellement assurée par l'article 64. Les magistrats de l'ordre judiciaire ne se privent pas de le rappeler, dernièrement dans le contexte de l'état d'urgence entre 2015 et 2017 qui a marginalisé la juridiction judiciaire au profit de la juridiction administrative (voir la décision du Conseil constitutionnel n° 2015-527 QPC du 22 décembre 2015).

257 PROHIBITION DE LA PEINE DE MORT. — On ajoutera que la substance du droit pénal (et non la procédure pénale ou la répartition des compétences entre juges) a été modifiée par une révision constitutionnelle récente. L'article 66-1 de la Constitution dispose, depuis le 23 février 2007, que « Nul ne peut être condamné à la peine de mort ». L'abolition de la peine capitale figurait jusqu'alors dans la célèbre loi du 9 octobre 1981 et dans des conventions internationales. L'autorité judiciaire peut frapper une personne dans sa liberté et dans ses biens, elle ne peut plus lui ôter la vie – sauf révision constitutionnelle contraire et périlleuse.

Section III
Le Défenseur des droits

258 Une institution née en 2008. — La loi constitutionnelle du 23 juillet 2008 a introduit dans la Constitution un titre XI *bis* intitulé « Le Défenseur des droits ». Il est composé d'un article unique, l'article 71-1, complété par la loi organique n° 2011-333 du 29 mars 2011. Le Défenseur des droits est une institution *sui generis* puisqu'il est qualifié d'« autorité constitutionnelle indépendante » par l'article 2 de la loi organique. Il s'agit en effet d'une autorité administrative indépendante, mais dotée d'une existence constitutionnelle, or il est le seul dans ce cas, ainsi que l'a relevé le Conseil constitutionnel dans sa décision n° 2011-626 DC du 29 mars 2011. Il ne rassemble pas moins de quatre anciennes autorités administratives indépendantes : le Médiateur de la République, le Défenseur des enfants, la Haute autorité de lutte contre les discriminations et pour l'égalité (Halde) et la commission nationale de déontologie de la sécurité (CNDS), les trois dernières étant de création récente puisque postérieures à l'an 2000. Le Défenseur des droits ressemble au Médiateur de la République d'antan : la personne nommée – Dominique Baudis entre 2011 et 2014, Jacques Toubon depuis – est inamovible, elle ne reçoit pas d'instruction, elle jouit d'immunités comparables à celles des parlementaires, son mandat de six ans n'est pas renouvelable, tandis que toute une série d'incompatibilités interdit le cumul avec une fonction ministérielle, avec un mandat électif (notamment parlementaire), avec tout emploi public ou toute activité professionnelle. Bref, l'indépendance n'est pas ici un vain mot, d'autant que la nomination du Défenseur des droits est soumise à la procédure de l'article 13, alinéa 5 de la Constitution : le choix du président de la République pourrait être contrarié par une volonté contraire des commissions compétentes de l'Assemblée nationale et du Sénat. Le champ d'action du Défenseur des droits est tellement vaste qu'il est assisté de trois adjoints et de trois collèges, qui rappellent d'où il vient : un collège est attaché à la défense et à la promotion des droits de l'enfant, un autre à la déontologie dans le domaine de la sécurité, le dernier à la lutte contre les discriminations et à la promotion de l'égalité. Chacun des adjoints est vice-président du collège correspondant, étant précisé que le titre de « Défenseur des enfants » a été conservé à l'adjoint spécialisé dans la protection de l'enfance tant la disparition d'une autorité dédiée à l'enfance avait suscité de remous.

259 LA MISSION DU DÉFENSEUR DES DROITS. — Le Défenseur des droits « veille au respect des droits et libertés » par les personnes publiques, l'État au premier chef, et par les personnes privées qui assumeraient une mission de service public. L'originalité est qu'il n'attend pas toujours d'être saisi par un plaignant, il peut s'auto-saisir, faculté peu commune dans le monde des autorités administratives indépendantes. La saisine est gratuite. L'expression « droits et libertés » – qui figure aussi à l'article 61-1 de la Constitution – n'est pas précisée par la loi organique : elle concerne la protection de l'enfance, la déontologie de la sécurité et la lutte contre les discriminations. C'est dire si la compétence du Défenseur des droits est large, à condition d'ajouter qu'il n'a pas la qualité juridictionnelle. En dehors des avis rendus à la demande du Premier ministre ou du président d'une assemblée parlementaire, il est fondé à requérir des « explications », des « informations », des « pièces » : si ces demandes ne sont pas satisfaites, et si la mise en demeure reste lettre morte, le juge des référés est sollicité. Le Défenseur des droits est même autorisé, dans certaines conditions, à vérifier sur place, ce qui ménage l'effet de surprise. Le résultat de toutes ces investigations est que le Défenseur des droits adresse des recommandations et des injonctions, qu'il invite les autorités compétentes à engager des poursuites disciplinaires ou à faire usage de leur pouvoir de sanction. Plus remarquable encore, le Défenseur des droits peut proposer un règlement amiable par une médiation, voire établir une transaction dès lors que le litige reste mineur et que le procureur de la

République donne son accord (articles 25 et suivants de la loi organique précitée).

260 L'ACTION DU DÉFENSEUR DES DROITS. — L'institution est jeune, elle a cinq ans : il semble pourtant qu'elle ait trouvé sa place, notamment en raison du savoir-faire médiatique de ses chefs successifs. Le Défenseur des droits a reçu plus de 140 000 demandes d'intervention ou de conseil en 2018, il rend des centaines de décisions et de recommandations par an. La situation des mineurs isolés étrangers a toujours préoccupé le Défenseur des droits qui rappelle régulièrement aux pouvoirs publics qu'ils ont des droits à faire valoir, notamment dans l'accès la justice (décision du 26 février 2016). Très récemment, durant l'épidémie de Covid-19, le Défenseur des droits a protesté contre l'interdiction faite à des enfants de pénétrer dans des supermarchés (communiqué du 8 avril 2020). Il produit par ailleurs de nombreuses observations devant les juridictions à l'appui d'un recours, pour protester par exemple contre le refus d'embarquement de personnes handicapées par des compagnies aériennes (décision du 9 septembre 2015). Le Défenseur des droits intervient aussi fréquemment dans le débat public pour réclamer un respect étendu des libertés individuelles (ainsi pendant l'état d'urgence entre 2015 et 2017).

Leçon 11

La révision de la Constitution

261 RÉVISION ET « CHANGEMENT » CONSTITUTIONNELS. — La révision en cause est celle des *mots* de la Constitution. Mais la doctrine emploie volontiers l'expression « changements constitutionnels » pour désigner les modifications qui n'ont pas altéré le *texte* de la Constitution. Il est évident que la Constitution est également modifiée par le juge toutes les fois qu'il procède à un revirement de jurisprudence (seule son interprétation a changé puisque le texte reste identique, pourtant la règle en est bouleversée) et par la pratique des acteurs politiques. L'illustration la plus nette est celle de la délégation de vote au Parlement : l'article 27 de la Constitution dispose que le droit de vote est « personnel », la délégation n'étant autorisée qu'« exceptionnellement » et pour un seul mandat, or le principe a été allègrement violé pendant des dizaines d'années et il continue à l'être à certains égards. En effet, lors d'un scrutin public, il était fréquent qu'un parlementaire possédât les clés de ses collègues absents lui permettant d'actionner plusieurs boîtiers de vote. Avec la complicité du Conseil constitutionnel (décision n° 86-225 DC du 23 janvier 1987, considérant 5), le vote cessait d'être personnel et la délégation excédait l'unité. La riposte est venue, à l'Assemblée nationale, d'une modification technique : depuis 1993, les députés n'ont que quelques secondes pour voter, ce qui leur interdit de courir dans les travées de l'hémicycle. Cependant, ils ont encore l'occasion de voter pour un de leurs collègues, les délégations étant accordées libéralement et non « exceptionnellement ». Quant aux sénateurs, ils recourent de façon troublante au vote de groupe : un sénateur est habilité à voter pour l'ensemble du groupe parlementaire auquel il appartient.

262 LES RÉVISIONS CONSTITUTIONNELLES SOUS LA Ve RÉPUBLIQUE. — Si l'on réduit la matière à la révision des mots de la Constitution, on s'aperçoit que celle-ci a été révisée à vingt-quatre reprises depuis le début de la Ve République, dont dix-neuf fois après 1992 et dix fois après 2000 (aucune entre 1976 et 1992). La première remonte à 1960, la dernière à 2008 – il s'agit de la loi constitutionnelle du 23 juillet 2008 qui a modifié la moitié des articles de la Constitution. Une vingt-cinquième révision était annoncée pour le mois de juillet 2013 : pas moins de quatre projets de loi constitutionnelle avaient été adoptés en Conseil des ministres le 13 mars, mais un seul – celui portant réforme du Conseil supérieur de la magistrature – semblait avoir une chance d'être soumis au Congrès prévu le 22 juillet. L'exécutif a dû renoncer au début de juillet pour éviter un échec probable, et encore au printemps de 2016 malgré le ralliement de l'Assemblée nationale au texte du Sénat. Toujours en 2016, un sort tout aussi funeste a été réservé au projet de loi constitutionnel relatif à l'état d'urgence et à la déchéance de nationalité. L'année d'avant, c'est le projet de loi constitutionnelle autorisant la ratification de la charte européenne des langues régionales qui avait été repoussé. La malédiction s'est poursuivie pendant le quinquennat d'Emmanuel Macron : le projet de loi constitutionnelle du 9 mai 2018 a été emporté par l'affaire « Benalla » au mois de juillet suivant, tandis que le projet de loi constitutionnelle du 28 août 2019 semble lui aussi condamné, d'autant plus avec l'épidémie de Covid-19 au printemps 2020. En général, une loi constitutionnelle se contente de modifier un article, rarement plus (sauf en 1992, 1995 et 2003), mention spéciale étant faite de l'incorporation d'un traité international dans le droit interne : un seul article peut être concerné, mais les conséquences sont capitales pour l'ensemble de l'ordre juridique national. Il n'est pas étonnant que les révisions se multiplient et prennent de l'ampleur au fil des décennies : plus le temps passe, plus les défauts du texte originaire réclament un remède. Le *principe* de la révision étant acquis, elle est cependant interdite dans certaines matières ou à raison de certaines circonstances.

263 LES INTERDICTIONS À LA RÉVISION. — Dans le premier cas, l'interdiction est définitive : l'article 89, alinéa 5 dispose que « La forme républicaine du Gouvernement ne peut faire l'objet d'une révision ». Cette phrase a une portée limitée : elle signifie que le retour à la monarchie ou à l'empire ne pourra être réalisé selon les formes prescrites par la Constitution républicaine. Telle était l'intention des constituants français en 1884 (loi constitutionnelle du 14 août) et en 1946 (article 95 de la Constitution de la IVe République) ; tel était encore l'objectif des constituants italiens ou portugais (article 139 de la Constitution de 1947 et article 288 de la Constitution de 1976). En droit français, la protection accordée à « la forme républicaine du Gouvernement » n'ira pas plus loin puisque le Conseil constitutionnel refuse de vérifier la constitutionnalité d'une loi constitutionnelle, en l'espèce celle « relative à l'organisation décentralisée de la République » accusée de blesser la forme républicaine (décision n° 2003-469 DC du 26 mars 2003). Dans le second cas, l'interdiction est temporaire : la révision pourra être menée dès lors que certaines circonstances graves ou fâcheuses auront disparu. L'article 89, alinéa 4 l'exclut lorsqu'il est porté atteinte à « l'intégrité du territoire », expression qui figure à l'article 5 et qui rappelle le traumatisme du 10 juillet 1940 : alors que les troupes allemandes occupaient déjà une large portion du pays, les deux Chambres réunies en Assemblée nationale avaient accordé le pouvoir constituant au maréchal Pétain conformément à l'article 8 de la loi constitutionnelle du 25 février 1875. Dans le même sens, l'article 7 de la Constitution prohibe toute révision sur le fondement de l'article 89 pendant une vacance de la présidence de la République ou dans l'hypothèse d'un empêchement définitif du président (l'intérimaire ne saurait pas ailleurs recourir à l'article 11). Enfin, la doctrine estime que le régime de l'article 16 est incompatible avec une révision constitutionnelle : les pouvoirs exceptionnels ont pour but et justification de rétablir « le fonctionnement régulier des pouvoirs publics *constitutionnels* », de sorte qu'il s'agit de restaurer ce qui existait autrefois et non pas de le modifier au moment d'une crise. L'idée commune à ces interdictions temporaires est que la révision de la Constitution est une entreprise à la fois cruciale et dangereuse : elle n'est pas concevable lorsque le pays est menacé, attaqué ou vulnérable. Il n'a jamais été nécessaire de le rappeler, y compris en 1961 lors de l'application de l'article 16 ou en 1969 et en 1974 alors que la présidence de la République était vacante.

264 Si la révision n'est pas interdite ou écartée, à quelque titre que ce fût, il faut en préciser les modalités.

Section I
La procédure de révision

265 LA RIGIDITÉ DE LA CONSTITUTION. — La procédure est précisée dans la clause de révision, qui fait le départ entre les Constitutions souples et les Constitutions rigides. Il est erroné de croire qu'une Constitution rigide est un texte difficile à modifier : c'est, au mieux, prendre la conséquence pour la cause. La rigueur oblige à affirmer qu'une Constitution rigide est une Constitution qui contient une clause de révision en son sein : le texte ne pourra être modifié qu'en vertu de ses propres dispositions. Il est commun que la clause de révision impose une procédure plus difficile à satisfaire que pour l'adoption des lois : la chose est logique puisque la Constitution est un document solennel et pérenne qui se veut à l'abri de modifications intempestives, précipitées, réalisées par des majorités étroites. Il n'en reste pas moins qu'on peut imaginer une clause de révision dont les exigences ne seraient pas éloignées de celles prévalant en matière législative. Par ailleurs, la clause de révision ne dit rien de la supériorité de la Constitution sur les autres règles de droit : elle isole la Constitution, elle opère une césure étanche entre le monde de la Constitution et le monde de la loi (ce qui condamne l'expression « lois constitutionnelles »), mais elle n'établit en rien la suprématie de la Constitution sur les traités, les lois ou les règlements.

266 LES TROIS PROCÉDURES PERMETTANT DE RÉVISER LA CONSTITUTION. — Trois procédures ont servi depuis 1960, mais deux d'entre elles sont désormais sans objet : l'article 85 a été abrogé, tandis qu'il est douteux que l'article 11 soit à nouveau utilisé pour réviser la Constitution. L'article 89 règne aujourd'hui sans partage.

I | UN VESTIGE : LA VOIE DE L'ARTICLE 85

267 LA COMMUNAUTÉ. — La Constitution de 1958 comprenait un titre XII, devenu titre XIII en 1993, intitulé « De la Communauté ». La Communauté rassemblait la République française et les territoires de son défunt Empire colonial. Or ces derniers ont proclamé très rapidement leur indépendance : la Communauté perdait tout intérêt dès le début des années 1960. D'où l'abrogation du titre XII par la loi constitutionnelle du 4 août 1995. Il contenait un article 85 ainsi rédigé : « Par dérogation à la procédure prévue à l'article 89, les dispositions du présent titre qui concernent le fonctionnement des institutions communes sont révisées par des lois votées dans les mêmes termes par le Parlement de la République et par le Sénat de la Communauté [institution qui réunissait les parlementaires de tous les territoires de la Communauté]. »

268 LA RÉVISION DE 1960. — La première révision constitutionnelle de la Ve République a emprunté la voie de l'article 85 afin de modifier tant cet article 85 que l'article 86. En effet, certains États africains devenus indépendants ne souhaitaient pas pour autant quitter la Communauté, alors que l'article 86 disposait qu'un État indépendant « cesse de ce fait d'appartenir à la Communauté ». Il fallait donc réviser l'article 86 sur ce point, mais aussi l'article 85 afin de permettre à l'avenir, le cas échéant, la modification du titre XII par le consentement d'États indépendants et égaux. Tel fut l'objet de la loi constitutionnelle n° 60-25 du 4 juin 1960 (votée par l'Assemblée nationale le 11 mai 1960 et par le Sénat le 18 mai, elle le fut aussi par le Sénat de la Communauté le 2 juin). Le choix de l'article 85 au détriment de l'article 89 fut cependant contesté par le Conseil d'État : dans son avis du 26 avril 1960, il soulignait que la procédure de l'article 85 était limitée aux dispositions « qui concernent le fonctionnement des institutions communes ». Le Conseil d'État faisait remarquer que la révision allait au-delà parce qu'elle bouleversait la nature même de la Communauté. Mais le Gouvernement passa outre.

II | Le recours extraordinaire à l'article 11

269 Le succès de 1962. — L'essentiel a été dit ailleurs (leçon 3). De Gaulle a provoqué un séisme le 20 septembre 1962 lorsqu'il a annoncé qu'il organiserait un référendum sur le fondement de l'article 11 au sujet de l'élection du président de la République au suffrage universel direct. Or la désignation du chef de l'État était (et est encore) consignée dans les articles 6 et 7 de la Constitution. Le référendum sera donc constituant. Peu importent ici les justifications avancées par de Gaulle et les critiques qu'on peut leur adresser : il est incontestable que la Constitution a été modifiée par la « loi » du 6 novembre 1962, telle qu'approuvée par référendum le 28 octobre, et après la déclaration d'incompétence du Conseil constitutionnel dans sa décision n° 62-20 DC du 6 novembre 1962.

270 L'échec de 1969. — Ce fut la seule fois où la Constitution a été révisée au moyen de l'article 11. Une seconde tentative a échoué en 1969 : le référendum du 27 avril a repoussé le projet de loi relatif au Sénat et aux régions, entraînant la démission de Charles de Gaulle. Il est aujourd'hui vraisemblable, malgré l'opinion contraire de F. Mitterrand en 1988 (« L'usage établi et approuvé par le peuple peut désormais être considéré comme l'une des voies de la révision, concurremment avec l'article 89 ») et la menace brandie par E. Macron lors de son discours au Congrès le 3 juillet 2017 (« Si cela est nécessaire, je recourrai au vote de nos concitoyens par voie de référendum »), que les présidents de la République n'invoqueront plus l'article 11 en vue d'amender la Constitution. Un indice en est que les propositions de loi d'initiative partagée, objet des derniers alinéas de l'article 11, sont soumises à un contrôle de constitutionnalité préalablement au référendum.

III | La voie privilégiée de l'article 89

271 Les trois étapes. — La voie privilégiée est sans doute devenue exclusive : seules les deux premières révisions constitutionnelles ont snobé l'article 89 ; depuis 1963, toutes les autres l'ont sollicité, soit vingt-deux fois sur vingt-quatre (on a été proche de vingt-cinq en 2013 et en 2016, puis en 2018 et 2019). La procédure est scindée en trois étapes : l'initiative, le vote des Chambres, l'approbation (ou ratification). L'initiative est partagée : elle appartient d'une part à l'exécutif, plus exactement au président de la République sur la proposition du Premier ministre, d'autre part aux membres du Parlement, députés ou sénateurs. Dans le premier cas, il s'agit d'un « projet de révision », dans le second d'une « proposition de révision », selon un vocabulaire emprunté aux lois. L'initiative resterait lettre morte si elle n'était suivie d'un vote des deux assemblées « en termes identiques ». La ratification du texte offre une alternative : lorsque l'initiative vient des parlementaires, l'approbation réclame un référendum ; lorsque l'initiative vient du président de la République, il dispose d'une option – l'approbation est donnée par référendum ou bien par le Parlement réuni en Congrès à la majorité qualifiée des 3/5e des suffrages exprimés.

Aux termes de l'article 89, on compte ainsi trois modes de révision, le vote intermédiaire des deux Chambres étant exigé dans les trois cas : l'initiative parlementaire suivie d'un référendum, l'initiative présidentielle suivie d'un référendum, l'initiative présidentielle suivie d'une réunion du Congrès. Le premier n'a jamais été expérimenté le second l'a été une seule fois (le quinquennat en 2000), le troisième étant plébiscité. On en veut pour preuve les dernières révisions en date, celles de 2005, 2007 et 2008 (il en eût été de même entre 2013 et 2019).

1. Le partage de l'initiative

272 LE RÔLE DE L'EXÉCUTIF. — La Ve République a rompu avec la IVe : l'article 90 de la Constitution de 1946 réservait l'initiative aux députés. C'est également le choix fait par nombre de pays européens (Grèce, Portugal, Irlande, Belgique). La Constitution de 1958 est donc relativement originale par la place éminente qu'elle accorde à l'exécutif. Il s'agit bien de l'exécutif dans son ensemble puisque le président est le détenteur du droit d'initiative « sur proposition du Premier ministre ». Si le Premier ministre joue un rôle cardinal, on constate en même temps qu'il perd ici le monopole qui est le sien en matière de lois ordinaires et organiques : l'article 39 partage également l'initiative entre le pouvoir exécutif et le pouvoir législatif, sauf que le président de la République n'y prend aucune part. Rien de tel, s'agissant des projets de révision constitutionnelle parce que le chef de l'État « veille au respect de la Constitution » (article 5). Il reste que le gardien se transforme en acteur : la conservation du trésor constitutionnel se concilie avec l'initiative des révisions constitutionnelles.

273 L'ASSOCIATION DU PRÉSIDENT DE LA RÉPUBLIQUE ET DU PREMIER MINISTRE. — L'article 89 exige donc une convergence de vues entre les deux têtes de l'exécutif (à l'instar de l'article 11), ce qui n'est pas sans conséquence en période de cohabitation. Chacun des deux protagonistes est en mesure de paralyser la volonté de son rival. Ainsi le président Jacques Chirac a-t-il refusé, en juin 1999, de prendre l'initiative d'une révision portant sur les langues régionales ou minoritaires désirée par le Premier ministre Lionel Jospin. L'obstruction présidentielle est d'autant plus efficace lorsqu'elle trouve un appui dans l'une des deux assemblées, en pratique le Sénat (puisque l'Assemblée nationale soutient par définition le Gouvernement). Dans le cas inverse, le Premier ministre aura toujours le loisir de faire endosser son texte par un parlementaire de sa majorité et d'obtenir un vote conforme des deux Chambres. Simplement, dans cette hypothèse à ce jour inédite, la ratification imposera l'organisation d'un référendum – la réunion du Congrès est réservée aux « projets » de révision. Tout est affaire de calcul politique : si le président craint un succès du référendum, il acceptera de prendre l'initiative d'un texte qu'il désapprouve au fond. Tel fut le choix du président François Mitterrand en octobre 1993 : il ne partageait pas l'opinion de son Premier ministre Édouard Balladur au sujet du droit d'asile, mais il était probable que les électeurs auraient voté « oui » lors du référendum. Pour s'épargner une défaite gênante, il a préféré céder tout en négociant l'adjonction d'un deuxième alinéa dans la loi constitutionnelle n° 93-1256 du 25 novembre 1993.

274 LE MONOPOLE DE L'EXÉCUTIF DANS LES FAITS. — Il est remarquable que l'initiative, partagée en droit, ait été l'apanage du couple exécutif dans les faits. Jamais un référendum n'a été provoqué par l'adoption d'une « proposition » de révision. Parmi les centaines de propositions de révision enregistrées sous la Ve République, seules quelques-unes ont été approuvées par l'une des deux assemblées, aucune n'a été votée par l'autre Chambre. Toutes les révisions ont résulté d'une initiative du président de la République sur proposition du Premier ministre.

2. *Le vote conforme des deux Chambres*

275 UN BICAMÉRISME ÉGALITAIRE. — L'article 89 exige que les deux Chambres s'entendent sur un texte modifiant la Constitution et c'est bien pour éviter le « cadre parlementaire » que de Gaulle a recouru à l'article 11 en 1962 et en 1969. Le principe est classique dès lors que le Parlement est bicaméral : dans une matière aussi sensible, et quelle que soit par ailleurs l'égalité ou l'inégalité entre les assemblées, il faut s'assurer d'un consensus. (L'exception de la IVe République confirme la règle : le bicamérisme était alors tronqué.) L'accord est plus fréquent lorsque l'Assemblée nationale et le Sénat sont de la même couleur politique. Il devient rare dans l'hypothèse contraire. On a en eu l'illustration lors de la présidence de François Mitterrand : l'Assemblée nationale, de 1981 à 1986, puis de 1988 à 1993, était à majorité socialiste, tandis que le Sénat était piloté par le RPR et l'UDF. À deux reprises, la volonté présidentielle a été contrariée par le Sénat : l'élargissement du champ du référendum, adopté par l'Assemblée le 23 août 1984, était repoussé par la Chambre haute les 8 août et 5 septembre ; le contrôle *a posteriori* des lois, approuvé par l'Assemblée le 25 avril 1990 et par le Sénat le 14 juin, le fut dans des termes tellement éloignés qu'un compromis était hors de portée – la seconde lecture des 21 et 28 juin ne permit pas d'aplanir les divergences. En revanche, dès que la droite remporta les élections législatives de 1993, deux révisions furent menées à bien en juillet et en novembre. Dans la période récente, le projet de loi constitutionnelle de protection de la nation, adopté en Conseil des ministres le 23 décembre 2015, a mis en évidence le rôle du Sénat : si les deux Chambres étaient d'accord pour inscrire l'état d'urgence dans un nouvel article 36-1 de la Constitution, elles divergeaient au sujet de la déchéance de nationalité, ce qui a condamné l'ensemble du texte. Quant au projet de loi constitutionnelle du 9 mai 2018, toute affaire « Benalla » mise à part, son échec était quasiment certain au fur et à mesure que se renforçait l'hostilité du Sénat.

276 RÉVISION CONSTITUTIONNELLE ET COHABITATION. — La cohabitation n'interdit cependant pas toute révision constitutionnelle. Le constat est plutôt heureux car il signifie que la majorité et l'opposition sont capables d'harmoniser leurs vues quand il est question de modifier le texte suprême de l'ordre juridique. Lors de la troisième cohabitation, entre 1997 et 2002, pas moins de cinq projets de révision ont été adoptés parce que la classe politique était unanime ou presque, s'agissant du sort de la Nouvelle-Calédonie (20 juillet 1998), de la ratification du traité d'Amsterdam (25 janvier 1999), de la création de la Cour pénale internationale et de la promotion de l'égalité entre hommes et femmes (lois constitutionnelles du 8 juillet 1999) ou de la réduction du mandat présidentiel à cinq ans (2 octobre 2000). Le quinquennat aurait pu prêter à controverse, donc provoquer un blocage, si l'un des deux camps l'avait estimé défavorable à ses ambitions. Le calcul de Jacques Chirac et de Lionel Jospin fut inverse : l'un et l'autre, anticipant l'échéance de 2002, croyaient que le quinquennat accompagné de l'inversion du calendrier électoral les avantagerait, de sorte qu'ils se sont employés à convaincre leurs amis politiques respectifs, l'un à l'Assemblée nationale, l'autre au Sénat, pour que le texte recueille les majorités nécessaires. Il restait à en obtenir la ratification : elle fut demandée, pour la première fois, aux électeurs.

3. La ratification par le Congrès et le rôle réservé au « peuple » souverain

277 LE RÉFÉRENDUM OU LE CONGRÈS. — Le principe est que la ratification est donnée par le « peuple » consulté par référendum. Le deuxième alinéa de l'article 89 dispose : « La révision est définitive après avoir été approuvée par référendum. » C'est seulement à titre d'exception que le troisième alinéa ajoute : « *Toutefois*, le projet de révision *n'est pas présenté au référendum* lorsque le président de la République décide de le soumettre au Parlement réuni en Congrès. » La rédaction est sans ambiguïté : la voie référendaire est privilégiée. D'ailleurs, le référendum reste obligatoire lorsque l'initiative de la révision vient des parlementaires, c'est-à-dire pour les « propositions » de révision. L'option offerte au président de la République est cantonnée aux « projets » de révision : il peut faire l'économie d'un référendum et réunir le Congrès. Le chef de l'État intervient donc à deux niveaux : il est doté de l'initiative et il choisit le mode de ratification quand il est à l'origine de la révision. Pourquoi une telle restriction ? Parce que les projets de révision sont entourés de garanties : ils reçoivent l'assentiment du Premier ministre, du président de la République, de l'Assemblée nationale et du Sénat. Toutes les précautions ont été prises pour s'assurer que le vœu unanime des représentants exprime la volonté générale : les deux têtes de l'exécutif sont d'accord avec les deux Chambres du Parlement. En revanche, les « propositions » de lois ne font pas de place aux organes exécutifs : l'initiative d'un député ou d'un sénateur précède l'adoption du texte par les assemblées. Les garanties sont moindres : le dernier mot est donc laissé au « peuple ».

278 LE RÉFÉRENDUM DE 2000. — Si l'article 89 trahit une faveur pour le référendum aux dépens du Congrès, il a été contrarié par la pratique : une seule ratification a été soumise aux électeurs à l'occasion d'un référendum, ce fut en 2000 lors de l'adoption du quinquennat présidentiel. Le référendum du 24 septembre n'a pas été un franc succès : si le « oui » a réuni 73 % des suffrages, la participation a péniblement atteint les 30 % des inscrits. Ce score médiocre s'explique sans doute par le désintérêt des électeurs pour les enjeux institutionnels et par le consensus de la classe politique et de l'opinion publique : le président de la République, le Premier ministre et l'immense majorité des parlementaires étaient partisans du quinquennat. Le référendum a sans doute été préféré pour cette raison : il ne présentait pas de risque, tout en donnant à la révision un vernis démocratique toujours flatteur, sans compter qu'une symétrie inavouable hantait les esprits, celle de la consultation de 1962 (organisée sur le fondement de l'article 11). Quoi qu'il en soit, l'essentiel est que cette occurrence soit restée unique.

279 La préférence pour le Congrès. — Toutes les autres fois, au nombre de vingt et une (on a pu croire atteindre les vingt-deux en 2013 ou en 2016, voire en 2018 ou 2019), la ratification fut confiée au Congrès. Le « peuple », proclamé souverain par la Déclaration de 1789 et par l'article 3 de la Constitution, a été marginalisé. Les raisons en sont nombreuses : il est plus simple et moins onéreux de réunir le Congrès que d'organiser un référendum ; le vote des parlementaires est plus prévisible que celui des électeurs (d'où l'annulation du décret convoquant le Congrès lorsque l'échec semble probable comme en 2000 ou le report d'une réunion du Congrès comme en 2013) ; les représentants sont toujours réticents à se priver d'une partie de leurs prérogatives au profit du « peuple » ; l'initiative des *propositions* de révision n'a jamais prospéré, or elle aurait nécessairement provoqué l'organisation d'un référendum. Le Congrès a donc été avantagé. Il correspond au Parlement, réuni à Versailles, qui doit approuver le texte à la majorité des 3/5e des suffrages exprimés.

280 La composition du Congrès. — On oublie trop souvent que le Congrès rassemble l'ensemble des parlementaires et que le vote se fait par tête et non par assemblée (ou par ordre comme au temps de l'Ancien Régime), or les députés sont 577 et les sénateurs 348. Cette disproportion explique que le bureau du Congrès soit celui de l'Assemblée nationale et elle peut se révéler cruciale pour franchir la barre des 3/5e des suffrages exprimés. Les députés représentent 62 % de l'ensemble des parlementaires, tandis que la majorité requise est de 60 %. Si l'on raisonne en termes d'organes, et en dehors de toutes affinités politiques ou partisanes, une Assemblée unanime peut imposer sa volonté à un Sénat unanime. Il s'agit d'un cas-limite qui n'a aucune chance de se réaliser ; il montre cependant que plus la majorité est large à la Chambre basse et plus la ratification au Congrès est aisée. Aux élections législatives de 1993, le RPR et l'UDF raflèrent plus de 80 % des sièges : l'approbation du nouvel article 53-1 de la Constitution était acquise, elle fut donnée par 698 voix contre 157 (et 20 abstentions). Par contre, plus la majorité est étriquée, plus le vote final est douteux, même si le même parti ou la même coalition de partis contrôle le Sénat : le 21 juillet 2008, la ratification a été obtenue de justesse. L'UMP était majoritaire dans les deux Chambres mais de peu : il a fallu amadouer les uns, menacer les autres pour emporter la victoire. De telles manœuvres se sont répétées au printemps de 2013 lorsque le président Hollande tenta d'arracher le soutien des centristes de l'UDI au projet de loi constitutionnelle portant sur le Conseil supérieur de la magistrature.

281 LA MAJORITÉ REQUISE. — L'article 89 exige une majorité des 3/5e des suffrages exprimés. La France a fait le choix d'un entre-deux : certaines Constitutions imposent une majorité des deux tiers (États-Unis, Allemagne, Portugal), d'autres se contentent d'une majorité absolue (Italie). La précision selon laquelle la majorité est calculée sur les suffrages exprimés signifie que les sièges vacants dans l'une ou l'autre Chambre, le refus de participer au vote et l'abstention ne rentrent pas en ligne de compte. L'abstention est un moyen commode de marquer une hostilité larvée sans qu'elle compromette l'adoption du texte (et sans fâcher le président de la République) car elle abaisse d'autant le nombre de suffrages nécessaires. Ainsi la loi constitutionnelle n° 2007-238 du 23 février 2007 n'aurait jamais vu le jour si trente-six parlementaires n'avaient pas refusé de prendre part au vote et si 217 autres ne s'étaient réfugiés dans l'abstention. L'exécutif, lorsqu'il n'est pas certain de parvenir à ses fins, pèse de tout son poids pour arracher au moins une abstention, comme on a pu le remarquer en juillet 2008. Le jour de la convocation du Congrès, le 21 juillet, un siège était vacant à l'Assemblée et un autre au Sénat : 906 sièges étaient pourvus. Un parlementaire n'ayant pas participé au vote, les votants étaient 905 ; neuf parlementaires s'étant abstenus, 896 suffrages exprimés ont été décomptés ; la majorité qualifiée était donc fixée à 538 suffrages : ils furent 539 en faveur du projet, soit deux de plus que nécessaire (et non pas un, comme s'est plu à le propager la presse, soucieuse de dramatiser le vote de Jack Lang, sans lequel la majorité eût été atteinte). Ce fut le score le plus serré enregistré sous la Ve République – l'UMP était en deçà des 60 % puisqu'elle comptait 317 députés et 159 sénateurs et, en outre, elle était divisée (sept parlementaires issus de ses rangs ont voté contre). Auparavant, la bataille la plus rude avait eu lieu en 1974 : de manière paradoxale, la gauche avait voté en bloc contre le projet élargissant la saisine du Conseil constitutionnel, finalement adopté par 488 voix contre 273, la majorité requise étant de 457. Pour le reste, on constate que la majorité des 3/5e fut aisément dépassée, soit qu'un camp écrasât l'autre (1993), soit que le projet fasse l'objet d'un consensus – la révision demandée par le traité de Maastricht fut acquise le 23 juin 1992 par 592 voix contre 73 (on peut en dire autant du traité d'Amsterdam en 1999 ou, à un moindre degré, du traité de Lisbonne en 2008), le statut de la Nouvelle-Calédonie fut approuvé le 20 juillet 1998 par 827 voix contre 31, l'interdiction de la peine de mort fut votée le 19 février 2007 dans les mêmes proportions.

Dans d'autres circonstances, l'exigence d'une majorité des 3/5e a été rédhibitoire. Pas tant au sens où un échec aurait été essuyé : tous les projets présentés au Congrès ont été approuvés. Mais, quand le vote s'annonce incertain ou défavorable, malgré le vote conforme des deux Chambres, le président de la République renonce à réunir le Congrès pour éviter une défaite. La réduction du mandat présidentiel à cinq ans était souhaitée par G. Pompidou : son initiative avait obtenu l'accord de l'Assemblée nationale et du Sénat les 16 et 19 octobre 1973, mais la marge était tellement étroite que le succès au Congrès était douteux. L'Assemblée s'était prononcée à la majorité de 270 contre 211, le Sénat à la majorité de 162 contre 112. La majorité au Congrès eût été de 456 suffrages, or Pompidou pouvait compter sur 432 voix : il se résigna à laisser les choses en l'état (son vœu fut exaucé en 2000). V. Giscard d'Estaing fit une expérience semblable en 1974 : la modification de l'article 25 de la Constitution était approuvée par l'Assemblée le 17 octobre par 237 voix contre 223 et par le Sénat le même jour par 182 voix contre 95. Le Congrès ne fut pas convoqué : 444 voix eussent été nécessaires, seules 419 étaient sûres. L'échec fut plus flagrant en 2000 et pour des motifs très différents : la réforme du Conseil supérieur de la magistrature avait suscité une large adhésion dans les deux Chambres en octobre et novembre 1998 ; le Congrès était convoqué à la date du 24 janvier 2000 par un décret présidentiel du 3 novembre 1999 ; la réunion fut annulée par un décret contraire le 19 janvier 2000. Les parlementaires du RPR et de l'UDF avaient viré de bord pour des raisons tactiques : à deux ans d'échéances électorales majeures, et alors que le président Jacques Chirac était un fervent partisan de la révision, ils n'ont pas voulu offrir une victoire au Gouvernement de Lionel Jospin. En juillet 2013, la mort dans l'âme, l'exécutif a dû se résigner à « reporter » la réunion envisagée du Congrès : le parti socialiste et ses alliés avaient besoin du soutien des parlementaires centristes, or il leur a fait défaut. Il manquait une trentaine de voix pour dépasser la barre des 3/5e des suffrages exprimés. Cette même majorité a semblé encore inatteignable en 2016.

282 OBSTACLES MIS À LA RÉVISION. — La Constitution est donc difficile à réviser : les projets de révision réclament l'accord du président de la République et du Premier ministre ; les projets et les propositions de révisions supposent un vote conforme des deux Chambres ; le référendum effraie les représentants ; le Congrès doit réunir les 3/5e des suffrages exprimés. On ajoutera que la loi constitutionnelle du 23 juillet 2008 a prévu un obstacle supplémentaire, assez commun dans les autres Constitutions occidentales (ainsi en Italie) : un délai entre le dépôt du texte et son examen afin de mûrir la réflexion et d'écarter les votes précipités. Bizarrement, un tel délai était prévu avant 2008 pour les seules lois organiques, décrites comme matériellement constitutionnelles : il était fixé à quinze jours par l'ancienne mouture de l'article 46. Depuis 2008, les lois (ordinaires, organiques et constitutionnelles) ne peuvent, en première lecture et devant la première assemblée saisie, être discutées en séance que six semaines après leur dépôt ; le délai est réduit à quatre semaines devant la deuxième assemblée saisie. Si des exceptions s'appliquent aux lois ordinaires et organiques, elles ne concernent pas les lois constitutionnelles qui, plus que toutes autres, doivent être examinées avec prudence.

Section II
Les matières révisées

283 LES VINGT-QUATRE RÉVISIONS. — La Constitution a été révisée à vingt-quatre reprises par vingt-trois lois constitutionnelles et par une « loi » : LC n° 60-525 du 4 juin 1960 tendant à compléter les dispositions du titre XII de la Constitution ; « Loi » n° 62-1292 du 6 novembre 1962 relative à l'élection du président de la République au suffrage universel ; LC n° 63-1327 du 30 décembre 1963 portant modification de l'article 28 de la Constitution ; LC n° 74-904 du 29 octobre 1974 portant révision de l'article 61 de la Constitution ; LC n° 76-527 du 18 juin 1976 modifiant l'article 7 de la Constitution ; LC n° 92-554 du 25 juin 1992 ajoutant à la Constitution un titre « Des Communautés européennes et de l'Union européenne » ; LC n° 93-952 du 27 juillet 1993 portant révision de la Constitution du 4 octobre 1958 et modifiant ses titres VIII, IX, X et XVIII ; LC n° 93-1256 du 25 novembre 1993 relative aux accords internationaux en matière de droit d'asile ; LC n° 95-880 du 4 août 1995 portant extension du champ d'application du référendum, instituant une session parlementaire ordinaire unique, modifiant le régime de l'inviolabilité parlementaire et abrogeant les dispositions relatives à la Communauté et les dispositions transitoires ; LC n° 96-138 du 22 février 1996 instituant les lois de financement de la sécurité sociale ; LC n° 98-610 du 20 juillet 1998 relative à la Nouvelle-Calédonie ; LC n° 99-49 du 25 janvier 1999 modifiant les articles 88-2 et 88-4 de la Constitution ; LC n° 99-568 du 8 juillet 1999 insérant, au titre VI de la Constitution, un article 53-2 et relative à la Cour pénale internationale ; LC n° 99-569 du 8 juillet 1999 relative à l'égalité entre les hommes et les femmes ; LC n° 2000-964 du 2 octobre 2000 relative à la durée du mandat du président de la République ; LC n° 2003-267 du 25 mars 2003 relative au mandat d'arrêt européen ; LC n° 2003-276 du 28 mars 2003 relative à l'organisation décentralisée de la République ; LC n° 2005-204 du 1er mars 2005 modifiant le titre XV de la République ; LC n° 2005-205 du 1er mars 2005 relative à la Charte de l'environnement ; LC n° 2007-237 du 23 février 2007 modifiant l'article 77 de la Constitution ; LC n° 2007-238 du 23 février 2007 portant modification du titre IX de la Constitution ; LC n° 2007-239 du 23 février 2007 relative à l'interdiction de la peine de mort ; LC n° 2008-103 du 4 février 2008 modifiant le titre XV de la Constitution ; LC n° 2008-724 du 23 juillet 2008 de modernisation des institutions de la République.

On remarque que les premières lois constitutionnelles indiquaient le titre ou l'article modifié, pas la matière révisée. En revanche, à partir de 1993, la loi constitutionnelle indique tantôt le titre ou l'article modifié, tantôt la matière révisée. Au final, peu d'articles de la Constitution sont restés inchangés (articles 8-10, 12, 14-15, 19-23, 27, 29-33, 36, 37, 40, 41, 50, 52-53, 55, 57-59, 63-64, 66). La liste est révélatrice : les pouvoirs du président de la République n'ont pas connu d'évolution majeure depuis 1958 (la nouvelle mouture des articles 13, 16 ou 18 ne bouleverse pas leur économie), tandis que le titre III « Du Gouvernement » est le seul de son espèce à être resté intact. Il est donc difficile de prétendre commenter la Constitution « de 1958 » (si on croit que la Constitution ne date pas de 1945 ou de 1946), il serait plus exact d'écrire : « la Constitution depuis 1958 ».

284 LES MATIÈRES LES PLUS MODIFIÉES. — De cette masse de révisions constitutionnelles, peut-on isoler des matières plus labourées que d'autres ? La session parlementaire a fait l'objet de deux lois constitutionnelles (en 1963 et en 1995) ; le référendum de l'article 11 est dans le même cas (1995 et 2008, sans oublier le projet de 2019) ; la composition et les attributions du Conseil supérieur de la magistrature aussi (en 1993 et en 2008), qu'on prévoyait de modifier encore en 2013 et 2016, puis en 2018 et 2019 ; la saisine et les prérogatives du Conseil constitutionnel ont été précisées et enrichies en 1974, 2003, 2005 et 2008 (la première élargissant la saisine à soixante députés ou à soixante sénateurs, la dernière introduisant le contrôle *a posteriori* des lois), étant rappelé que trois projets envisageaient d'en exclure les anciens présidents de la République en 2013, 2018 et 2019. Ces deux derniers exemples illustrent, d'une part, la tension persistante qui caractérise les relations entre la justice judiciaire et la classe politique (la promotion et la discipline des magistrats du parquet sont au cœur du débat), d'autre part, le succès continué du contentieux constitutionnel, preuve que le légicentrisme a vécu en France. Mais deux matières se distinguent plus particulièrement. En premier lieu, le mandat du président de la République – plus que ses compétences – a préoccupé le constituant : il est élu au suffrage universel direct en 1962, l'organisation de l'élection est affinée en 1976, le mandat est réduit à cinq ans en 2000, le statut prétendument « pénal » est modifié en 2007, il est interdit d'assumer plus de deux mandats consécutifs en 2008. Seule la loi constitutionnelle du 23 juillet 2008 a affecté les prérogatives du chef de l'État mais dans des proportions somme toute faibles : le pouvoir de nomination a été « encadré » à la marge (article 13, alinéa 5), le prolongement du régime exceptionnel de l'article 16 est mieux contrôlé, le droit de grâce est devenu individuel (article 17), le président peut désormais s'adresser directement aux Chambres (article 18), il a perdu la présidence du Conseil supérieur de la magistrature (article 65). Rien d'étonnant à une telle frénésie constituante, s'agissant du principal acteur politique du pays. En second lieu, la construction européenne a été la source de nombreuses révisions constitutionnelles, indice d'un système juridique national de plus en plus intégré à ce qui est devenu l'Union européenne : le traité de Maastricht en 1992, les accords de Schengen en 1993, le traité d'Amsterdam en 1999, la décision-cadre du Conseil de l'Union européenne relative au mandat d'arrêt européen en 2003, le traité établissant une Constitution pour l'Europe en 2005 et celui de Lisbonne en 2008 ont réclamé autant de lois constitutionnelles.

Section III
Lois, révisions et actes constitutionnels

285 « LOI » CONSTITUTIONNELLE. — L'expression « loi constitutionnelle » est embarrassante, on l'a dit, parce qu'elle est tout proche d'un oxymore : le constitutionnalisme s'est historiquement bâti sur une césure entre la sphère constitutionnelle et la sphère législative. La Constitution était placée hors de portée du législateur, le pouvoir constituant était distingué des pouvoirs constitués, ainsi que l'a résumé le président de la Cour suprême des États-Unis, John Marshall, dans l'arrêt *Marbury v. Madison* de 1803 : « Ou la Constitution est un droit supérieur, suprême, inaltérable par des moyens ordinaires ; ou elle est sur le même plan que les lois ordinaires et, à l'instar des autres lois, elle est modifiable selon la volonté de la législature. » Il est donc paradoxal de baptiser « lois » constitutionnelles des révisions du texte suprême (le vocabulaire juridique américain utilise le mot « amendements »). Le droit français prête ainsi à confusion, alors que l'article 89 de la Constitution recourt exclusivement au substantif « révision ».

286 « RÉVISION » CONSTITUTIONNELLE. — Il apparaît cependant que le terme « révision » n'est pas plus satisfaisant. Il est en effet usurpé lorsque la Constitution prévoit qu'elle sera complétée – en vue de son application – par une loi organique (plus rarement par une loi ordinaire ou par le règlement des assemblées parlementaires). Le constituant renvoie au législateur organique des détails qui alourdiraient le texte de la Constitution et qui ne pourraient être modifiés qu'au prix d'une opération complexe. D'après l'article 46, une loi organique ne saurait être adoptée si la Constitution ne la prévoit pas. Une vingtaine d'articles en appelle ainsi à une loi organique pour arrêter « les modalités d'application » (article 6) ou « les conditions d'application du présent article » (articles 61-1, 68, 68-2). La difficulté naît de l'inaction du législateur organique : elle paralyse tout bonnement la volonté du constituant. On comprend que la question est distincte du report par la Constitution elle-même de ses effets dans le temps (ainsi l'article 46 de la loi constitutionnelle du 23 juillet 2008 dispose qu'un certain nombre d'articles entreront en vigueur le 1er mars 2009) : c'est le constituant qui décide de repousser l'entrée vigueur de telle ou telle disposition. Mais ce même article 46 ajoute que douze articles de la Constitution « entrent en vigueur dans les conditions fixées par les lois et les lois organiques nécessaires à leur application ». Autrement dit, si les lois en cause ne sont pas édictées, les dispositions de la Constitution n'entrent pas en vigueur. Le législateur ordinaire et surtout le législateur organique sont donc en mesure de contrarier la volonté du constituant.

On en a eu deux exemples dans la période récente : d'une part l'article 68 de la Constitution, modifié le 23 février 2007, n'a été complété par la loi organique attendue qu'en 2014 (loi organique n° 2014-1392 du 24 novembre 2014) ; d'autre part la loi organique prévue par l'article 11 de la Constitution a été adoptée en 2013 (loi organique n° 2013-1114 du 6 décembre 2013), plus de cinq ans après la révision constitutionnelle du 23 juillet 2008. Ainsi, les mots de la Constitution avaient bel et bien été modifiés, respectivement en 2007 et en 2008, mais la Constitution n'avait pas été *révisée* parce que les modifications étaient longtemps restées virtuelles. La hiérarchie des *normes* n'est pas blessée à proprement parler parce que la norme « loi organique » est manquante ; c'est plutôt la hiérarchie des autorités et des volontés qui est bafouée ; le législateur organique manque à une obligation de faire ; la loi organique n'est pas contraire à la Constitution puisque seule son inexistence est regrettée. Nous proposons d'appeler « révision » une loi constitutionnelle *self-executing*, par emprunt au langage du droit international, ou complétée, le cas échéant, par la loi organique annoncée. La loi constitutionnelle est parfaite – elle est synonyme de révision – dans deux hypothèses. Soit parce qu'elle n'a pas besoin de textes complémentaires pour entrer en vigueur : elle est *self-executing* (ainsi la prohibition de la peine de mort consignée à l'article 66-1 depuis le 23 février 2007 ou l'interdiction d'exercer plus de deux mandats présidentiels consécutifs inscrite à l'article 6 depuis le 23 juillet 2008). Soit parce qu'elle a été complétée par le ou les textes subséquents réclamés par la Constitution elle-même.

287 « ACTE » CONSTITUTIONNEL. — L'expression « loi constitutionnelle » apparaissant incorrecte, le mot « révision » souffrant d'inexactitude, notre vocabulaire devrait recourir à la formule « acte constitutionnel ». Le terme « acte » est bien connu en droit public français (ainsi l'Acte additionnel aux Constitutions de l'Empire du 22 avril 1815), peut-être trop : il renvoie irrésistiblement aux Actes constitutionnels du régime de Vichy. La loi constitutionnelle du 10 juillet 1940 confiait au maréchal Pétain et au Gouvernement sous son autorité le soin de « promulguer par un ou plusieurs actes une nouvelle Constitution de l'État français ». Dix-sept actes constitutionnels seront édictés entre 1940 et 1942. Pour cette raison, l'expression « acte constitutionnel » est devenue péjorative ; c'est regrettable car elle est la plus satisfaisante au plan juridique.

Leçon 12

La « nature » du régime politique de la Ve République

288 UN RÉGIME PARLEMENTAIRE ORIGINAL. — La doctrine a discuté avec délice de la « nature » du régime politique de la Ve République. Serait-il parlementaire, présidentiel, présidentialiste, semi-présidentiel ou encore consulaire ? Il convient en premier lieu d'exprimer des doutes à l'endroit de la typologie contemporaine des régimes politiques : elle apparaît fragile et peu utile à l'intelligence du phénomène. Si on veut cependant à tout prix qualifier la Ve République, on se ralliera à la définition de Jean-Claude Colliard : le régime en place est une variante du parlementarisme, c'est « un régime parlementaire à correctif présidentiel ». La raison en est simple : à rebours d'une vue commune, la direction politique du pays dépend des élections législatives et non de l'élection présidentielle. La cohabitation l'a prouvé : le cap est déterminé par un Gouvernement soutenu par une majorité de députés. Il importe peu que la cohabitation ait occupé seulement neuf années de la Ve République (dont la XIe législature dans son ensemble), elle démontre que le président de la République cède le premier rôle au couple, classique dans les régimes parlementaires, formé du Gouvernement et d'une majorité parlementaire (le plus souvent réduite à une majorité de la Chambre basse). Il peut ou pourrait en aller de même dans les hypothèses où le président serait falot ou affaibli, notamment par la maladie, comme l'a montré à certains égards le deuxième mandat de Jacques Chirac. Pour autant, l'originalité du système français est incontestable : elle tient précisément à ce « correctif » présidentiel, fruit de prérogatives constitutionnelles exceptionnelles et d'une élection au suffrage universel direct.

289 ÉLECTION PRÉSIDENTIELLE ET FAIT MAJORITAIRE. — L'accent a été mis sur la « légitimité » populaire tirée de l'élection au suffrage universel direct. Elle a été à l'origine de l'étiquette « semi-présidentielle » attribuée à la Ve République par Maurice Duverger. Il est néanmoins certain que ce mode de désignation n'a pas été en lui-même décisif dans la querelle de 1962 qui, en accouchant du fait majoritaire, a érigé le président de la République en *leader* de la majorité parlementaire à la place du Premier ministre. La première élection au suffrage universel direct n'aura lieu qu'en 1965 ; il est difficile de soutenir qu'elle a été anticipée en 1962 ; tout au plus remarquera-t-on que le référendum du 28 octobre et les élections législatives de novembre ont accordé une confiance globale à la politique menée par de Gaulle et ses troupes ; les députés sont eux aussi élus au suffrage universel direct, certes dans le cadre de circonscriptions, sans influence en droit puisque les députés sont considérés fictivement comme les élus de la nation entière. Les présidents de la République ont tout intérêt à faire croire que l'élection des députés est la conséquence de la leur : ils s'octroient un crédit qui durera tout au long de la législature. D'où la dissolution de l'Assemblée nationale dans la foulée de l'échéance présidentielle en 1981 et 1988. D'où, en 2000, l'inversion du calendrier électoral destinée à organiser les élections législatives après la désignation du président. Le résultat est patent : le Premier ministre est marginalisé – simple « collaborateur », selon le mot de Nicolas Sarkozy – car le chef de la majorité se trouve à l'Élysée. Mais il le doit à des circonstances originales : en 1962, elles ont accouché du « fait » majoritaire – un fait qui peut être contrarié par un autre fait ou par le droit, en l'occurrence par les dispositions constitutionnelles, ainsi que la cohabitation l'a révélé.

290 LES COMPÉTENCES PRÉSIDENTIELLES. — Le droit constitutionnel explique en effet pourquoi la conduite de la politique nationale relève tantôt du président de la République, tantôt du Premier ministre. La Constitution de 1958 a installé une dyarchie exécutive qui n'a aucun équivalent dans le monde occidental : d'habitude, dans les régimes parlementaires, le chef de l'État joue un rôle effacé, sauf circonstances exceptionnelles. C'est le cas dans des pays aussi différents que la Grande-Bretagne et l'Allemagne, l'Espagne et l'Italie. La Ve République a rompu avec cette complexion institutionnelle en attribuant au président des compétences constitutionnelles capitales. La meilleure illustration en est que le contreseing ministériel n'est pas exigé pour tous les actes présidentiels (article 19 de la Constitution), alors qu'il est la règle dans les régimes parlementaires purs (ainsi la IIIe République). Voilà en quoi la France se distingue : d'autres pays occidentaux, notamment européens, désignent le président au suffrage universel direct, mais aucun n'a confié autant d'attributions constitutionnelles autonomes au président. À vrai dire, l'élection au suffrage universel direct et l'importance des prérogatives présidentielle sont liées : le président *use* de ses compétences constitutionnelles (qui pourraient rester lettre morte, telle la dissolution de la Chambre des députés sous la IIIe République) parce qu'il est élu au suffrage universel direct, tandis que de Gaulle a voulu une élection directe pour renforcer un président déjà richement doté.

291 LES TARES DE LA PRÉSIDENTIALISATION DU RÉGIME. — La Ve République forme donc un régime parlementaire à correctif présidentiel. Faut-il s'en satisfaire ? Certainement pas. La présidentialisation du régime est une tare ; il convient de renouer avec un parlementarisme efficace qui serait bien éloigné de la IIIe République, de la IVe République ou de la VIe République que certains annoncent, sans qu'il soit question d'ériger la Ire législature de la Ve République en modèle – à l'époque, entre 1958 et 1962, la rationalisation du parlementarisme n'était pas accentuée par le fait majoritaire, or c'est cette association qui mine le régime actuel, d'autant plus si on y ajoute la place considérable occupée par le chef de l'État. On a eu l'occasion de le regretter : nulle part il n'est aussi puissant (hors cohabitation) et nulle part il n'est aussi irresponsable.

292 LA STATURE PRÉSIDENTIELLE. — Il faut proscrire la personnalisation infantile du pouvoir – les affaires conjugales de l'un, la sveltesse de l'autre, à moins que ce ne fût l'inverse – et rendre au chef de l'État une stature « au-dessus des partis », ce qui donnerait de la dignité et de la stabilité à la fonction, sans compter, en cas de tempête, que le président servirait de fanal. Tel furent Richard von Weizsäcker, président de la République allemande entre 1984 et 1994, ou, dans un régime monarchique, le roi d'Angleterre George VI de 1936 à 1952. Une approximation a été donnée en France par les présidents cohabitant avec une majorité contraire : François Mitterrand et Jacques Chirac ont soigneusement poli leur image de père de la nation, de président de tous les Français. Mais une telle attitude était dictée par des intentions impures en 1986-1988 et en 1997-2002 parce que le président et le Premier ministre en exercice étaient rivaux et préparaient la prochaine échéance électorale.

293 LES CONDITIONS DU RÉGIME PARLEMENTAIRE. — Pour instaurer un parlementarisme de bon aloi, il faudrait, de deux choses l'une, soit que le président cesse d'être élu au suffrage universel direct, soit que les partis politiques se résolvent à lancer dans la bataille présidentielle des personnalités de second plan ou aux ambitions politiques amorties. D'une part l'élection directe, bien qu'elle n'affecte pas en elle-même les attributions constitutionnelles du président, contribue à la personnalisation et à la concentration du pouvoir : pas tant d'ailleurs parce que le président serait plus « légitime » que les parlementaires, mais parce que le résultat de l'élection présidentielle a un effet d'entraînement sur les élections législatives – les députés de la majorité doivent ou croient devoir leur mandat à la victoire de leur champion. L'expérience des IIIe et IVe Républiques aidant, il ne serait pas pour autant avisé de donner aux Chambres la compétence de désigner le président ; l'Italie en a d'ailleurs rappelé les faiblesses en avril 2013. Par contraste, le choix initial opéré en 1958 n'était pas mauvais : le chef de l'État était élu au suffrage indirect par un collège national d'élus locaux, selon une formule proche de celle qui sert aujourd'hui encore à l'élection des sénateurs. C'est précisément parce que le contexte et le but poursuivi par de Gaulle (renforcer le président de la République dans un régime non stabilisé et dont on craint le retour aux « vieux démons » de la IVe République) étaient radicalement autres que la transition du suffrage indirect au suffrage direct, compréhensible autrefois, pourrait emprunter le chemin inverse. L'élection indirecte a quelques avantages à faire valoir : elle évite que le président soit inféodé au parlement, elle fait appel à un collège suffisamment vaste pour être « représentatif », elle atténue la personnalisation excessive du pouvoir. Si une telle solution, exigeant une révision constitutionnelle à rebours, semblait inacceptable (sur le thème de la régression « démocratique »), il resterait une autre voie pour corriger les défauts de l'élection directe.

D'autre part, en effet, sans modifier le droit existant, on pourrait espérer une tactique nouvelle des partis politiques dominants : ils s'interdiraient de présenter leurs chefs à l'élection présidentielle, ils investiraient des personnalités ayant renoncé à un rôle politique de premier plan mais recommandables par leur action passée. Plusieurs États européens ont emprunté cette voie. Ainsi l'Autriche : l'ancien président, Heinz Fischer, né en 1938, a été élu une première fois en 2004, une seconde fois en 2010 – il avait mené une longue carrière politique comme député et ministre. Le Portugal présente un intérêt particulier : avant 1986, le président de la République jouait un rôle comparable à son homologue français ; en 1986, l'ancien Premier ministre, Mario Soarès, est élu chef de l'État, laissant cependant au Gouvernement le soin de gouverner le pays. Ces exemples prouvent que l'élection au suffrage universel direct ne fait pas nécessairement un président tout-puissant (minant la démonstration de Maurice Duverger). Tout dépend de la lettre constitutionnelle et de la configuration politique. La France ne manquait pas ou ne manquerait pas de candidats à une fonction présidentielle amoindrie mais plus qu'honorifique : Robert Badinter, Simone Veil, Michel Rocard, Alain Juppé, Édouard Balladur, Lionel Jospin, Laurent Fabius peut-être. Ces hommes et femmes politiques ont ou avaient en commun une expérience politique impressionnante et un âge respectable (le plus jeune a 73 ans). Ils exerceraient leur mandat sans vouloir s'ériger en concurrents du Premier ministre et de son Gouvernement. Il eût été à cet égard éclairant qu'Alain Juppé fût élu président de la République en 2017 : eût-il été un chef de l'État comme les autres ou bien se serait-il contenté d'un rôle d'arbitre, laissant une grande liberté d'action au Gouvernement ?

294 UNE PRÉSIDENCE DE LA RÉPUBLIQUE RESTYLÉE. — Ainsi, sans qu'il soit nécessaire de modifier les règles du parlementarisme rationalisé ou le mode de scrutin des élections législatives, on remédierait à une des faiblesses les plus gênantes de la Ve République : l'effacement du Premier ministre au profit du président de la République. Il n'est pas sain que le palais de l'Élysée soit tantôt le lieu d'un pouvoir concentré à l'extrême, tantôt une station d'attente pour l'emporter à la prochaine occasion. Il est par ailleurs dommage que la présidence de la République, symbole de l'union nationale, soit le foyer de divisions et de tensions partisanes. Si le titulaire n'est plus arbitre, mais capitaine, pour emprunter à Jean Massot, il n'est plus en mesure de rassembler tous les Français au-delà de leurs préférences idéologiques ou politiques. La chose est dangereuse pour la République elle-même : celle-ci doit incarner son unité dans une autorité qui n'est ni de droite ni de gauche. Le président n'en est pas pour autant réduit à inaugurer les chrysanthèmes : il conserve ses prérogatives constitutionnelles, il est donc avantagé par rapport aux chefs d'État des régimes parlementaires ordinaires. Ses actions déliées du contreseing sont rares et solennelles. Pour exercer ces compétences, il n'a pas besoin d'être le chef d'un parti ou d'une majorité ; son élection au suffrage direct et sa réputation suffisent à justifier sa décision dissolvant l'Assemblée nationale ou recourant aux pouvoirs exceptionnels de l'article 16.

Une telle transformation assurerait à la fois l'efficacité de l'action publique et l'équilibre de nos institutions. D'une part la cohabitation deviendrait impensable : le président cessant d'être le principal acteur de la vie politique nationale, il n'y aurait pas de rivalité concevable entre les deux têtes de l'exécutif – la direction des affaires appartiendrait sans conteste au Premier ministre et au Gouvernement. D'autre part le chef de l'État serait, en toutes circonstances, un gardien sourcilleux de la Constitution : aucune complaisance ne serait à craindre de sa part – en fin de carrière, ne briguant pas d'autre mandat, élu cependant au suffrage universel (direct ou indirect), il aurait l'indépendance, l'impartialité et l'autorité requises pour faire respecter les règles du jeu constitutionnel. Alors, il sera temps d'améliorer un système politique et juridique qui, dans l'ensemble, n'a pas démérité.

Table des matières

DROIT FONDAMENTAL

MANUELS

D. Alland	Manuel de droit international public (6e éd. mise à jour)
F. Bluche	Manuel d'histoire politique de la France contemporaine (3e éd.)
J. Boudon	Manuel de droit constitutionnel. Tome 1 : Théorie générale – Histoire – Régimes étrangers (2e éd. mise à jour)
J. Boudon	Manuel de droit constitutionnel. Tome 2 : La Ve république (2e éd. mise à jour)
J.-M. Carbasse	Manuel d'introduction historique au droit (8e éd. mise à jour)
F. Chaltiel	Manuel de droit de l'Union européenne
T. Fleury-Graff	Manuel de droit international public. Tome 2
T. Fleury-Graff et A. Marie	Droit de l'asile
L. Fonbaustier	Manuel de droit de l'environnement
F.-X. Lucas	Manuel de droit de la faillite (2e éd. mise à jour)
F.-X. Lucas, D. Poracchia	Manuel de droit commercial
R. Maison	Justice pénale internationale
J. Morange	Manuel des droits de l'homme et libertés publiques
B. Pacteau	Manuel de contentieux administratif (3e éd. mise à jour)
A. Sériaux	Manuel de droit des obligations (3e éd.)
P. Serrand	Manuel d'institutions administratives françaises (5e éd.)
P. Serrand	Droit administratif. Tome 1 : Les actions administratives (2e éd.)
P. Serrand	Droit administratif. Tome 2 : Les obligations administratives (2e éd.)
J.-G. Sorbara	Manuel de droit administratif des biens
F. Zenati-Castaing, T. Revet	Cours de droit civil. Successions
F. Zenati-Castaing, T. Revet	Cours de droit civil. Obligations. Régime
F. Zenati-Castaing, T. Revet	Cours de droit civil. Sûretés personnelles
F. Zenati-Castaing, T. Revet	Manuel de droit des personnes
F. Zenati-Castaing, T. Revet	Cours de droit civil – Contrats. Théorie générale – Quasi-contrats
F. Zenati-Castaing, T. Revet	Cours de droit civil – Contrats. Vente (Droits communs français et européen) – Échange
F. Zenati-Castaing, T. Revet	Les biens (3e éd.)

CLASSIQUES

D. Alland	Droit international public
G. Antonetti	Histoire contemporaine politique et sociale (9e éd.)
C. Autexier	Introduction au droit public allemand
G. Bigot	Introduction historique au droit administratif depuis 1789
J.-M. Carbasse	Histoire du droit pénal et de la justice criminelle (3e éd. mise à jour)
J.-M. Carbasse	Manuel d'introduction historique au droit (4e éd. refondue)

G. Druesne	Droit de l'Union européenne et politiques communautaires (8e éd. mise à jour)
P.-Y. Gautier	Propriété littéraire et artistique (11e éd. enrichie)
S. Goyard-Fabre	Philosophie politique (XVIe-XXe siècle)
J.-L. Halpérin	Histoire du droit privé français depuis 1804 *(réédité en « Quadrige »)*
J.-L. Harouel, J. Barbey, É. Bournazel et J. Thibaut-Payen	Histoire des institutions, de l'époque franque à la Révolution (11e éd.)
J. Hilaire	Introduction historique au droit commercial *(épuisé)*
F. Julien-Laferrière	Droit des étrangers
T. Lambert, J.-J. Bienvenu	Droit fiscal (4e éd.)
Ph. Lauvaux	Les grandes démocraties contemporaines (3e éd.)
B. Mathieu, M. Verpeaux, F. Chaltiel	Droit constitutionnel
J.-P. Massias (dir.)	Droit constitutionnel des États d'Europe de l'Est (2e éd. entièrement revue)
Y. Mayaud	Droit pénal général (6e éd. mise à jour)
J. Morange	Droits de l'homme et libertés publiques (5e éd.)
S. Neuville	Droit de la banque et des marchés financiers
B. Pacteau	Contentieux administratif (7e éd. refondue)
S. Regourd	Droit de la communication audiovisuelle
J.-P. Royer, J.-P. Jean, B. Durand, N. Derasse et B. Dubois	Histoire de la justice en France (5e éd. revue et mise à jour)
A. Sériaux	Droit canonique
D. Simon	Le système juridique communautaire *(épuisé)*
F. Sudre	Droit européen et international des droits de l'homme (14e éd.)
E. Zoller	Droit constitutionnel (2e éd.)
E. Zoller	Grands arrêts de la Cour suprême des États-Unis
M. Verpeaux	Droit constitutionnel français (2e éd.)

TRAITÉS

D. Alland, C. Teitgen-Colly	Traité du droit de l'asile
G. Couturier	Traité de droit du travail, t. 2 : Les relations collectives de travail (2e éd.)
J.-P. Fradin, J.-B. Geffroy	Traité du droit fiscal de l'entreprise
V. Harouel-Bureloup	Traité de droit humanitaire
B. Pacteau	Traité de contentieux administratif
J.-H. Robert, H. Matsopoulou	Traité de droit pénal des affaires

Cet ouvrage a été mis en pages par

<pixellence>

numérique
Impression & brochage - France
Numéro d'impression : N17932200776 - Achevé d'imprimer : Août 2020
IMPRIM'VERT®
PEFC™ 10-31-3532 / **Certifié PEFC** / Ce produit est issu de forêts gérées durablement et de sources contrôlées. / pefc-france.org